マンガ『論語』完全入門

森 哲郎

講談社

まえがき

かつて日本の先達たちは、『論語』をはじめとする中国古典から人間学を学び、自分を律し、自分を高める努力をしてきました。しかるに現代のリーダーたちは中国古典の素養に欠け、倫理観を喪失し、そのことが政・官・財の相次ぐ不祥事の一因になっているように思われます。

孔子《こうし》は、「利を見て義《ぎ》を思う」と言っています。つまり、「利益を求めるとき、人間としての正しい道を忘れるな」と言うのです。しかし、今の日本では、「利を見てなりふりかまわず」のありさまで、これが経済大国と言われる国の実情です。

わたしは中国に長期滞在中、しばしば『論語』をひもとき、気に入った言葉に絵を添え色紙に描いてきました。それがやがて本書（『マンガ「論語」完全入門』）のもとになる『論語漫画』につながっていったのです。

堅苦しくて難解だと思われがちな『論語』を、親しめる身近なものにしたいと考え、学而《がくじ》篇からはじまる二十篇五百章からなる『論語』の漫画化に取り組みました。

漫画手法で表現するにあたり、時局や世相風刺《ふうし》を織り込み、一章一篇一ページの漫画を基本にまとめました。もちろん、中国古典の専門家が書いた『論語』解釈をさらにわかりやすく絵解きにし、誰にでも楽しめる『論語』を目指しました。描きながら「人生の苦労人」孔子の偉大さに心打たれました。問題に直面したとき、孔子は明快に解答を与えてくれます。多くの弟子が、孔子を聖人君子として尊敬する気持ちがわかります。

二千五百年以上を経た現代にも、孔子の言葉は生き生きとわたしたちに語りかけてきます。「われは生まれながらにしてこれを知る者にあらず、古《いにしえ》を好み、敏にして、もってこれを求むる者なり」

「わたしは生まれながらの天才ではない。古いものから学びとる努力をしているだけだ」と、孔子は言っているのです。

この言葉から「温故知新」(故《ふる》きを温《たず》ねて新しきを知る)という四字熟語が生まれました。これからも孔子の教訓に学び、中国古典のビジュアル化に努めたいと思っています。折に触れ手にしていただき、『論語』との対話を楽しんでいただければ幸いです。

森　哲郎

◉目　次

マンガ『論語』完全入門

『論語』について

『論語』とは何か

『論語』とは、孔子の言行を中心に、没後一冊にまとめられた本です。西の『聖書』、東の『論語』といわれ、最も基本的な教養の書として、日本でも千数百年前から先人によって読み継がれてきました。学而篇からはじまる二十篇五百近い章から成り立つ人間の記録です。

孔子の思想のキーワードは「仁」であり、この「仁」の上に立って、人間論、政治論、指導者論が生き生きと展開されています。

『論語』は、聖人君子のお説教で堅苦しいものと思われがちですが、実はそうではなく、下積みの苦労人の言行録と言っていいでしょう。

現代に生きる人の心の支えとして、折に触れ目を通し、自分をチェックし、自分を高めるための「人間学の基本書」、それが『論語』です。

孔子の教え

かつて日本人は中国古典を学び、素養を高め、社会に貢献してきました。とりわけ『論語』は人間学の原理原則であり、先人たちは『論語』を心の支えとして、きびしい現実に対処してきました。

しかし近頃は、中国古典の素養がなくなり、そのことが、政・官・財界の不祥事につながっているように思われます。

孔子は、上に立つ者は徳を身につけよ、と言っています。近頃のリーダーは、説得力に欠けるといわれています。リーダーには、それだけの能力や人格が求められているのだから、自分を鍛える努力を怠ってはなりません。怠ればリーダー失格です。よきリーダーとなるには、人間としての徳を身に

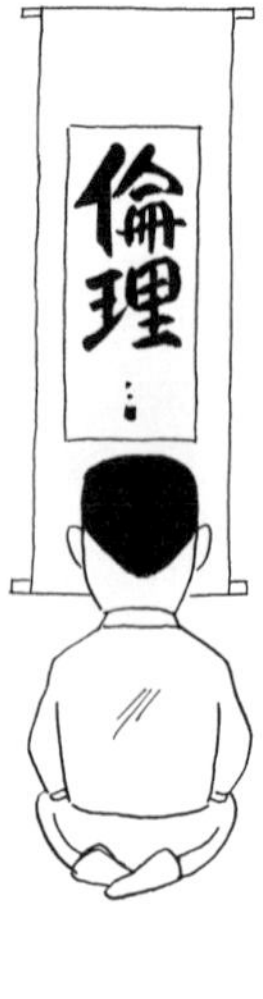

つけよ、そのための努力をしなさい。上に立つ者は、それなりの器量と人格がなくてはなりません。そして、自分を律する倫理性をもたなければならない、と孔子は説いています。

人は心で動く

上に立つ者が正しい行いをすれば、下の者もついてきます。

人を動かそうとするには、まず自分を振り返ってみることです。

地位にあぐらをかいていないか、自分をかえりみようとしているかいないか、自分をチェックすることです。「人は心で動く」と孔子は言っています。

地
位

「徳」とは何か

それは道理にかなうりっぱな行いを言います。そして「徳」はいくつかの要素から成り立っています。

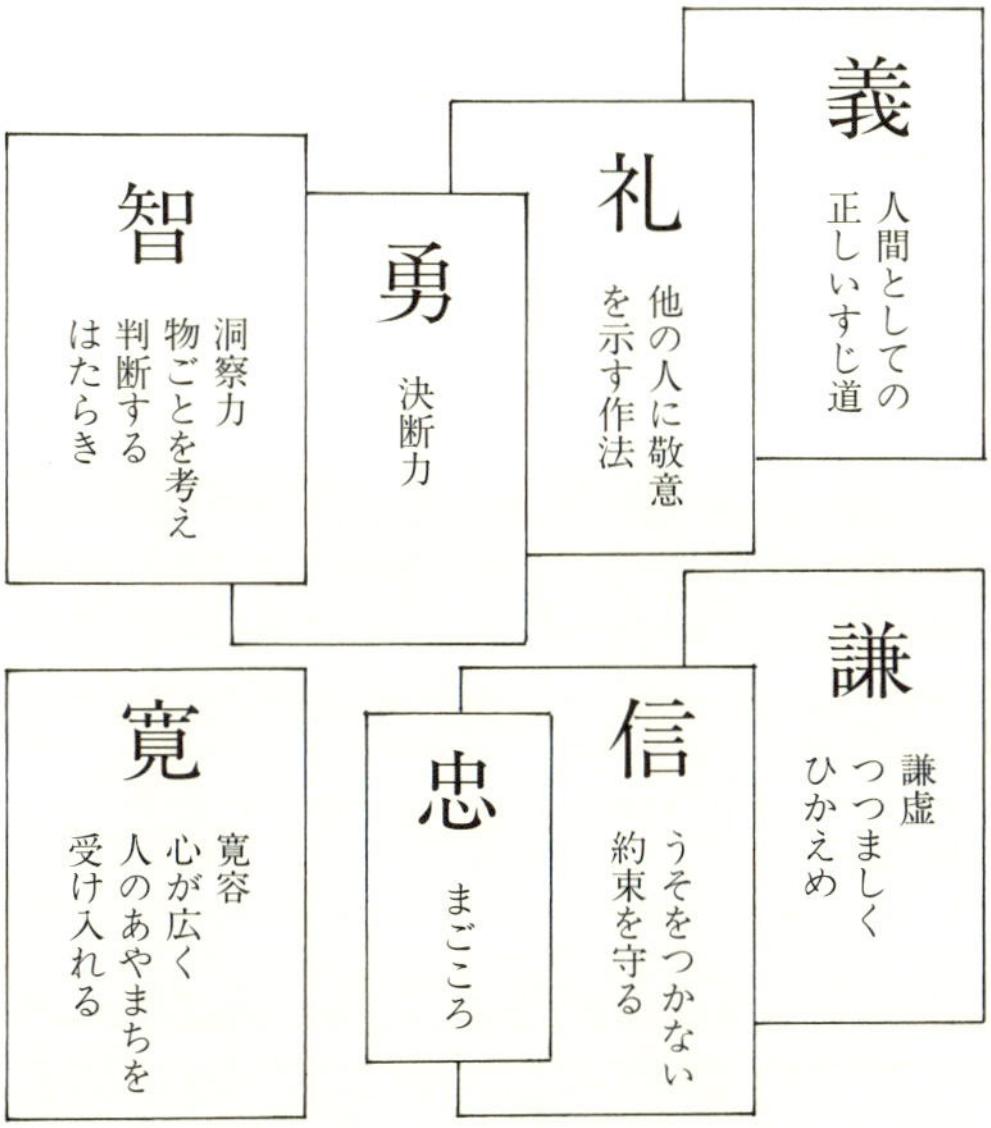

仁
思いやりの心
いつくしむ心
義
人間としての
正しいすじ道
礼
他の人に敬意
を示す作法
勇
決断力
智
洞察力
物ごとを考え
判断する
はたらき
謙
謙虚
つつましく
ひかえめ
信
うそをつかない
約束を守る
忠
まごころ
寛
寛容
心が広く
人のあやまちを
受け入れる

「利を見て義を思う」

「利を見て義を思う」とは、孔子の言葉です。利益を求めるときは、人としての正しい道を念頭に置いてかかりなさい、と言っています。つまり不正な行為による金儲けをいましめているのです。

しかるに現代は、金儲けのためにはなりふりかまわずといった風潮です。人としての正しい道など、頭の中にそのかけらもなく、あるのは利益の追求ばかり、挙げ句の果てに、法の裁きを受けるはめになるのです。

孔子について

孔子のことは、最終章「孔子の生涯」に詳しく触れています。孔子は完全無欠な聖人ではなく、人生の辛酸《しんさん》をなめた苦労人でした。孔子の没後、孔子から教えを受けた人たちによって、孔子を尊敬するあまり、聖人にまつりあげられてしまったようです。

『中国名人彩図故事』に描かれている孔子像
(上海远来出版社刊)

孔子の弟子たち

「論語」に登場する人物は百五十人に近いが、その中心は孔子とその弟子たちです。弟子の数は三千人という説もありますが、七十人というのが正しいでしょう。そのうち「論語」には約三十人の名が見えますが、ここにその一部を紹介します。

顔回《がんかい》（顔淵《がんえん》）

孔子最愛の弟子
顔淵の呼び名もある
四十一歳で死去

有子《ゆうし》

姓は有
名は若
孔子より
四十三歳若い

子夏《しか》

姓は卜
名は商
孔子より
四十四歳若い

子貢《しこう》

姓は端木
名は賜
孔子より
三十一歳若い

子路《しろ》（季路《きろ》）

「論語」に最も多く登場する
季路の呼び名もある
孔子より
九歳若い

曽子《そうし》

姓は曽
名は参
孔子より
四十六歳若い

子游《しゆう》

姓は言
名は偃《えん》
孔子より
四十五歳若い

子張《しちょう》

姓は顓孫《せんそん》
名は師
孔子より
四十八歳若い

冉有《ぜんゆう》

姓は冉
名は求
季氏の家臣で
孔子より
二十九歳若い

閔子騫《びんしけん》

姓は閔
名は損
孔子より
十五歳若い

公冶長《こうやちょう》

姓は公冶
名は長
孔子の娘と
結婚する

冉伯牛《ぜんはくぎゅう》

姓は冉
名は耕《こう》
伯牛は字《あざな》

宰我《さいが》

姓は宰
名は予

曽晳《そうせき》

姓は曽
名は点
曽子の父
孔子より
九歳若い

仲弓《ちゅうきゅう》

姓は冉
名は雍《よう》
孔子より
二十九歳若い

*他に、南容《なんよう》、子賤《しせん》、申棖《しんとう》、公西華《こうせいか》、原憲《げんけん》、樊遅《はんち》、子羔《しこう》（高柴《こうさい》）、子思《しし》などがいる。

学而篇《がくじへん》

『論語』二十篇の篇名は、無造作につけられている。

各篇の内容が、複雑、多岐にわたり、主張的であるというよりも示唆的であり、短い言葉にしぼることが難しい。

この篇では、「学而時習之」から学而の二字をとって篇名としている。

学問のよろこび

子《し》曰《いわ》く、学《まな》びて時《とき》に之《これ》を習《なら》う、亦《また》説《よろこ》ばしからずや。朋《とも》有《あ》り遠方《えんぽう》より来《き》たる、亦《また》楽《たの》しからずや。人《ひと》知《し》らずして慍《いか》らず、亦《また》君子《くんし》ならずや。

勉強する
よろこびを
身につける

勉強したことを何度も復習していると理解が深まり自分のものとして体得できる
体
得
これぞ人生のよろこびではないか！
学問について志を同じくする友だちが遠いところから来て学問について語り合う
なんと楽しいことではないか！
人に認められようが認められまいがそんなことは気にかけず勉強をつづける
學
問
これが本当の君子である！
二千五百年も昔——孔子はすでに学問のよろこびをこのように指摘していたのです

注・〈君子〉＝孔子の時代では志をそなえた為政者。現代では人格者という意味。

善意の根本

有子《ゆうし》曰《いわ》く、其《そ》の人《ひと》と為《な》りや孝弟《こうてい》にして、而《しか》も上《かみ》を犯《おか》すことを好《この》む者《もの》は鮮《すくな》し。上《かみ》を犯《おか》すことを好《この》まずして、而《しか》も乱《らん》を作《な》すことを好《この》む者《もの》は、未《いま》だ之《これ》有《あ》らざるなり。君子《くんし》は本《もと》を務《つと》む。本《もと》立《た》ちて道《みち》生《しょう》ず。孝弟《こうてい》なる者《もの》は、其《そ》れ仁《じん》の本為《もとな》るか。

まず、家庭を大切にする

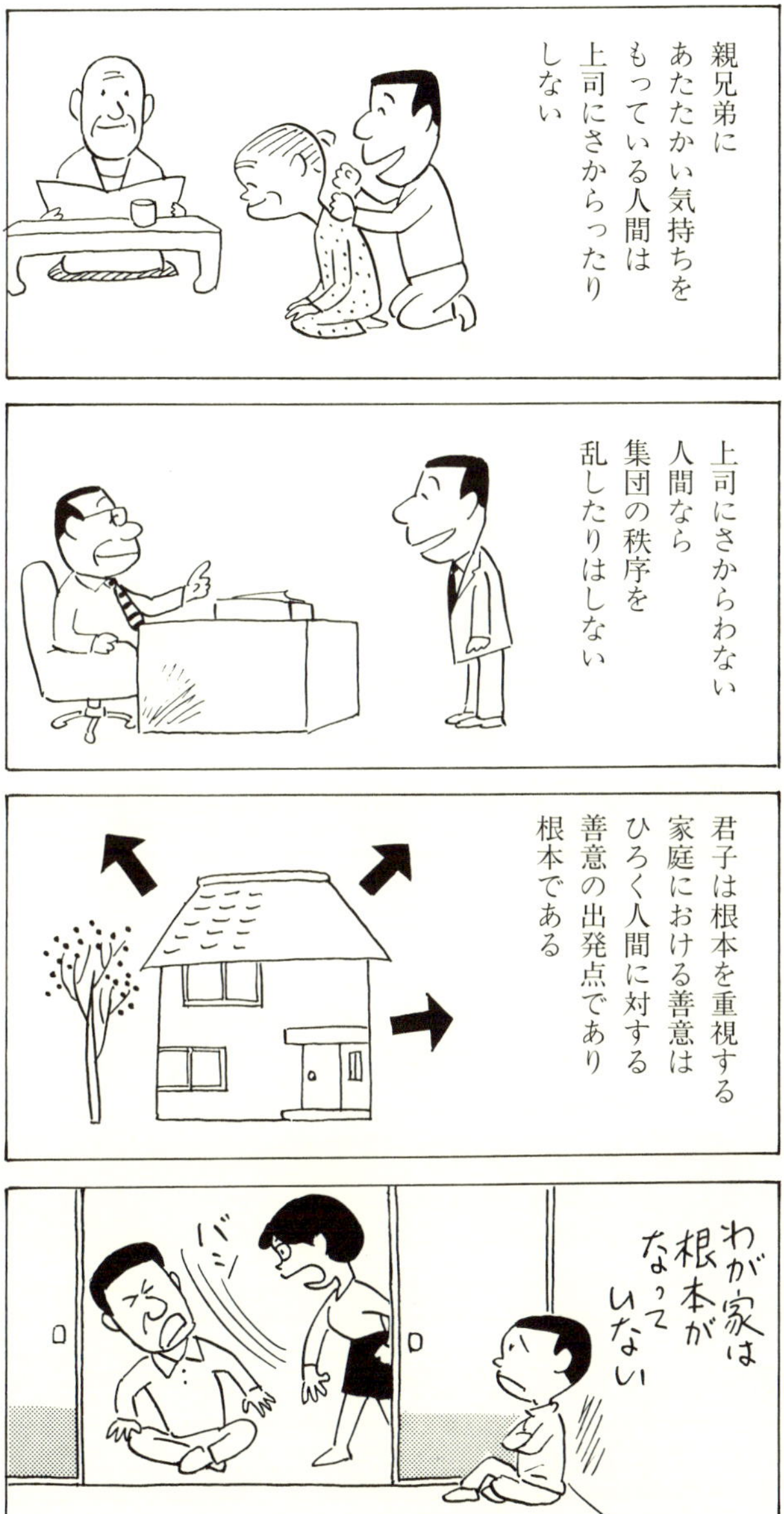
親兄弟に
あたたかい気持ちを
もっている人間は
上司にさからったり
しない
上司にさからわない
人間なら
集団の秩序を
乱したりはしない
君子は根本を重視する
家庭における善意は
ひろく人間に対する
善意の出発点であり
根本である
バン
わが家は
根本が
なってない

口先だけの人間には真の愛情はない

子《し》曰《いわ》く、巧言令色《こうげんれいしょく》、鮮《すくな》し仁《じん》。

口先だけの
人間になるな

うまくかざりすぎた
言葉――
みなさまの
ために
命をささ
げる男
顔をやわらげ
人をそらさぬ
応対――
どうぞ
どうぞ
もうけろ
もうけろ
企業
そんな手合いに
限って仁には
ほど遠い
権力
金
政
財
〝仁〟とは
もっとも人間らしい
生き方を
することである

一日に三つの反省

曾子《そうし》曰《いわ》く、吾《われ》日《ひ》に三《み》たび吾《わ》が身《み》を省《かえ》りみる。人《ひと》の為《ため》に謀《はか》りて忠《ちゅう》ならざるか。朋友《ほうゆう》と交《まじわ》りて信《しん》ならざるか。習《なら》わざるを伝《つた》うるか。

わたしは、毎日
三つのことを
反省します
人の相談に
のりながら
人事だからと
いいかげんに
しなかったか——
友だちに対して
不誠実な
態度を
とらなかったか——
自分で確信のない
ことを
人に教えたりは
しなかったか——

毎日
反省する

国民あっての国家

子《し》曰《いわ》く、千乗《せんじよう》の国《くに》を道《みちび》くには、事《こと》を敬《けい》して信《しん》あり、用《よう》を節《せつ》して人《ひと》を愛《あい》し、民《たみ》を使《つか》うに時《とき》を以《もつ》てす。

日本は主権在民

その国の政治を行う者は、人民の信頼を失ってはならない
税金のムダ使いをしてはならない
人民が忙しいとき強制労働に駆り出してはならない
政治不信

つまり、何より大切なのは今も昔も国民だということである
政治不信
国民

注・〈千乗の国〉＝戦車千台とそれにふさわしい兵士を動員できる各地の大名の国をいう。

実践と読書のすすめ

子《し》曰《いわ》く、弟子《ていし》入《い》りては則《すなわ》ち孝《こう》、出《い》でては則《すなわ》ち弟《てい》。謹《つつし》んで信《しん》。汎《ひろ》く衆《しゅう》を愛《あい》して
仁《じん》に親《ちか》づき、行《おこな》いて余力有《よりょくあ》らば、則《すなわ》ち以《もっ》て文《ぶん》を学《まな》べ。

読書は
心のゆとり

親に孝行
兄弟仲よく
誠実で万事に
気をつける
誠実に
生きる
広く人びとと交際し
人格者と親しむ
そういう実践の中で
余裕があったら
読書をしなさい

註・〈弟子〉＝ここでは若者の意。

本を読むだけが学問ではない

子夏《しか》曰《いわ》く、賢《けん》を賢《けん》として色《いろ》に易《か》え、父母《ふぼ》に事《つか》えて能《よ》く其《そ》の力《ちから》を竭《つく》し、君《きみ》に事《つか》えて能《よ》く其《そ》の身《み》を致《いた》し、朋友《ほうゆう》と交《まじわ》るに言《い》いて信有《しんあ》らば、未《いま》だ学《まな》ばずと曰《い》うと雖《いえど》も、吾《われ》は必《かなら》ず之《これ》を学《まな》びたりと謂《い》わん。

人生、学歴ではないということ

賢者を尊敬し父母に孝行する
君主に仕えては身命をささげる
誠実であり言ったことは必ず実行する
そういう人物は正式な学問をしていなくても学問を修めた人物と評価してもよい
なぜならその人物は人道の根本をつかんでいるからです

威厳のある人になれ

子《し》曰《いわ》く、君子《くんし》は重《おも》からざれば則《すなわ》ち威《い》あらず。学《まな》べば則《すなわ》ち固《かたくな》ならず。

孔子は言っとる 社長たる者 重厚にして 威厳が なくては ならないと…
そして 学問 すれば 考え方も 柔軟に なると…
人に対しても 誠実を むねとしてこそ リッパな社長 になれると…
しょせん キミは 部長 止まり だナ

軽い人間や
石頭は
バカにされる

自分より劣る友人はプラスにならない

忠信《ちゅうしん》を主《しゅ》とし、己《おのれ》に如《し》かざる者《もの》を友《とも》とすること無《な》かれ、過《あやま》ちては則《すなわ》ち改《あらた》むるに憚《はばか》ること勿《な》かれ。

よい友を選び
よい妻、
よい夫を選ぶ

自分より劣った人間を友だちに選ぶなと孔子は言ってる
そういえば
おまえはオレより劣った人間だ このさいオサラバだ
バシーッ
わたしはあんたの女房だよっ
孔子は言った あやまちに気がついたらすぐ改めよとネ
それはこっちのセリフ

徳は得

子禽《しきん》、子貢《しこう》に問《と》うて曰《いわ》く、夫子《ふうし》は是《こ》の邦《くに》に至《いた》るや、必《かなら》ず其《そ》の政《まつりごと》を聞《き》く。之《これ》を求《もと》めたるか。抑《そも》そも之《これ》を与《あた》えたるか。子貢曰《しこういわ》く、夫子《ふうし》は温良恭倹譲《おんりょうきょうけんじょう》、以《もっ》て之《これ》を得《え》たり。夫子《ふうし》の之《これ》を求《もと》むるや、其《そ》れ諸《こ》れ人《ひと》の之《これ》を求《もと》むるに異《こと》なるか。

人徳について
考えてみよう

あるとき、子禽《しきん》は
兄弟子の子貢《しこう》に聞いた
「うちの先生はどこの国へ行かれ
ても政治上の相談をうけられるが
それは、先生から求めたものか
向こうからもちかけられたものか
どちらですか？」

子貢は答えた
「先生は
温（おだやかさ）
良（すなおさ）
恭（うやうやしさ）
倹（つつましやかさ）
譲（ひかえめさ）
この五つの徳によって
その地位を得られたものだ」

人と人との和を大切に

有子《ゆうし》曰《いわ》く、礼《れい》の用《よう》は和《わ》を貴《たっと》しと為《な》す。……

アンバランスは不和のもと

披露宴会場
オイッ
後ハイがオレの上席にすわっとるどうなってんだ！
受付
オレを招待しないとはなにごとだ
そんなこといま言われても…
受付
だから言ったでしょ私を大切にしなさいと
調和
関係者

註・〈礼〉＝冠婚葬祭の儀礼から社会生活、家庭生活の諸行事の礼を含んでいる。

節度を守れ

有子《ゆうし》曰《いわ》く、信《しん》、義《ぎ》に近《ちか》づけば、言《げん》復《ふ》むべきなり。恭《きょう》、礼《れい》に近《ちか》づけば、恥辱《ちじょく》に遠《とお》ざかるなり。……

約束はしても……
じゃア あした に時 ここで
道理にかなって いないときは それを果たせない
いけねえ
寝すぎちゃった!
礼儀として うやうやしくする のはよいが……
ごめん
やたらペコペコ するのは卑屈に みえて恥をかく ことになる
これ この通り
バーカ

「節度」とは ちょうどよい ほどあい

何事も腹八分にとどめよう

子《し》曰《いわ》く、君子《くんし》は食飽《しょくあ》くことを求《もと》むる無《な》く、居安《きょやす》きことを求《もと》むる無《な》し。

欲望は
ほどほどに

うまいものを腹いっぱいたべたいなァ
いい家に住んでいっぱいぜいたくがしたい!
『孔子は言った それは小物の考えだ リッパな人間は仕事を果たすことと自分の修養を考える』ーとネ
文句あるの!
『オレ曰く 孔子よりも女房の考え これが現実』

行動に敏、言動に慎重たれ

事《こと》に敏《びん》にして言《げん》に慎《つつし》む。有道《ゆうどう》に就《つ》いて正《ただ》す。学《がく》を好《この》むと謂《い》うべきのみ。

期待される
人間になろう

仕事
やるべき仕事は敏速にキチンとやる
自分の発言には責任をもつ
おまかせ下さい
常に専門分野のベテランから意見や批判をきく
このような人間は学問を好む者と認められる
将来期待できる人物です

心豊かに……

子貢《しこう》曰《いわ》く、貧《まず》しくして諂《へつら》うこと無《な》く、富《と》んで驕《おご》ること無《な》きは、何如《いかん》。子《し》曰《いわ》く、可《か》なり。未《いま》だ貧《まず》しくして楽《たの》しみ、富《と》んで礼《れい》を好《この》む者《もの》に若《し》かざるなり。

文化性を高めることも大切

子貢「貧乏はしているが
卑屈ではない
金は持っているが
傲慢《ごうまん》ではない
という生き方は
いかがでしょうか？」

孔子「その姿勢はよろしい
しかし、貧しいときにも
道を楽しみ、豊かなときも
文化に親しむ者には
及ばないだろう」

学問修業にはげむべし

子貢《しこう》曰《いわ》く、詩《し》に、切《せつ》するが如《ごと》く、磋《さ》するが如《ごと》く、琢《たく》するが如《ごと》く、磨《ま》するが如《ごと》しと云《い》うは、其《そ》れ斯《こ》れを之《これ》謂《い》うか。……

（孔子の答えを聞いて）

子貢「詩経《しきょう》で
〝切《き》るが如く
磋《す》るが如く
琢《う》つが如く
磨《みが》くが如く〟と
うたっているのは
ちょうどこのことを
言っているのですね」

子貢が引用した「詩経」の詩は「衛風淇奥《きいく》」の第一章であり、その意味は、〝骨や角を細工する職人がすでに切って形を整えた作品にさらにやすりをかけてこれを磋《と》ぎ、玉や石を細工する職人がすでに琢《う》って形を仕上げた作品をさらに磨く〟というもので、「切磋琢磨《せっさたくま》」の言葉はここから生まれ、学問修業にはげむという意味に使われるようになりました。

他人の真価を認識できるか

子《し》曰《いわ》く、人《ひと》の己《おのれ》を知《し》らざるを患《うれ》えず、人《ひと》を知《し》らざるを患《うれ》う。

学問は自分のためにするのであって人に知られるための虚栄心でやるのではない
わかるか?
ハイ
人から認められないなんてことを気にするよりだな・・・
むしろ自分が他人の真価を見抜けない無能力さこそ反省する人間になれ!
じゃア課長こそ大いに反省すべきだ!

人や物事を見抜く力をつけよう

為政篇《いせいへん》

この篇には政治論が比較的多いが、まとまってはいない。孔子にとっては、政治は道徳であり、礼であり、芸術であり、人そのものである。孔子自身の生き方を含め、人間いかになすべきかなどの処世篇。

篇名は、篇首「為政以徳」による。

政治の基本は仁徳

子《し》曰《いわ》く、政《まつりごと》を為《な》すに徳《とく》を以《もっ》てするは、譬《たと》えば北辰《ほくしん》の其《そ》の所《ところ》に居《い》て、衆星《しゅうせい》の之《これ》に共《むか》うが如《ごと》し。

道徳を高めよう

政治を行うには
常に、道徳を中心に
すえておかなければならない
それは、ちょうど北極星が
まん中にあって
他のもろもろの星が
そのほうを向いているような
ものである――
と孔子は言っている

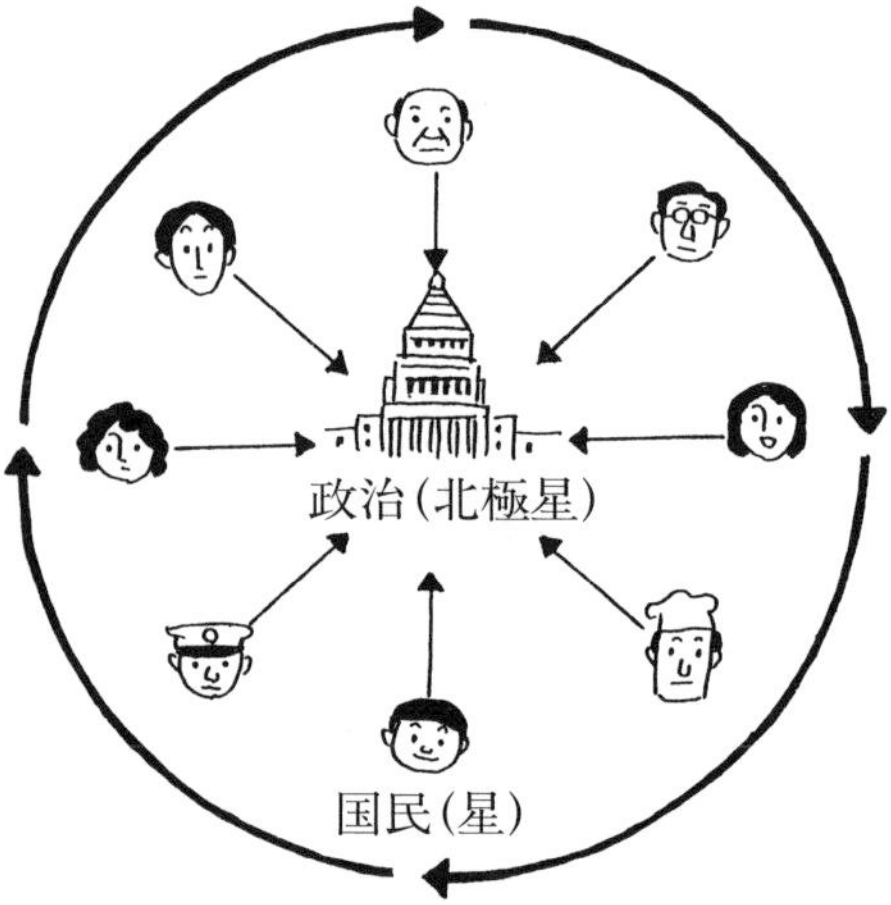

つまり、孔子は
政治の基本は、法令や
規則ではない
仁徳である
為政者は、仁徳を身につけ
国民の道徳を高めるよう
導かねばならない――
と説いているのです

しかるに現代の為政者は——

法令や規則で
すべてを
取りしきろうと
している

政権利権のため
党利党略に
腐心している

頭にあるのは
党勢拡張や
選挙のことばかり

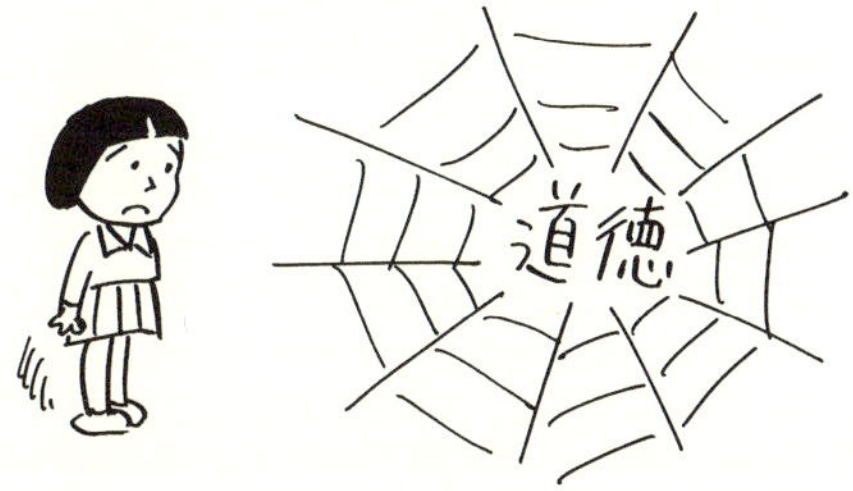

会社の経営も学校の管理も
一家の維持も、みんな政治であり
道徳が基盤であるからには

人間一人ひとりの道徳教育を
高めることが、国際化時代に対応
できる教養となります。

恥を知る人間になれ

子《し》曰《いわ》く、之《これ》を道《みちび》くに政《まつりごと》を以《もっ》てし、之《これ》を斉《ととの》うるに刑《けい》を以《もっ》てすれば、民《たみ》免《まぬが》れて恥《は》じ無《な》し。
之《これ》を道《みちび》くに徳《とく》を以《もっ》てし、之《これ》を斉《ととの》うるに礼《れい》を以《もっ》てすれば、恥《は》じ有《あ》りて且《か》つ格《いた》る。

法律や罰則だけで政治を行えば、国民は法をうまくくぐり抜けることを考え、恥を知る心を失う
刑罰
法

——しかし、道徳によって国民を指導し、文化性を高めていけば、恥を知る人間となり不正行為をしなくなる
文化性

三十歳で立ち、四十歳で迷わず

子《し》曰《いわ》く、吾《わ》れ十有五《じゅうゆうご》にして学《がく》に志《こころざ》す。三十《さんじゅう》にして立《た》つ。四十《しじゅう》にして惑《まど》わず。五十《ごじゅう》にして天命《てんめい》を知《し》る。六十《ろくじゅう》にして耳順《みみしたが》う。七十《しちじゅう》にして心《こころ》の欲《ほっ》する所《ところ》に従《したが》って、矩《のり》を踰《こ》えず。

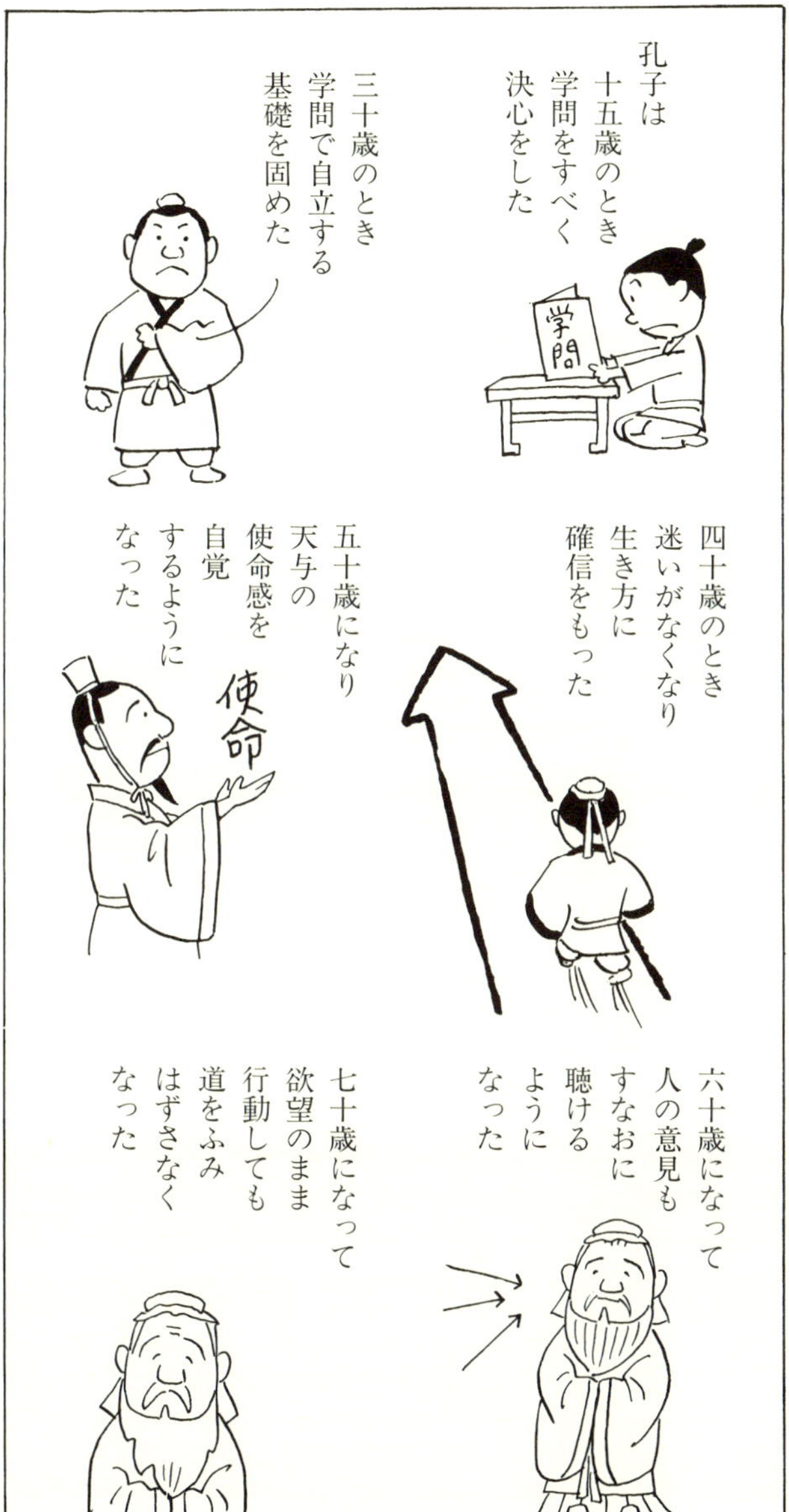
孔子は
十五歳のとき
学問をすべく
決心をした
学問
三十歳のとき
学問で自立する
基礎を固めた
四十歳のとき
迷いがなくなり
生き方に
確信をもった
五十歳になり
天与の
使命感を
自覚
するように
なった
使命
六十歳になって
人の意見も
すなおに
聴ける
ように
なった
七十歳になって
欲望のまま
行動しても
道をふみ
はずさなく
なった

親孝行とは何か

孟《もう》武《ぶ》伯《はく》、孝《こう》を問《と》う。子《し》曰《いわ》く、父《ふ》母《ぼ》は唯《た》だ其《そ》の疾《やまい》を之《こ》れ憂《うれ》う。

近ごろは
父親の質も
低下気味

孟武伯の親孝行についての質問に孔子は答えて言った
親がいちばん心配するのはわが子の病気である
つまりだな病気になって親に心配をかけさせない
そして子としてもまた親の身を案じることこれがいちばんの親孝行だと孔子はおっしゃっている
とかなんとかいっていつも息子に金を借りにくるんだから
いつもスマン

親孝行に大切な敬愛の心

子《し》游《ゆう》孝《こう》を問《と》う。子《し》曰《いわ》く、今《いま》の孝《こう》なる者《もの》は、是《こ》れを能《よ》く養《やしな》うと謂《い》う。犬馬《けんば》に至《いた》るまで、皆《みな》能《よ》く養《やしな》うことあり。敬《けい》せずんば、何《なに》を以《もっ》て別《わか》たんや。

親孝行という
言葉は死語⁉

子游――
親孝行とは
何でしょう
孔子――
親孝行は
親に対して
衣食を不自由
させなければ
よいとしているが
それでは
犬や猫を飼って
いるのと同じ
親孝行に
大切なものは
金や物でなく
親に対して
敬愛の心を
もつことである
わが家では
むずかしい

人間の観察法

子曰《しいわ》く、其《そ》の以《もち》いる所《ところ》を視《み》、其《そ》の由《よ》る所《ところ》を観《み》、其《そ》の安《やす》んずる所《ところ》を察《さつ》すれば、人焉《ひといずく》んぞ廋《かく》さんや、人焉《ひといずく》んぞ廋《かく》さんや。

①その人の外面に現れた行動を観察する
ペコペコ
②つぎに、その行動の動機を観察する
課長を命ず
エヘヘ
③そしてその行動の目的とするところを観察する
課長になったらこの女を……
ウヒヒ
この三つについて観察すれば必ずその人の真実がわかる隠そうとしても隠しきれるものではない

だから人間観察はおもしろい

温故知新

子《し》曰《いわ》く、故《ふる》きを温《たず》ねて新《あたら》しきを知《し》る、以《もっ》て師《し》と為《な》るべし。

スピーチなどによく使われる

歴史を知って現実を知らないのは石アタマ
現実を知って歴史を知らないのも同じようなものだ
歴史を知らず現実を知らずでは
教師たる資格はないと孔子は言ってるョ
コーシってなんやねん
孝行ムスコつまり孝子
どっちも教師にゃなれん

大物になれ

子《し》曰《いわ》く、君子《くんし》は器《うつわ》ならず。

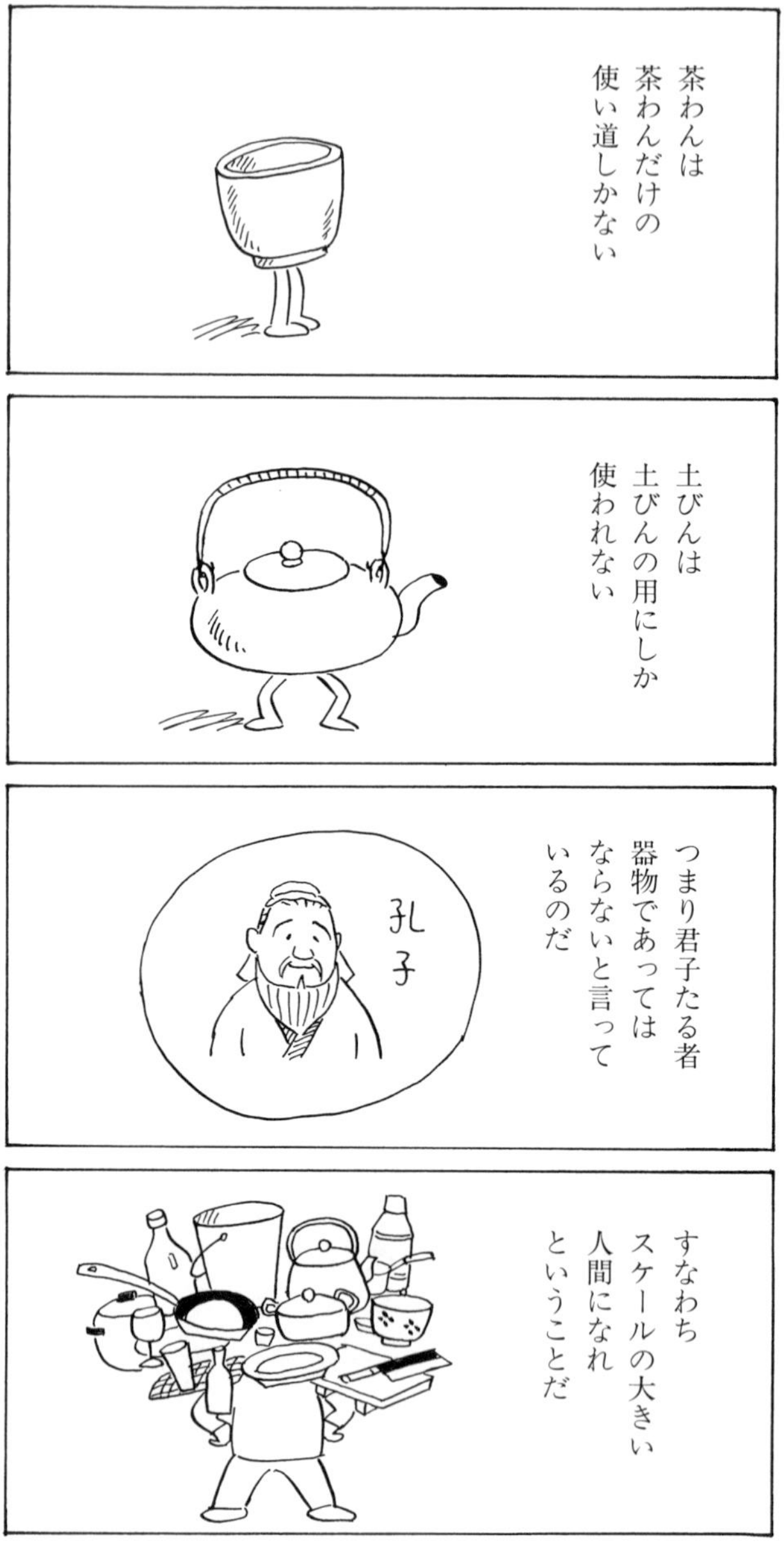
茶わんは
茶わんだけの
使い道しかない
土びんは
土びんの用にしか
使われない
孔子
つまり君子たる者
器物であっては
ならないと言って
いるのだ
すなわち
スケールの大きい
人間になれ
ということだ

一つの使い道
しかない
人間は小物

不言実行

子《し》貢《こう》、君《くん》子《し》を問《と》う。子《し》曰《いわ》く、先《ま》ず其《そ》の言《げん》を行《おこの》うて、而《しこう》して後《のち》に之《これ》に従《したが》う。

弱虫
それでもオトコか！
見ちゃいられん
オレならぶっとばしてやる！
不言実行！
あんたはいつも口先ばかり！
スミマセン

有言不実行は
政治家に多い

君子と小人の違い

子《し》曰《いわ》く、君子《くんし》は周《しゅう》して比《ひ》せず。小人《しょうじん》は比《ひ》して周《しゅう》せず。

君子は友情に富むが仲間ぼめはしない
小人は仲間ぼめはするが真の友情をもたない
つまりだナ 君子はつきあいが広く仲間を身びいきしたりしないんだ
小人はその反対で身びいきはするしつきあいもせまい
おまえのことさ
なぜ？
おまたせェ〜〜

自分のことがわからない人

学問とは学びて思索すること

子《し》曰《いわ》く、学《まな》んで思《おも》わざれば則《すなわ》ち罔《くら》し。思《おも》うて学《まな》ばざれば則《すなわ》ち殆《あやう》し。

読んで
考えてこそ
実となる

〝学んで〟とあるのは
読書のこと
〝思わざれば〟とは
思索のこと
読書
思索
読書だけで
考えることを
しなかったら
混乱する
反対に
考えてばかりで
読書をしなかったら
ひとりよがりに
なってしまう
読み
考える
ことで
学問は
生きたものになる

異端の説について

子《し》曰《いわ》く、異端《いたん》を攻《おさ》むるは、斯《こ》れ害《がい》あるのみ。

中身がないと
論争も
できない

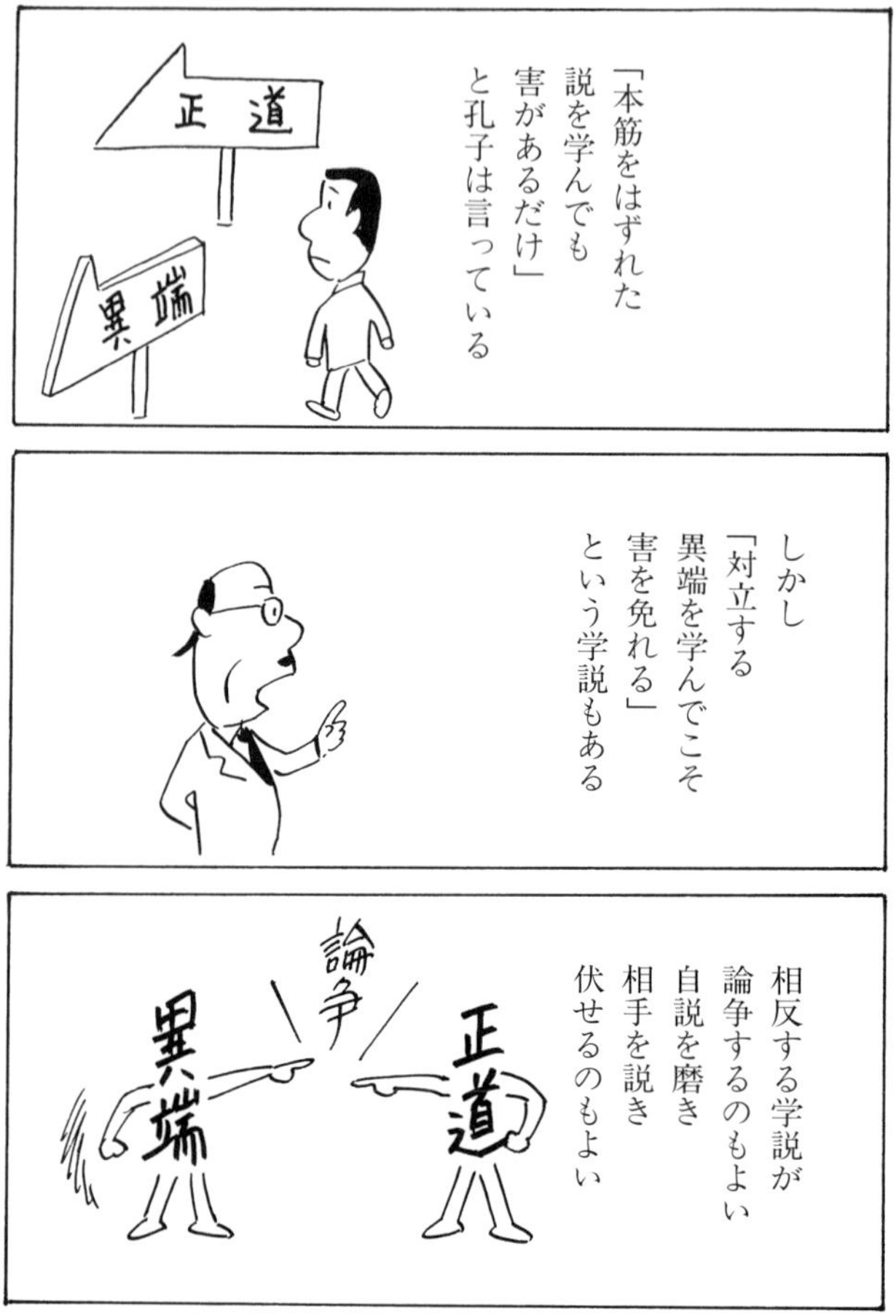

「本筋をはずれた説を学んでも害があるだけ」と孔子は言っている
正道
異端
しかし「対立する異端を学んでこそ害を免れる」という学説もある
相反する学説が論争するのもよい
自説を磨き相手を説き伏せるのもよい
論争
異端
正道
しかし攻撃的な論争は泥仕合を招くだけで何にもならない

多くを知り、確信のないことは話さない

子張《しちょう》、禄《ろく》を干《もと》めんことを学《まな》ぶ。
子曰《しいわ》く、多《おお》く聞《き》きて疑《うたが》わしきを闕《か》き、慎《つつし》みて其《そ》の余《あま》りを言《い》えば、則《すなわ》ち尤《とが》め寡《すくな》し。多《おお》く見《み》て殆《あやう》きを闕《か》き、慎《つつし》みて其《そ》の余《あま》りを行《おこな》えば、則《すなわ》ち悔《く》い寡《すくな》し。言《げん》に尤《とが》め寡《すくな》く、行《おこな》いに悔《く》い寡《すくな》ければ、禄《ろく》其《そ》の中《うち》に在《あ》り。

ビジネスマン成功法

子張――
先生
役人になって
給料をもらうには
どうすれば
いいでしょうか
仁徳

まず多くのことを知り
身につけて
自分に実力を
つけることだ

しかし
見聞を広めても
自分に確信のもて
ないことはひかえ
確信のあることを
人に語ることだ

そうすれば
まちがえて悔いることも
ないし、そういう言動が
まわりの者や上司に
認められ、自分から
売り込まなくても
昇格し昇給につながる

まがった人間のなおし方

哀公《あいこう》問《と》うて曰《いわ》く、
何《なに》を為《な》さば則《すなわ》ち民服《たみふく》せん。
孔子《こうし》対《こた》えて曰《いわ》く、
直《なお》きを挙《あ》げて諸《こ》れを枉《まが》れるに錯《お》けば、
則《すなわ》ち民服《たみふく》す。
枉《まが》れるを挙《あ》げて諸《こ》れを直《なお》きに錯《お》けば、
則《すなわ》ち民服《たみふく》せず。

心のねじれた
人間も
まっすぐになる

哀公とは孔子の祖国魯の国の君主です
まっすぐな材木をそりまがった材木の上におけば
まっすぐの材木に押されてそりまがった材木もまっすぐになる

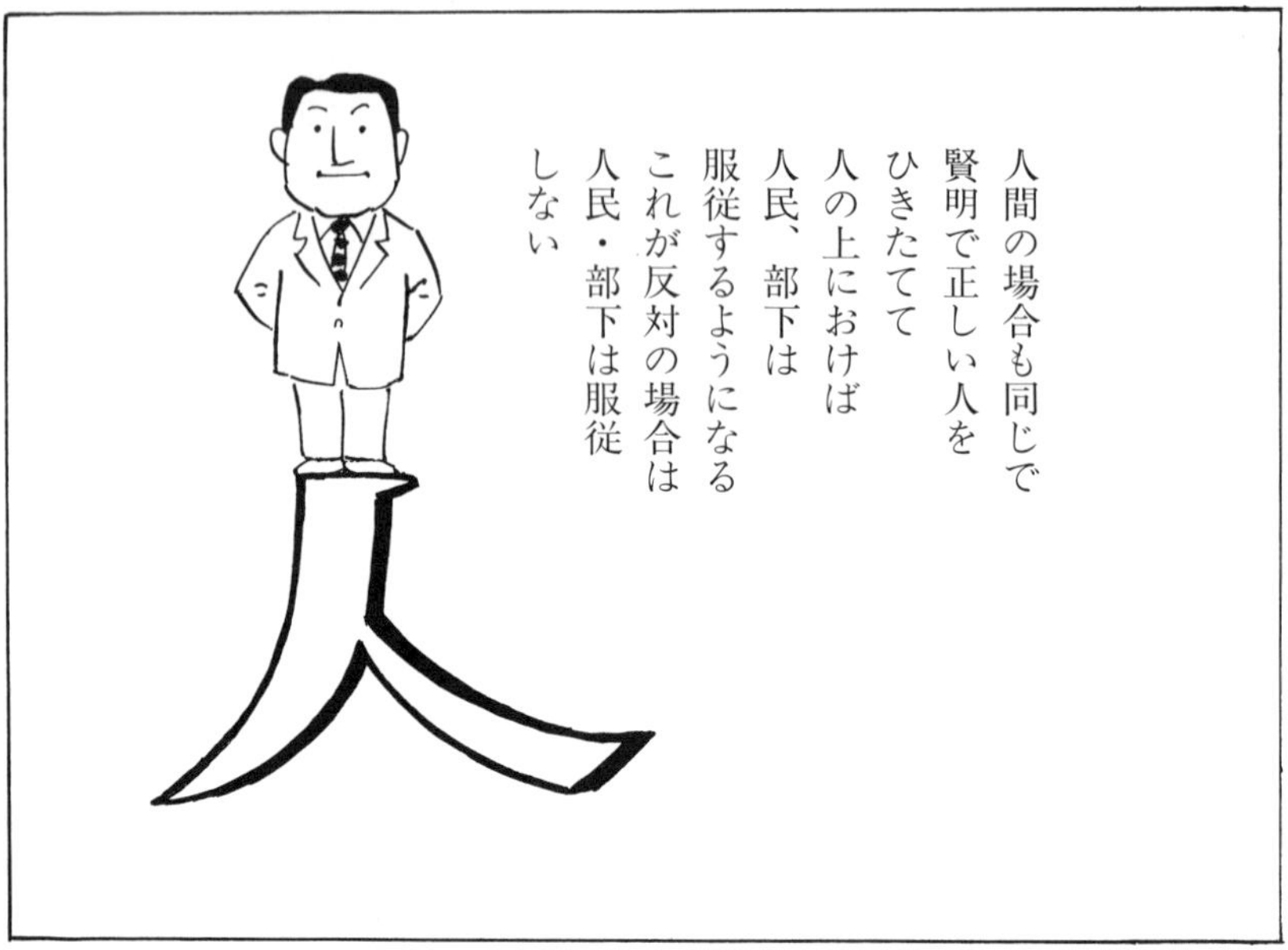
人間の場合も同じで
賢明で正しい人を
ひきたてて
人の上におけば
人民、部下は
服従するようになる
これが反対の場合は
人民・部下は服従
しない

そういえば
わが社の上司は
まがった材木
ばかりネ
みんな
そっくり
返っている

信義のない人間は最低

子《し》曰《いわ》く、人《ひと》にして信無《しんな》くんば、其《そ》の可《か》なることを知《し》らざるなり。大車輗無《たいしゃげいな》く、小車軏無《しょうしゃげつな》くんば、其《そ》れ何《なに》を以《もっ》てか之《これ》を行《や》らんや。

人間関係は
信義にもとづいて
成り立っている
その言動に
信頼できない人は
いかに才能があっても
有害となる
それは牛車や馬車に
輗軏《げいげつ》がないのと同じで
動かしようがない
不信

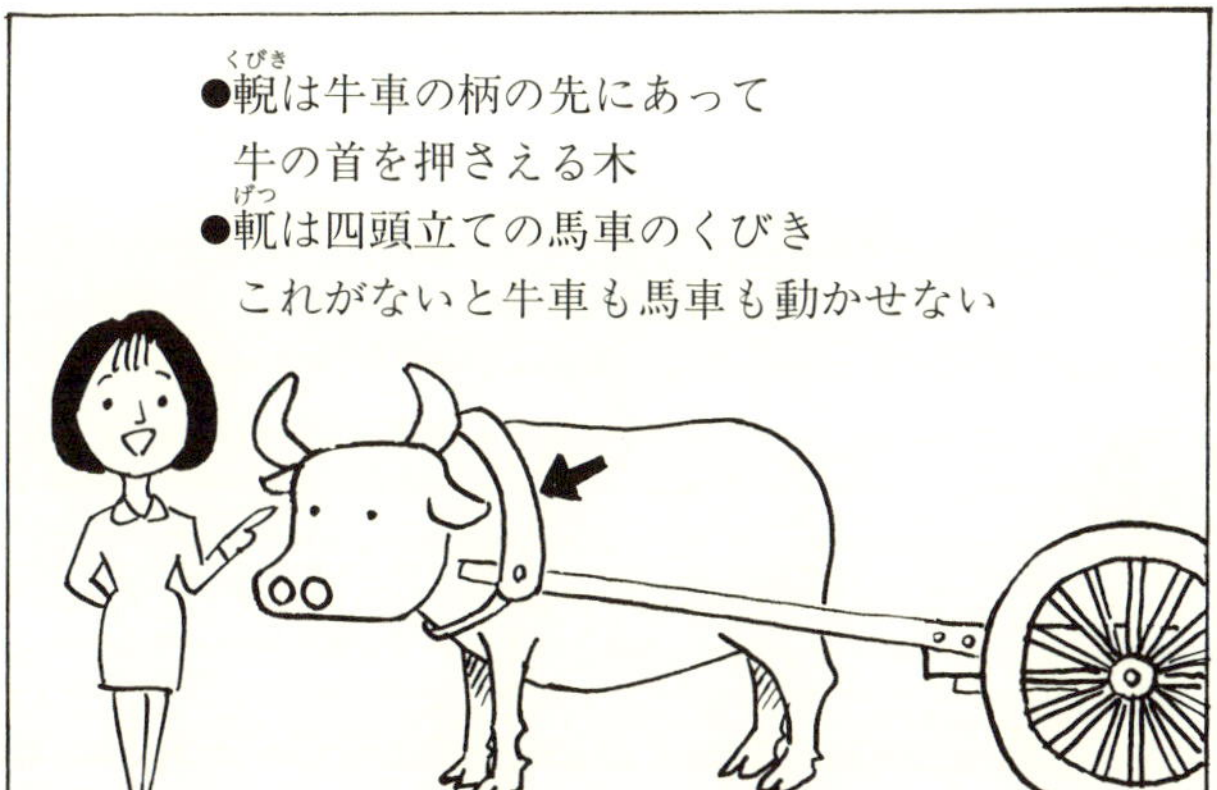
●輗《くびき》は牛車の柄の先にあって
牛の首を押さえる木
●軏《げつ》は四頭立ての馬車のくびき
これがないと牛車も馬車も動かせない

「信義」とは
約束を守り
つとめを果たす

勇気をもて

子《し》曰《いわ》く、其《そ》の鬼《き》に非《あら》ずして之《これ》を祭《まつ》るは、諂《へつら》いなり。義《ぎ》を見《み》て為《な》さざるは、勇《ゆう》無《な》きなり。

祭るべきでない
ものを祭るのは
へつらいであり
いやしむべき
おべっかである
カン
ケイ
ない
先祖
こうするのが正しい
道と知りながら
自分の利益や
保身のため
世間体を気にして
実行しないのは
勇気がないから
である

君の勇気は
第三者が
知っている

注・〈鬼〉＝この場合先祖の霊をいう。

八佾篇《はちいつへん》

この篇には、礼楽についての言葉が多い。舞楽の名である「八佾」を篇名とし、礼楽の重要さを伝えようとしている。

人間らしい愛情をもつ

子《し》曰《いわ》く、人《ひと》にして仁《じん》ならずば、礼《れい》を如何《いかん》。人《ひと》にして仁《じん》ならずば、楽《がく》を如何《いかん》。

礼は人なり

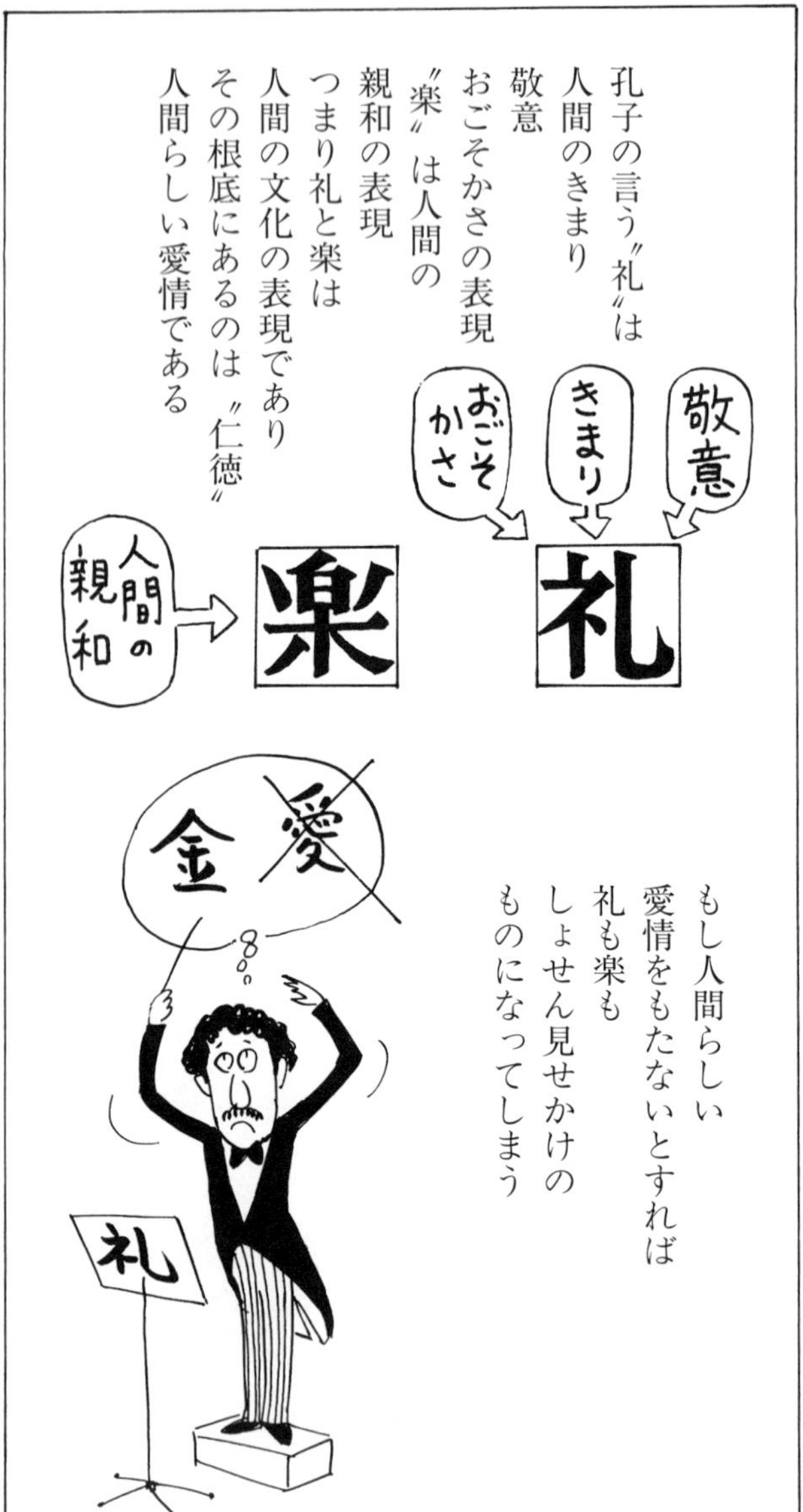

孔子の言う〃礼〃は
人間のきまり
敬意
おごそかさの表現
〃楽〃は人間の
親和の表現
つまり礼と楽は
人間の文化の表現であり
その根底にあるのは〃仁徳〃
人間らしい愛情である
敬意
きまり
おごそかさ
礼
人間の親和
楽
金
愛
礼
もし人間らしい
愛情をもたないとすれば
礼も楽も
しょせん見せかけの
ものになってしまう

礼儀はぜいたくよりも質素がよい

林放《りんぽう》、礼《れい》の本《もと》を問《と》う。子曰《しいわ》く、大《おお》いなるかな問《と》いや。礼《れい》は其《そ》の奢《おご》らんよりは寧《むし》ろ倹《けん》せよ。喪《そう》は其《そ》の易《おさ》めんよりは寧《むし》ろ戚《いた》め。

礼の根本は何でしょうか？
礼をつくすのはぜいたくよりむしろ質素がよい
葬儀にしても形式より哀悼の意を表すことが大切だ
これが礼である
礼はまごころの表れである。

礼をつくすのに
金はかからない

秩序について

子《し》曰《いわ》く、夷《い》狄《てき》の君《きみ》有《あ》るは、諸《しょ》夏《か》の亡《な》きが如《ごと》くにあらざるなり。

物語の順序や
きまりが秩序

「軽蔑している未開国だって
君主がいて人民を統治して
いるのに
中国は君主がいても
秩序がない
これでは君主がいないのと同じだ」
と孔子は乱世の中国をなげいた

註・〈夷狄〉＝未開国のこと。〈諸夏〉＝中国の諸侯の国。

他人とむやみに争うな

子《し》曰《いわ》く、君子《くんし》は争《あらそ》う所《ところ》無《な》し、必《かなら》ずや射《しゃ》か。揖譲《ゆうじょう》して升《のぼ》り下《くだ》り、而《しこう》して飲《の》ましむ、其《そ》の争《あらそ》いや君子《くんし》なり。

次元の低い争いは避ける

君子は人と争わない
争うとすれば
弓道であろう
弓を射るときは
お互いにあいさつし
ゆずり合う
そして負けた者は
勝者からの罰杯を
受ける
これが君子の争い
である
人はむやみに
争うべきでない
しかし争うときは
どこまでも争い
正しい勝ちを
制する心が大切
である
不正

外見よりも心がけが大事

子夏《しか》、問《と》うて曰《いわ》く、巧笑倩《こうしょうせん》たり、美目盼《びもくはん》たり、素《そ》以《もっ》て絢《あや》を為《な》すとは、何《なん》の謂《いい》ぞや。子曰《しいわ》く、絵《え》の事《こと》は素《しろ》きを後《のち》にす。曰《いわ》く、礼《れい》は後《のち》か。子曰《しいわ》く、予《わ》れを起《おこ》す者《もの》は商《しょう》なり。始《はじ》めて与《とも》に詩《し》を言《い》うべきのみ。

サギ師は
外見を飾る

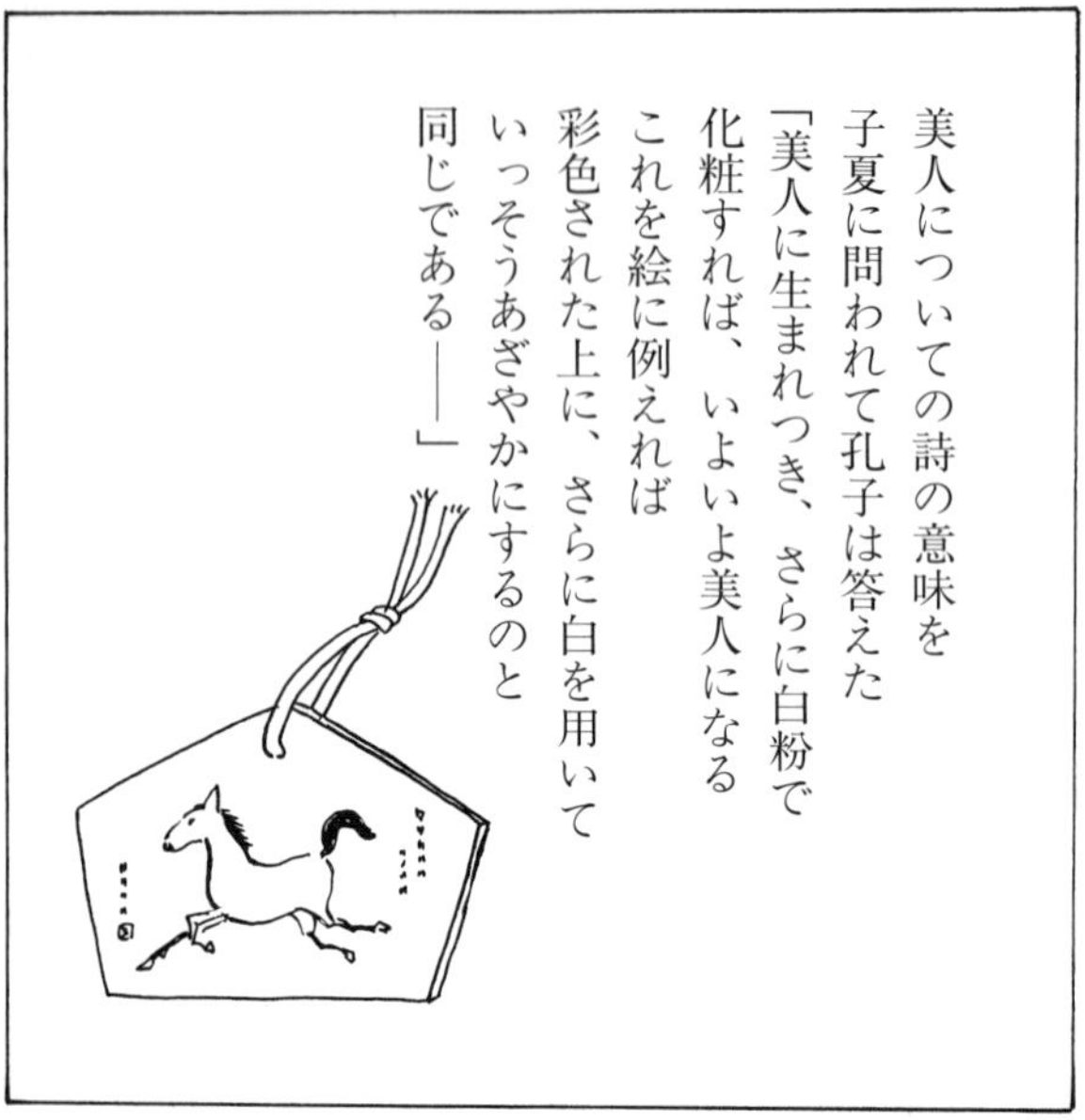
美人についての詩の意味を
子夏に問われて孔子は答えた
「美人に生まれつき、さらに白粉で
化粧すれば、いよいよ美人になる
これを絵に例えれば
彩色された上に、さらに白を用いて
いっそうあざやかにするのと
同じである――」

現代は外見ばかりを
飾ることに熱中して
精神を飾ることを
忘れている
精神

心がけについて

祭《まつ》ること在《いま》すが如《ごと》くす。神《かみ》を祭《まつ》ること、神在《かみいま》すが如《ごと》くす。
子曰《しいわ》く、吾《わ》れ祭《まつ》りに与《あずか》らざれば、祭《まつ》らざるが如《ごと》し。

何事も
心がけ一つ

神さまを祭る場合
あたかもそこに
神がおいでになるような
敬虔《けいけん》な気持ちで
祭ることである
この言葉は私以前の古語である
私の場合その祭に参列できなかったときは・・・
その祭が終わっていないようで心が安まらない

人に媚《こ》びるな

王孫賈《おうそんか》、問《と》うて曰《いわ》く、其《そ》の奥《おう》に媚《こ》びんよりは、寧《むし》ろ竈《そう》に媚《こ》びよとは、何《なに》の謂《いい》ぞや。子《し》曰《いわ》く、然《しか》らず、罪《つみ》を天《てん》に獲《う》れば、禱《いの》る所無《ところな》きなり。

媚びへつらう
人間が
身近にいないか

「衛の国の君主の
側近に媚びるより
実権をにぎっている
わたしに媚びたら
どうか」
と王孫賈が
孔子にさそいを
かけた

「こそこそと
媚びへつらったら
人格を失い
天罰を受ける」
と孔子は
さそいをことわった

註・〈王孫賈〉＝衛の国の重臣。

礼について

子《し》、大廟《たいびょう》に入《い》りて、事《こと》ごとに問《と》う。或《あ》るひと曰《いわ》く、孰《たれ》か鄹人《すうひと》の子《こ》を、礼《れい》を知《し》ると謂《い》うや。大廟《たいびょう》に入《い》りて、事《こと》ごとに問《と》う。子《し》之《これ》を聞《き》きて曰《いわ》く、是《こ》れ礼《れい》なり。

相手を
思いやる
心がけ

孔子が魯の国の君主の
介添え役として
大廟に行ったとき
孔子は祭祀のしだいを
いちいちそばの者にたずねて
行動した
孔子
なんて・・・
孔子の出世をねたんでいた
ある人が
「孔子は物知りだ
というが、大廟に来ても
ウロウロして、いちいち
質問していた」
と悪口を言った
それを伝え聞いた孔子は
言った
「そうするのが礼なんだよ」

羊よりも儀式を惜しむ

子貢《しこう》、告朔《こくさく》の餼羊《きよう》を去《さ》らんと欲《ほっ》す。子曰《しいわ》く、賜《し》や、爾《なんじ》は其《そ》の羊《ひつじ》を愛《あい》す。我《われ》は其《そ》の礼《れい》を愛《あい》す。

ゆとりある
ひとときを
惜しむ

毎月一日に先代の君主の神社で羊を供えて行う儀式について子貢はそんな形式だけの儀式は廃止したらいいと主張した
子貢よ おまえは羊を惜しむが 私はその儀式がなくなるのを惜しむよ

上司には礼をつくすべし

子《し》曰《いわ》く、君《きみ》に事《つか》うるに礼《れい》を尽《つ》くせば、人《ひと》以《もっ》て諂《へつら》えりと為《な》すなり。

へつらうことは
礼儀ではない

君主に対して
礼儀正しく接している
孔子の姿を見て
君主にへつらっている
と見るまわりの者を
孔子はなげいた
まわりでそれを
とやかく言う者こそ
俗物である
上司に仕えるに
言葉づかいや
物腰などに
気をつけるのは
あたりまえの
ことである
そんな俗物の言に
まどわされず
目上の人には
礼をつくしなさい
と孔子は
教えている

上下関係のあり方

定公《ていこう》問《と》う、君《きみ》、臣《しん》を使《つか》い、臣《しん》、君《きみ》に事《つか》うる、之《これ》を如何《いかん》。
孔子《こうし》対《こた》えて曰《いわ》く、君《きみ》は臣《しん》を使《つか》うに礼《れい》を以《もっ》てし、臣《しん》は君《きみ》に事《つか》うるに忠《ちゅう》を以《もっ》てす。

スーツだって
上下のバランス
が大事

「主君と臣下の心がけることは何か」と定公は孔子にたずねた
孔子は答えた「主君は臣下に礼をつくす臣下は主君に忠をつくすことです」
礼
忠
つまり君臣関係はバランスが大切だということ
わが社の上下関係のバランスは最低です
バカモン
てやんでぇ

注・〈定公〉＝魯の国の君主。

過去をとがめても仕方がない

哀公《あいこう》、社《しゃ》を宰我《さいが》に問《と》う。宰我《さいが》、対《こた》えて曰《いわ》く、夏后氏《かこうし》は松《まつ》を以《もっ》てし、殷人《いんひと》は柏《はく》を以《もっ》てし、周人《しゅうひと》は栗《りつ》を以《もっ》てす。曰《いわ》く、民《たみ》をして戦栗《せんりつ》せしむ。子《し》、之《これ》を聞《き》きて曰《いわ》く、成事《せいじ》は説《と》かず、遂事《すいじ》は諫《いさ》めず、既往《きおう》は咎《とが》めず。

失敗をくり返さない

哀公が宰我にたずねた
「この社《やしろ》が樹木を御神体とするのはなぜか？」
「現王朝では栗の木を御神体としていますが栗の音はリツですから人民を戦慄《せんりつ》させるためでしょう」
これを伝え聞いた孔子は
「バカな返答をしたものだ これでは君主に殺伐を教えるようなものだ しかし、言ってしまったことをとがめても仕方がない 以後、気をつけなさい」

註・〈哀公〉＝魯の国の君主。幼年で即位。〈宰我〉＝孔子の弟子。

孔子こそ世の救済者だ

地方の町で孔子に面会したその町の役人が面会を終えて出てきて、孔子の弟子たちに言った。

「あなた方の先生こそ、この世を救う社会の指導者だ。天はあなた方の先生を社会の木鐸《ぼくたく》になさるでしょう」

木鐸というのは、文化に関する政令を役人がふれまわるときの鈴のことである。

つまり役人は

「天は孔子を、人類救済の木鐸になさろうとしている」と言ったのです。

人の上に立つ人間に必要なもの

子《し》曰《いわ》く、上《かみ》に居《い》て寛《かん》ならず、礼《れい》を為《な》して敬《けい》せず、喪《も》に臨《のぞ》んで哀《かなし》まずんば、吾《われ》何《なに》を以《もっ》て之《これ》を観《み》んや。

見どころのある
人間は
心がけがちがう

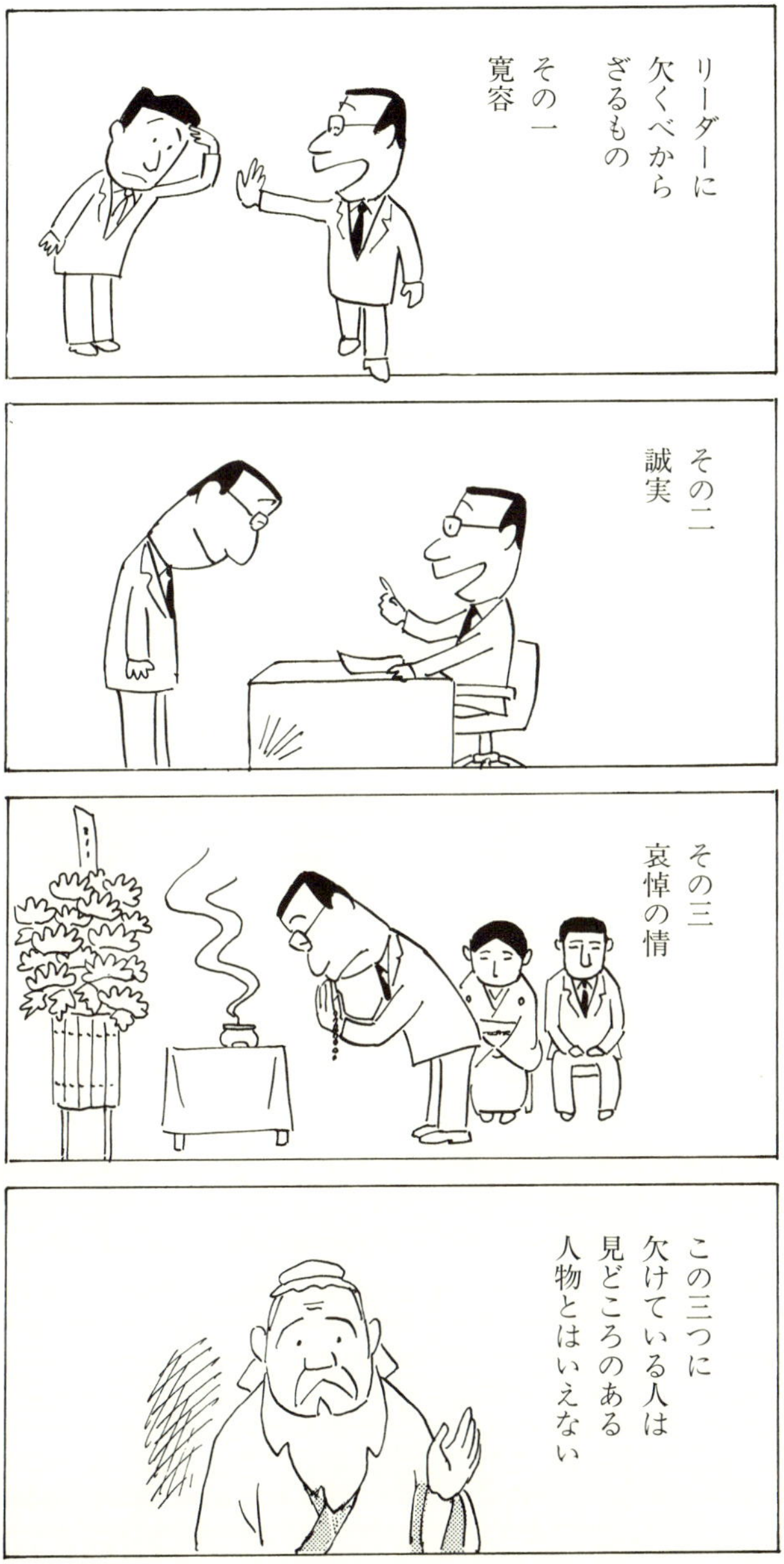

リーダーに
欠くべから
ざるもの
その一
寛容
その二
誠実
その三
哀悼の情
この三つに
欠けている人は
見どころのある
人物とはいえない

里仁篇《りじんへん》

この篇は主として仁徳に関する言葉を集めている。仁と、それを体得した仁者と君子らについての内容が多いのが特徴。

仁に生きることこそすばらしい

子《し》曰《いわ》く、仁《じん》に里《お》るを美《び》と為《な》す。択《えら》んで仁《じん》に処《お》らずんば、焉《いずく》んぞ知《ち》たるを得《え》ん。

人間を愛する心を「仁」という

われいかに生きるかと人生を選択するとき――
あれこれと人間としての生き方を探求しながら――
〝仁の道に生きることのすばらしさ〟に思い至らなかったオレは――
知性ある人間とはいえない
論語
という コト

仁の道にはずれた人間は、堕落する

子《し》曰《いわ》く、不仁者《ふじんしゃ》は以《もっ》て久《ひさ》しく約《やく》に処《お》るべからず。以《もっ》て長《なが》く楽《たの》しみに処《お》るべからず。仁者《じんしゃ》は仁《じん》に安《やす》んじ、知者《ちしゃ》は仁《じん》を利《り》す。

心豊かな
人間になろう

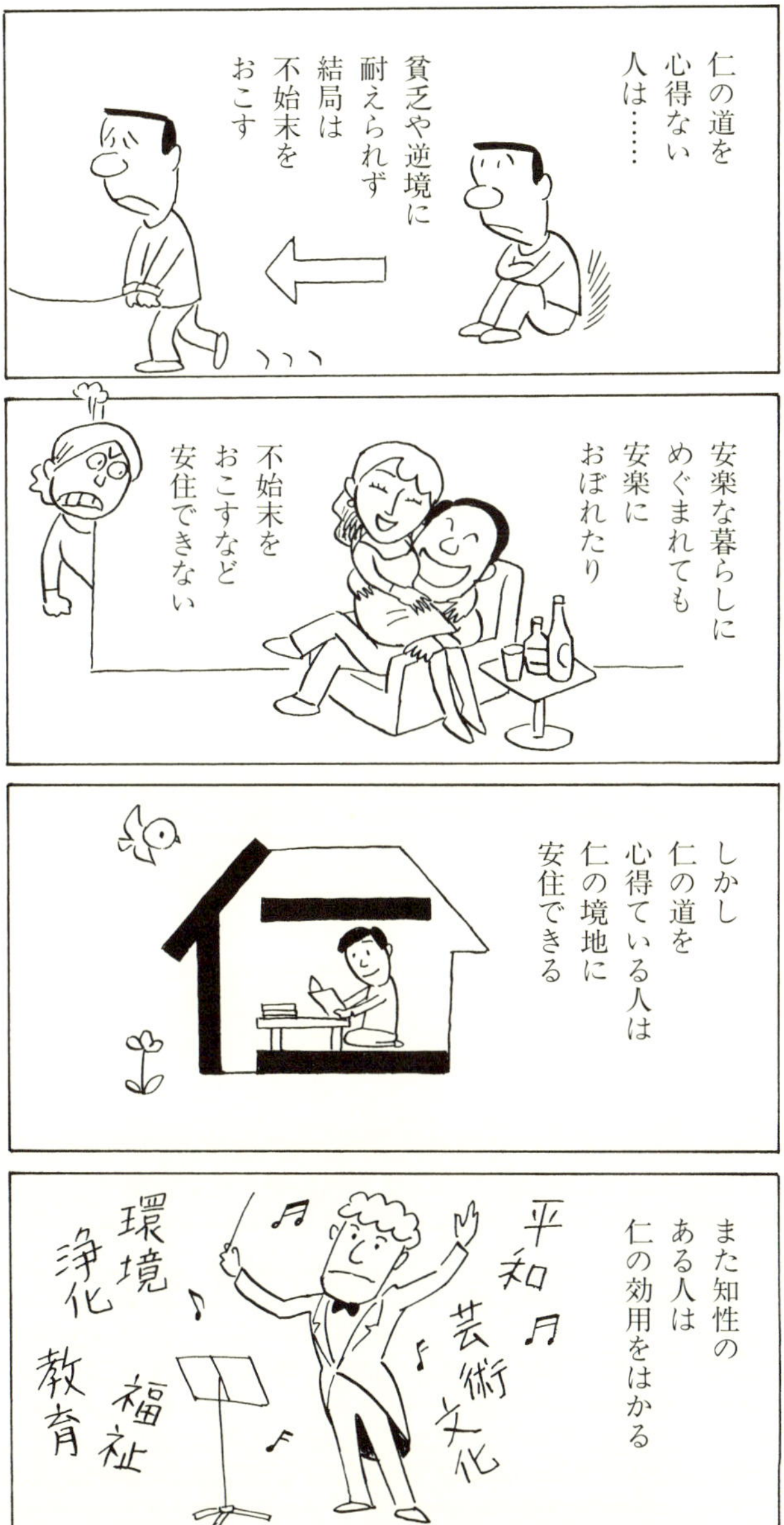
仁の道を
心得ない
人は……
貧乏や逆境に
耐えられず
結局は
不始末を
おこす
安楽な暮らしに
めぐまれても
安楽に
おぼれたり
不始末を
おこすなど
安住できない
しかし
仁の道を
心得ている人は
仁の境地に
安住できる
また知性の
ある人は
仁の効用をはかる
平和
芸術
文化
環境
浄化
福祉
教育

仁を心得ている人だけが……

子曰《しいわ》く、惟《た》だ仁者《じんしゃ》のみ、能《よ》く人《ひと》を好《この》み、能《よ》く人《ひと》を悪《にく》む。

仁者とは
すなわち
人間に対する
愛情をもつ
ものをいう

仁を心得ない人は
私利私欲にとらわれ
公平な判断を失い
純粋に人を愛したり
純粋に人を憎むことが
できなくなってしまうの
である
私利私欲

人間らしく生きるための心がけとは

仁の道をめざしている人の心に悪は芽生えない

子《し》曰《いわ》く、苟《いや》しくも仁《じん》を志《こころざ》せば、悪《あ》しきこと無《な》きなり。

愛にあふれる
人には悪は
寄りつかない

「仁」とは
人間に対する
愛です
わたくしは
こよなく
人間を
愛します
その仁の道を
本当にめざしている
心には――
そして
公約したことは
ぜったい守り
ます！
悪心は
芽生えない
ドキ
と孔子さまは
おっしゃって
います
やりに
くいなァ

君子は富貴貧賤に左右されてはならない

子《し》曰《いわ》く、富《と》みと貴《とうと》きとは、是《こ》れ人《ひと》の欲《ほっ》する所《ところ》なり。其《そ》の道《みち》を以《もっ》て之《これ》を得《え》ざれば、処《お》らざるなり。貧《まず》しきと賤《いや》しきとは、是《こ》れ人《ひと》の悪《にく》む所《ところ》なり。其《そ》の道《みち》を以《もっ》て之《これ》を得《え》ざれば、去《さ》らざるなり。君子《くんし》は仁《じん》を去《さ》りて、悪《いずく》にか名《な》を成《な》さん。

貧しくとも
心豊かに

人はだれでも
貧しさよりも
豊かさを好む
富貴
貧
しかし
正しい行いが
豊かさに結びつく
とは限らないし
正義
むしろ悪いヤツ
ほど金もうけが
できる時代である
¥
「君子たる者
豊かさや貧しさに
左右されては
ならない」
と孔子はいましめて
いるのである
仁仁仁仁仁仁仁仁仁
たたたたたたたたた仁

君子はいかなる場合にも仁の道からはなれない

君子《くんし》は食《しょく》を終《お》うる間《あいだ》も、仁《じん》に違《たが》うこと無《な》し。造次《ぞうじ》にも必《かなら》ず是《ここ》に於《おい》てし、顚沛《てんぱい》にも必《かなら》ず是《ここ》に於《おい》てす。

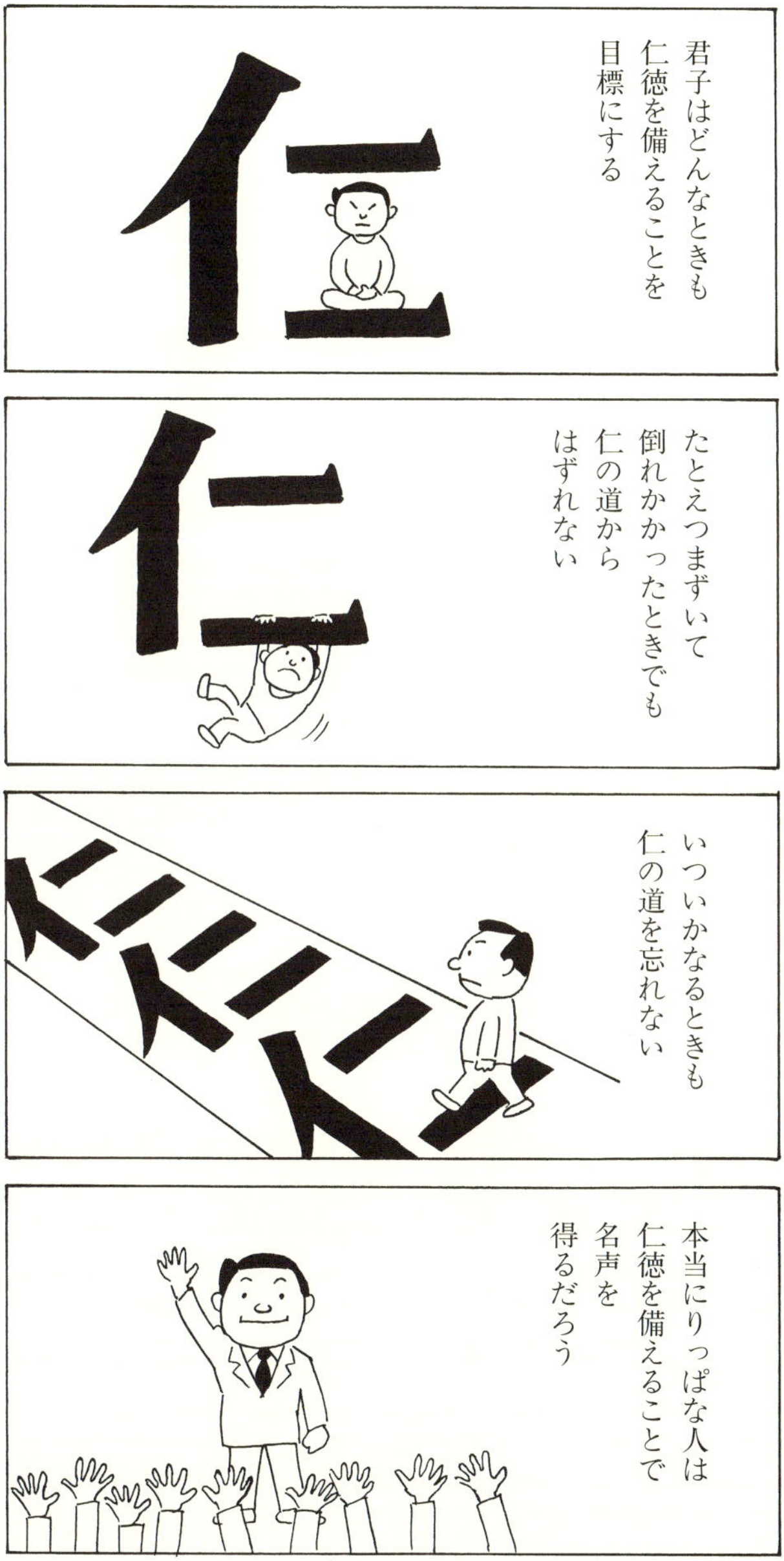
君子はどんなときも
仁徳を備えることを
目標にする
たとえつまずいて
倒れかかったときでも
仁の道から
はずれない
いついかなるときも
仁の道を忘れない
本当にりっぱな人は
仁徳を備えることで
名声を
得るだろう

「仁」より「金もうけ」が現代の風潮

欲の深い人
人はそれぞれの性格によって失敗を犯すものである
脱税
ケチな人
失敗したときに人の本当の姿がわかる
万引き
お人好し
有権者
またダマされた!
政治家
失敗すればお国柄もわかる
満身創痍
バブル崩壊
政治不信
金融犯罪

失敗の仕方をみれば、その人柄が推測できる

子《し》曰《いわ》く、人《ひと》の過《あやま》ちや、各《おの》おの其《そ》の党《たぐい》に於《おい》てす。過《あやま》ちを観《み》て、斯《ここ》に仁《じん》を知《し》る。

人は逆境にあるとき真価を問われる

きびしい求道者の姿勢

子曰《しいわ》く、朝《あした》に道《みち》を聞《き》かば、夕《ゆうべ》に死《し》すとも可《か》なり。

志のあり方を
語る
有名な言葉

道とは
人としての
正しいあり方
であり
学問を
志すのも
スポーツマンを
めざすのも
結局は
道を求める
ことである
孔子は
それが会得《えとく》
できたら
その日のうちに
死んでも
悔いはない
と言っているので
ある
うちの人は
それが会得
できないから
死ぬと
いってるのよ
求道者失格

見栄っぱりとは話したくない

子曰《しいわ》く、士《し》、道《みち》に志《こころざ》して、悪衣悪食《あくいあくしょく》を恥《は》ずる者《もの》は、未《いま》だ与《とも》に議《はか》るに足《た》らざるなり。

吾道一以貫之
一つの道を志す者が――
こんな安物はみっともない！
こんな粗末なものが食えるか！
――などと日常生活で見栄を張っているようでは話をする気にもなれないよ

見栄を張るようでは志が小さい

身を処するに客観的に

子曰《しいわ》く、君子《くんし》の天下《てんか》に於《お》けるや、適《てき》も無《な》く、莫《ばく》も無《な》く、義《ぎ》と之与《これとも》に比《したが》う。

何事も
ひとりよがりは
禁物

ねえ あの人 いい人 悪い人？
非君子の場合
うーん
先入観 潜在意識
悪い人だと思うネ
主観的判断
君子の場合
あの人はいい人だよ
客観的判断
君子は何事に関しても客観的規準に照らして判断すべし

利益ばかり追求してはならない

子《し》曰《いわ》く、君子《くんし》、徳《とく》を懐《おも》えば、小人《しょうじん》、土《ど》を懐《おも》う。君子《くんし》、刑《けい》を懐《おも》えば、小人《しょうじん》、恵《けい》を懐《おも》う。

悪環境に
コネが
はびこる

仁徳
社長が
仁徳にもとづいて
会社を運営すれば
社員は安心して
仕事にはげむ
仕事
しかし社長が
刑罰にたよる
運営をすれば
罰
社員は
恩恵ばかりを
期待するようになる
なにとぞ
ごひいきに…

打算的な人間はきらわれる

子曰《しいわ》く、利《り》に放《よ》りて行《おこな》えば、怨《うら》み多《おお》し。

バカ
アホ
彼はなぜみんなにきらわれてるの？
あいつが追っかけているものを見なさいよ！
自分の利益
なるほど

自分の利益ばかりを考えない

ゆずり合う心が大切

子《し》曰《いわ》く、能《よ》く礼譲《れいじょう》を以《もっ》て国《くに》を為《おさ》めんか、何《なに》か有《あ》らん。能《よ》く礼譲《れいじょう》を以《もっ》て国《くに》を為《おさ》めずんば、礼《れい》を如何《いかん》せん。

ゆずり合いも
モノと
場所による

政治を行うに
ゆずり合う心で
国をおさめることが
できたら
困難はない
お先にどうぞ
ゆずり合う心で
国をおさめることが
できないなら……
唯我
独尊
どんなに
礼儀作法が
身についていても
メリットはない
礼
相手の立場を
尊重し、小さな
ことはゆずり合う
気持ちが大切だと
孔子は言っている
耳が痛いのネ

註・〈礼譲〉＝ゆずり合う気持ちのこと。

中身の濃い人間になれ

子《し》曰《いわ》く、位無《くらいな》きを患《うれ》えず、立《た》つ所以《ゆえん》を患《うれ》えよ。己《おのれ》を知《し》る無《な》きを患《うれ》えず、知《し》るべきを為《な》さんことを求《もと》めよ。

よい結果を出すためにがんばる

地位が低いことを悩むより実力がないことを悩め
自分が認められないことを悩むより認められるだけのことをやれ
課長になりたかったら実力をつけることよ！
認められないことをグチっていないで認められるだけの仕事をすることよ！
万年平社員

吾が道は一をもってこれを貫く

子《し》曰《いわ》く、参《しん》よ、吾《わ》が道《みち》は一以《いつもつ》て之《これ》を貫《つらぬ》く。曽子《そうし》曰《いわ》く、唯《い》。子《し》出《い》ず。門人《もんじん》問《と》うて曰《いわ》く、何《なん》の謂《いい》ぞや。曽子《そうし》曰《いわ》く、夫子《ふうし》の道《みち》は、忠恕《ちゅうじょ》のみ。

信念をもち
それを貫く

弟子の曽子に向って孔子は言った
わたしは一つの道を変わらず歩みつづけてきた……と
孔子が去ってから他の弟子たちが何の意味かわからないと曽子にたずねた
曽子は答えた
先生は「良心をいつわらないことと他人への思いやりを原則」としてきた」とおっしゃったのだ
さァかえりましょあなた
ABC

ものごとを処理する行動で人物がわかる

子《し》曰《いわ》く、君子《くんし》は義《ぎ》に喩《さと》り、小人《しょうじん》は利《り》に喩《さと》る。

適切な判断と
敏速な行動の
持ち主たれ

あなたが君子か小ものかをテストしてあげる
こっちを助けるか…
あっちを拾うか…
もちろんこっち
小ものねえ

註・〈喩《さと》る〉＝敏感に感じること。

人を見て自己反省の資とせよ

子《し》曰《いわ》く、賢《けん》を見《み》ては斉《ひと》しからんことを思《おも》え。不賢《ふけん》を見《み》ては、内《うち》に自《みずか》ら省《かえりみ》るなり。

すぐれた人物を見たら自分もそれに近づこうと努力する
くだらない人物に会ったら自己反省のたすけにする
つまり自分の身に謙虚であることが自分へのメリットとなるのです
しかしわが社を見まわしても
すぐれた人物が見当たらない
みんなくだらない人物ばかりだ
この男がいちばんくだらないね

父母にはおだやかに接する

子曰《しいわ》く、父母《ふぼ》に事《つか》うるには幾諫《きかん》す。志《こころざし》の従《したが》わざるを見《み》ては、又敬《またけい》して違《たが》わず、労《ろう》して怨《うら》みず。

親といちばんの仲よしでありたい

親が過ちを
おかした場合
どこまでも
おだやかに
諫《いさ》めるがよい
浮気したんですか?
文句あるか!
聞き入れられ
なくても
さからったり
不満を抱いては
いけない
彼女は美人ですか?
よけいなおせわだ!
ひたすら敬愛の
まことをつくして
親のことを
心配しても
決して恨んだり
してはならない
そのトシでモテるなんてお父さんはえらい!
よくできた息子だ
こヅかいやるよ
よろこぶべきか悲しむべきか

註・〈幾諫〉＝ようやくに諫める、つまりおだやかに遠まわしに勧告進言すること。

親に余計な心配をかけない

子《し》曰《いわ》く、父母《ふぼ》在《いま》せば、遠《とお》く遊《あそ》ばず。遊《あそ》ぶこと必《かなら》ず方《ほう》有《あ》り。

父母の存命中は
遠くへ
旅をしないよう
心がけること
心配ないよ
すぐかえる
から…
旅するときは
行き先をはっきり
させておくこと
親を安心させる
ためである
東京
○月○日から
○日まで
行き先
名古屋支店
宿泊先
△△ホテル
新幹線
ただいまァ
おかあさん
おみやげだよ
いまどきの
としよりは
元気だからなァ
せがれへ
行き先
ハワイ
五泊六日
母より

親はいつも子の安全と無事を祈っている

三年間は亡き父のやり方を引き継ぐ

子曰《しいわ》く、三年父《さんねんちち》の道《みち》を改《あらた》むる無《な》きは、孝《こう》と謂《い》うべし。

孔子は
人物を評価する
とき
父親の生存中は
その志を観察し
努力
父親の死後は
その行為を
観察した
努力
父親の亡きあと
父のやり方を守
ってこそ孝行と
いえる
おやじが
死んで
三日め
父親の
主義
しきたり
この
親不孝
者め
!

せめて三年は
亡き父と共に
ありたい

親の年齢は知っておく

子《し》曰《いわ》く、父母《ふぼ》の年《とし》は、知《し》らざるべからざるなり。一《ひと》つには則《すなわ》ち以《もつ》て喜《よろこ》び、一《ひと》つには則《すなわ》ち以《もつ》て懼《おそ》る。

親の年齢を
知っておくことは
親の元気を
喜び——
長寿
健康
——そして
親の老い先を
気づかうことに
なる
おたく
親のトシ知ってる？
親が生きてるか死んでるかも知らないワ

軽率な発言はしない

子《し》曰《いわ》く、古者《こしゃ》、言《げん》を出《い》ださざるは、躬《み》の逮《およ》ばざるを恥《は》ずるなり。

昔の人は軽々しく発言しなかった それは実行がともなわないことを恥としたからです
ペラペラとよくしゃべる人に限って行動がともなわず信用を失うこともあります
孔子はそのような風潮をいましめたのです
それでは本日はこれまで
孔子を語る
ペチャクチャ
ペチャクチャ

おしゃべりな人は行動がともなわない

何事もひかえめに

子曰《しいわ》く、約《やく》を以《もっ》て之《これ》を失《しっ》する者《もの》は、鮮《すくな》し。

「約」とは倹約の約
倹約とは
ムダをはぶき
浪費しないこと
そして節約の約
節約とは
ムダをはぶいて
きりつめること
節約
何事も
ひかえめにして
行き過ぎぬ
ようにすれば
失敗することも
少ない
反対に目立ち
たがりやは
失敗も多いと
いうこと
選挙
違反

地味か
派手か
生き方の問題

論より実行

子《し》曰《いわ》く、君子《くんし》は言《げん》に訥《とつ》にして、行《おこない》に敏《びん》ならんことを欲《ほっ》す。

A君は口は早く達者だが行動はのろい
なんでもすぐ実行！
のろのろ
B君は口数は少なく重いが 行動はすばやい
君子たるもの口数は少なく行動は敏速である
それにしても現世はなんとカメ族の多いことか・・・・
なんでもすぐ実行！
候補者

政治家の公約は破られる

徳は孤独ではない

子《し》曰《いわ》く、徳《とく》は孤《こ》ならず、必《かなら》ず鄰《となり》有《あ》り。

徳は孤独で
あることはない
徳
必ず
共鳴者が
現れる
徳
仁
徳
道
徳
美
不
おまえは
お呼び
じゃない！

徳があれば
必ず
味方が現れる

進言も度が過ぎないこと

子游《しゆう》曰《いわ》く、君《きみ》に事《つか》えて数《しばしば》すれば、斯《ここ》に辱《はずかし》めらる。朋友《ほうゆう》に数《しばしば》すれば、斯《ここ》に疏《うと》んぜらる。

くどい忠告はきらわれる

上司に
むやみに進言すると
くどいと
ばかにされる
クドクド
くどいやっちゃ
友だちに対しても
くどい忠告は
煙たがられる
クドクド
くどいなァ
つまり
進言も忠告も
度が過ぎると
逆効果になる
わかったよッ
…ということをよくわきまえておくのよ
わかる?
つまり…
くどいんだよッ
おまえは!

公《こう》冶長《やちょう》篇《へん》

この篇名の公冶長は弟子の名前で、篇全体のほとんどが門人や古今の人物評になっている。

所信断行

子《し》、公冶長《こうやちょう》を謂《い》わく、妻《め》あわすべきなり。縲絏《るいせつ》の中《うち》に在《あ》りと雖《いえど》も、其《そ》の罪《つみ》に非《あら》ざるなりと。其《そ》の子《こ》を以《もっ》て之《これ》に妻《め》あわす。……

**信じるところは
反対されても
貫く意志を**

公冶長とは公冶が姓、長は名孔子の弟子の一人である
孔子は公冶長をつぎのように評した
「あの人物なら娘のムコにしてもよい、彼は獄につながれたことがあったが……」
「無実の罪だと信じている」
こうして孔子は自分の娘を公冶長に嫁がせた「所信断行」それは孔子の姿勢である
所信断行

最高の器なり

子貢《しこう》問《と》いて曰《いわ》く、賜《し》や如何《いかん》。子《し》曰《いわ》く、女《なんじ》は器《うつわ》なり。曰《いわ》く、何《なん》の器《うつわ》ぞや。曰《いわ》く、瑚璉《これん》なり。

ほめ言葉も工夫しよう

弟子の子貢が
孔子に言った
先生
わたしを
批評して
下さい
おまえは
器だよ
どんな
器ですか？
瑚璉《これん》
だよ
つまり孔子は
子貢を
最高の器に
たとえて
ほめたのである

註・〈瑚璉〉＝宗廟の祭りに、きびと高粱のごはんを盛り、神前に供える貴重な祭器。

口は下手でもよい

或《あ》るひと曰《いわ》く、雍《よう》は、仁《じん》にして佞《ねい》ならず。子《し》曰《いわ》く、焉《いずく》んぞ佞《ねい》を用《もち》いん。人《ひと》に禦《あた》るに口給《こうきゅう》を以《もっ》てすれば、屢《しばしば》人《ひと》に憎《にく》まる。其《そ》の仁《じん》を知《し》らず。焉《いずく》んぞ佞《ねい》を用《もち》いん。

口下手でも
リーダーに
なれる

ある人が
孔子の弟子の
雍《よう》（仲弓《ちゅうきゅう》）について
評した
あの男は
仁徳のある
人物かも
しれんが
惜しい
ことに
口下手です
それを聞いた
孔子は……
口下手
だから
いいのだ
口先ばかり
達者では
かえって人に
憎まれる
ことだって
あるからネ
人間は
仁徳が
あるかないかは
べつとしても
弁舌がたつ
必要はない
ということだ
しゃべり方
教室

注・〈雍〉＝姓は冉、名は雍。孔子の弟子。孔子より二十九歳年少。

軽率でした

子曰《しいわ》く、道行《みちおこな》われず、桴《いかだ》に乗《の》りて海《うみ》に浮《う》かばん、我《われ》に従《したが》う者《もの》は其《そ》れ由《ゆう》なるか。子路之《しろこれ》を聞《き》きて喜《よろこ》ぶ。子曰《しいわ》く、由《ゆう》や勇《ゆう》を好《この》むこと我《われ》に過《す》ぎたり。材《ざい》を取《と》る所無《ところな》し。

孔子晩年の頃諸国を周遊しながら道義が地におちた世の中をなげいた
「わたしの理想はとても実現しそうにない、いっそ海に出ようか」

「子路ならよろこんでわたしについてくるだろう」

もちろんです先生すぐ行きましょう！

「海に出るには筏《いかだ》がいるが筏を作る材料をどうするかね向こうみずの子路や」

そうか筏を作るのが先決だった

註・〈由〉＝子路の別名。

一を聞いて十を知る

子《し》、子貢《しこう》に謂《い》いて曰《いわ》く、女《なんじ》と回《かい》とは孰《いずれ》か愈《まさ》れる。対《こた》えて曰《いわ》く、賜《し》や何《なん》ぞ敢《あえ》て回《かい》を望《のぞ》まん。回《かい》や一《いち》を聞《き》きて以《もっ》て十《じゅう》を知《し》る。賜《し》や一《いち》を聞《き》きて以《もっ》て二《に》を知《し》る。子曰《しいわ》く、如《し》かざるなり。吾《われ》と女《なんじ》と如《し》かざるなり。

孔子が弟子の子貢に問いかけた
「おまえと顔回とどちらがすぐれていると思うかね」
子貢は答えた
「とても顔回にはかないません彼は一を聞いて十を知る人です」
「わたしなど一を聞いて二を知るていどですから」
これは子貢のライバルである顔回にとてもかなわないと言った子貢を孔子がやさしくなぐさめた言葉です
「そうだなわたしもあいつにはかなわん」

行動を確かめないと安心できない

宰予《さいよ》、昼寝《ひるしん》す。

子《し》曰《いわ》く、朽《く》ちたる木《き》は雕《ほ》るべからざるなり。糞土《ふんど》の牆《かき》は杇《ぬ》るべからざるなり。予《よ》に於《おい》てか、何《なん》ぞ誅《せ》めん。

子《し》曰《いわ》く、始《はじ》め吾人《われひと》に於《お》けるや、其《そ》の言《げん》を聴《き》きて、其《そ》の行《こう》を信《しん》ぜり。今《いま》吾人《われひと》に於《お》けるや、其《そ》の言《げん》を聴《き》きて、其《そ》の行《こう》を観《み》る。予《よ》に於《おい》てか是《これ》を改《あらた》む。

言葉を信用されなくなったらおしまい

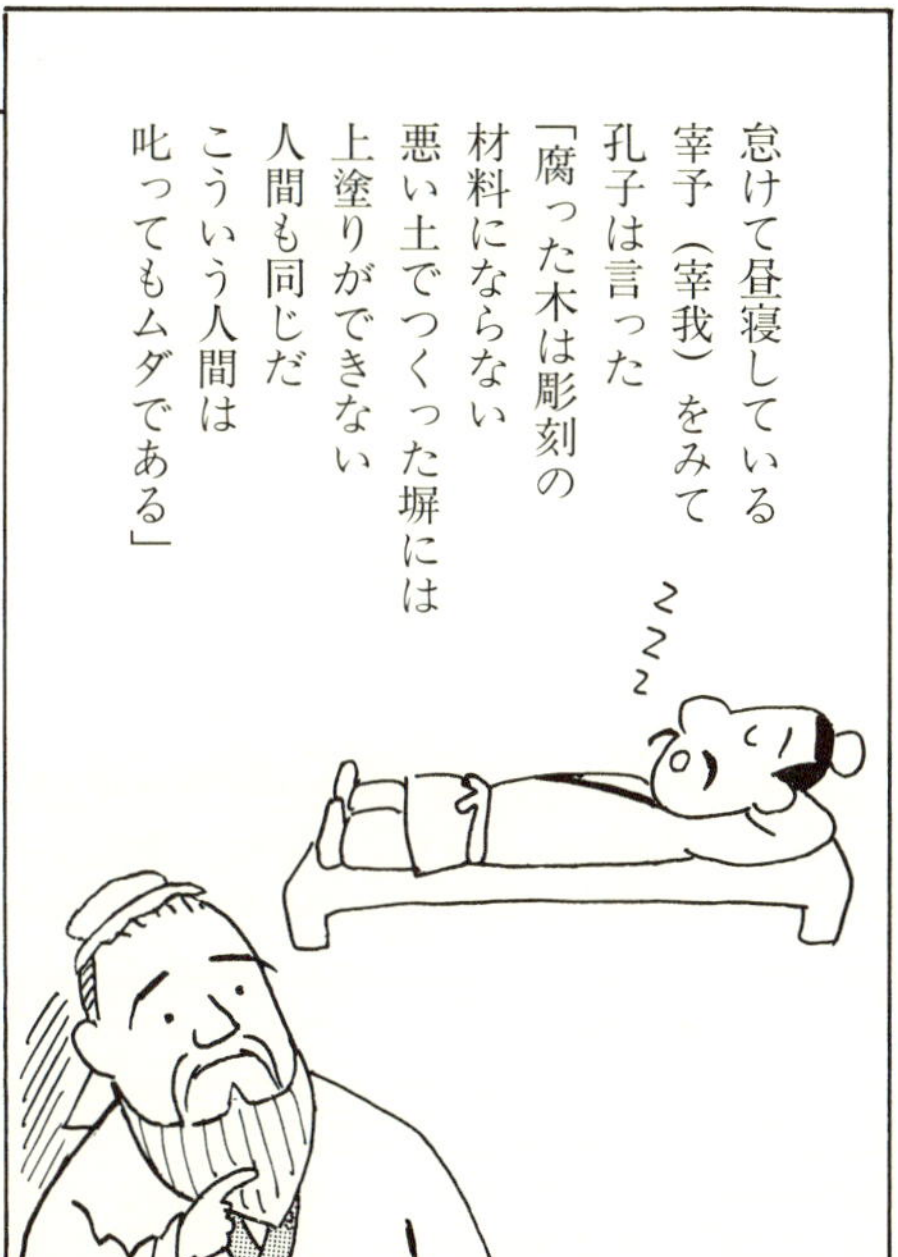

怠けて昼寝している宰予（宰我）をみて孔子は言った
「腐った木は彫刻の材料にならない
悪い土でつくった塀には上塗りができない
人間も同じだ
こういう人間は叱ってもムダである」
Zzz

そして孔子はこうつけ加えた
「私は言葉がりっぱなら行動まで信用してきた
しかし今では、言葉だけでなく行動を確かめないと安心できない、
私をそうさせたのは宰予のせいだ」

剛健とは……

子《し》曰《いわ》く、吾《われ》未《いま》だ剛《ごう》なる者《もの》を見《み》ず。或《あ》るひと対《こた》えて曰《いわ》く、申棖《しんとう》なり。子《し》曰《いわ》く、棖《とう》や慾《よく》あり。焉《いずく》んぞ剛《ごう》なるを得《え》ん。

現代は軟弱な
人間が多い

私はこれまで剛健といえる人物を見たことがない
それなら申棖《しんとう》はどうですか？
あれは欲にかられているから剛健とはいえない
〝剛健〟とは強い心をもち体がすこやかであるようすをいう
欲望
誘惑

註・〈申棖〉＝孔子の弟子といわれるが定かではない。

言うは易し

子《し》貢《こう》曰《いわ》く。我《われ》が人《ひと》の諸《これ》を我《われ》に加《くわ》うるを欲《ほっ》せざるは、吾《われ》も亦《また》諸《これ》を人《ひと》に加《くわ》うる無《な》からんと欲《ほっ》す。子《し》曰《いわ》く、賜《し》や爾《なんじ》の及《およ》ぶ所《ところ》に非《あら》ざるなり。

口先だけの人間になるな

子貢は孔子の弟子の中でも秀才であり、才気に過ぎるところがあったという
暴力など私が人からされたくないと思うことは私も人には加えません
そうかなおまえにそれができるかな
?
孔子は「言うはやさしいがそれを行うのはむずかしいぞ」とはげました
ありがとうございました

抽象論は避けた孔子

子貢曰《しこういわ》く、夫子《ふうし》の文章《ぶんしょう》は、得《え》て聞《き》くべきなり。夫子《ふうし》の性《せい》と天道《てんどう》とを言《い》うは、得《え》て聞《き》くべからざるなり。

先生は
広い意味での
文化については
話されたが
人間性とか
宇宙の法則とかは
話されなかった
つまり孔子は
抽象的な
議論より
実証的な学問に
力を入れていた
ということです
絵にたとえれば
抽象画でなく
孔子像
この
タッチです
孔子像

抽象論では
わからない

子路は実直だった

子路《しろ》、聞《き》くこと有《あ》りて、未《いま》だ之《これ》を行《おこな》うこと能《あた》わざれば、唯《た》だ聞《き》く有《あ》らんことを恐《おそ》る。

子路は一つ教えを受けるとすぐそれを実行に移そうとした
実行できないうちは新たに別の教えを受けるのをおそれた
つまり子路は秀才タイプじゃないのョ
実直にひとつひとつこなしていくタイプで…あなたみたい
ハイつぎはおそうじよ
なんだか意味がちがうみたいだなァ
まんが

一歩一歩
堅実にすすむ

聞くは一時の恥

子貢《しこう》問《と》いて曰《いわ》く、孔文子《こうぶんし》は何《なに》を以《もっ》て之《これ》を文《ぶん》と謂《い》うか。子《し》曰《いわ》く、敏《びん》にして学《がく》を好《この》み、下問《かもん》を恥《は》じず。是《ここ》を以《もっ》て之《これ》を文《ぶん》と謂《い》うなり。

知ったかぶりは
一代の恥

子貢
「孔文子に〝文〟というりっぱなおくり名がつけられたのはなぜですか」
「頭がよく向学心があり知らないことを部下に教えられても恥としなかったからだね」
部下に教えてもらうなんてことはオレにはできん
知らないことは上司に聞けばいい
課長
そいつはオレも知らんなア部下に聞いてみよう
部長はゴリッパ

註・〈孔文子〉＝衛《えい》の国の大夫《たいふ》。文子は死後のおくり名。生前の業績に対しておくられる。

君子の資格

子《し》、子産《しさん》を謂《い》う。君子《くんし》の道《みち》四《し》有《あ》り。其《そ》の己《おのれ》を行《おこな》うや恭《きょう》。其《そ》の上《かみ》に事《つか》うるや敬《けい》。其《そ》の民《たみ》を養《やしな》うや恵《けい》。其《そ》の民《たみ》を使《つか》うや義《ぎ》。

子産は つぎの四点に おいて君子の 資格をそなえて いた――
仁
一に 態度が 謙虚だった
二に 上司に対する 敬意を 忘れなかった
三に 人民に対して 恩恵を ほどこした
四に 人民を不当な 使役にかりたて なかった
わたしの場合は もう一つある
女子高生と 援助交際 している
社長また ねごと？

資格を問われない職業!?

註・〈子産〉＝鄭の国の王族であり宰相であった公孫僑の別名。孔子より一世代前の有名な政治家。

相手に対する敬意

子《し》曰《いわ》く、晏平《あんぺい》仲《ちゅう》善《よ》く人《ひと》と交《まじ》わる。久《ひさ》しくして而《しか》も之《これ》を敬《けい》せり。

斉《せい》の国の
名宰相といわれた
晏平仲を評して
孔子は言った
「彼は
人との交際が
うまかった」
「どんなに
長く
つき合っても
どんなに親しく
なっても」
「相手に対する
敬意を
忘れなかった」
そこへいくとおまえらは尊敬の念というものがない!
だってどこか尊敬できるところある!?
ないない
ないない

尊敬できる人は
現代では
希少価値!?

慎重もほどほどに

季文子《きぶんし》、三《み》たび思《おも》いて而《しか》る後《のち》行《おこな》う。子《し》之《これ》を聞《き》きて曰《いわ》く、再《ふた》びせば斯《こ》れ可《か》なり。

慎重に選球した
挙げ句の
見送り三振

季文子は三度考えて実行に移したという
まてまてもう一度慎重に考えて…
利害損得
キミそろそろ実行に移そう
いまごろもうおそいですよ！
孔子の季文子評
二度考えたら十分だろう
つまり慎重のあまりタイミングを逸してはなんにもならないということ

註．〈季文子〉＝魯の国の大夫。ものごとに対して慎重な人物だった。

能ある鷹は爪を隠す

子曰《しいわ》く、甯武子《ねいぶし》、邦《くに》に道有《みちあ》れば則《すなわ》ち知《ち》なり、邦《くに》に道無《みちな》ければ則《すなわ》ち愚《ぐ》なり。其《そ》の知《ち》には及《およ》ぶべきなり。其《そ》の愚《ぐ》には及《およ》ぶべからざるなり。

孔子時代の「大石内蔵助」

衛の国の家老
甯武子は
平和な時代は
その能力を十分に
発揮して活躍した
だが
乱世の時代は
才能をかくして
愚者のように
ふるまったのである
なるほどときに応じて愚者のふりをする……か
そこへいくと無能なキミは気楽だナ
おまえのようにリコウぶるのはやさしいがオレみたいにバカになるのはむずかしいってことだよ

注・〈甯武子〉＝衛の国の大夫。孔子よりほぼ百年前の人。当時、衛は弱国だったこともあり、たえず危機にさらされていた。

他人の過ちを根にもたない

子《し》曰《いわ》く、伯夷《はくい》・叔斉《しゅくせい》は、旧悪《きゅうあく》を念《おも》わず。怨《うら》み是《ここ》を用《もっ》て希《まれ》なり。

自分の過ちにはきびしく

殷《いん》の時代の伯夷と叔斉の兄弟は他人の旧悪をいつまでも根にもつことはなかった
だから人の恨みを買うこともなく清潔な人物として尊敬された
そこへいくとあんたは過去のあやまちをいつまでもおぼえていてうるさいんだから！
パパの過去のあやまちってなーに？
あのママと結婚したこと

註・〈伯夷〉と〈叔斉〉＝伯夷が兄、叔斉が弟で、孤竹という国の君主の子で、生涯、清廉潔白を貫いた兄弟である。

〝正直〞とは何か

子曰《しいわ》く、孰《たれ》か微生高《びせいこう》を直《なお》なりと謂《い》うや。或《あ》るひと醯《す》を乞《こ》う。諸《これ》を其《そ》の鄰《となり》に乞《こ》いて之《これ》に与《あた》えたり。

微生高という男は正直者で評判が高かった
微生高が正直者なんてとんでもない
酢《す》を借りに来た人に正直にないとことわらず隣から借りてきて渡したというではないか
人からものをたのまれた場合できないことは正直にことわるべきだと孔子は言ってるのよ
だから私も貸したくてもお金がないと正直に言ってるのよ
ごめんネお母さん

「私はウソは申しません」と言うウソ!!

巧言令色を恥じよ

子《し》曰《いわ》く、巧言《こうげん》、令色《れいしょく》、足恭《すうきょう》、左丘明之《さきゅうめいこれ》を恥《は》ず。丘《きゅう》も亦之《またこれ》を恥《は》ず。怨《うら》みを匿《かく》して其《そ》の人《ひと》を友《とも》とするは、左丘明之《さきゅうめいこれ》を恥《は》ず。丘《きゅう》も亦之《またこれ》を恥《は》ず。

口先でうまいことを言い、人のきげんをとる

おせじ へつらい
ペコペコ
いつもごりっぱで…
バカていねいな物腰──
ハイハイ まずはこちらへ
そういう態度を左丘明は恥とした
そして孔子は『私も同感だ』と言ったのダ
まったくそのとおり私も同感です ハイ部長
ごむりごもっとも
ペコペコ
わかってないなこいつ

註・〈左丘明〉＝いろいろ説があるが、どういう人物かよくわからない。

理想の人間像

顔淵《がんえん》、季路《きろ》侍《はべ》る。
子曰《しいわ》く、盍《なん》ぞ各《おのおの》爾《なんじ》の志《こころざし》を言《い》わざる。
子路曰《しろいわ》く、願《ねが》わくは車馬衣軽裘《しゃばいけいきゅう》、朋友《ほうゆう》と共《とも》にし、之《これ》を敝《やぶ》りて憾《うら》み無《な》からん。
顔淵曰《がんえんいわ》く、願《ねが》わくは善《ぜん》に伐《ほこ》ること無《な》く、労《ろう》を施《ほどこ》すこと無《な》からん。
子路曰《しろいわ》く、願《ねが》わくは子《し》の志《こころざし》を聞《き》かん。
子曰《しいわ》く、老者《ろうしゃ》は之《これ》を安《やす》んぜしめ、朋友《ほうゆう》は之《これ》を信《しん》ぜしめ、少者《しょうしゃ》は之《これ》を懐《なつ》かしめん。

あなたの「理想の人間像」は――

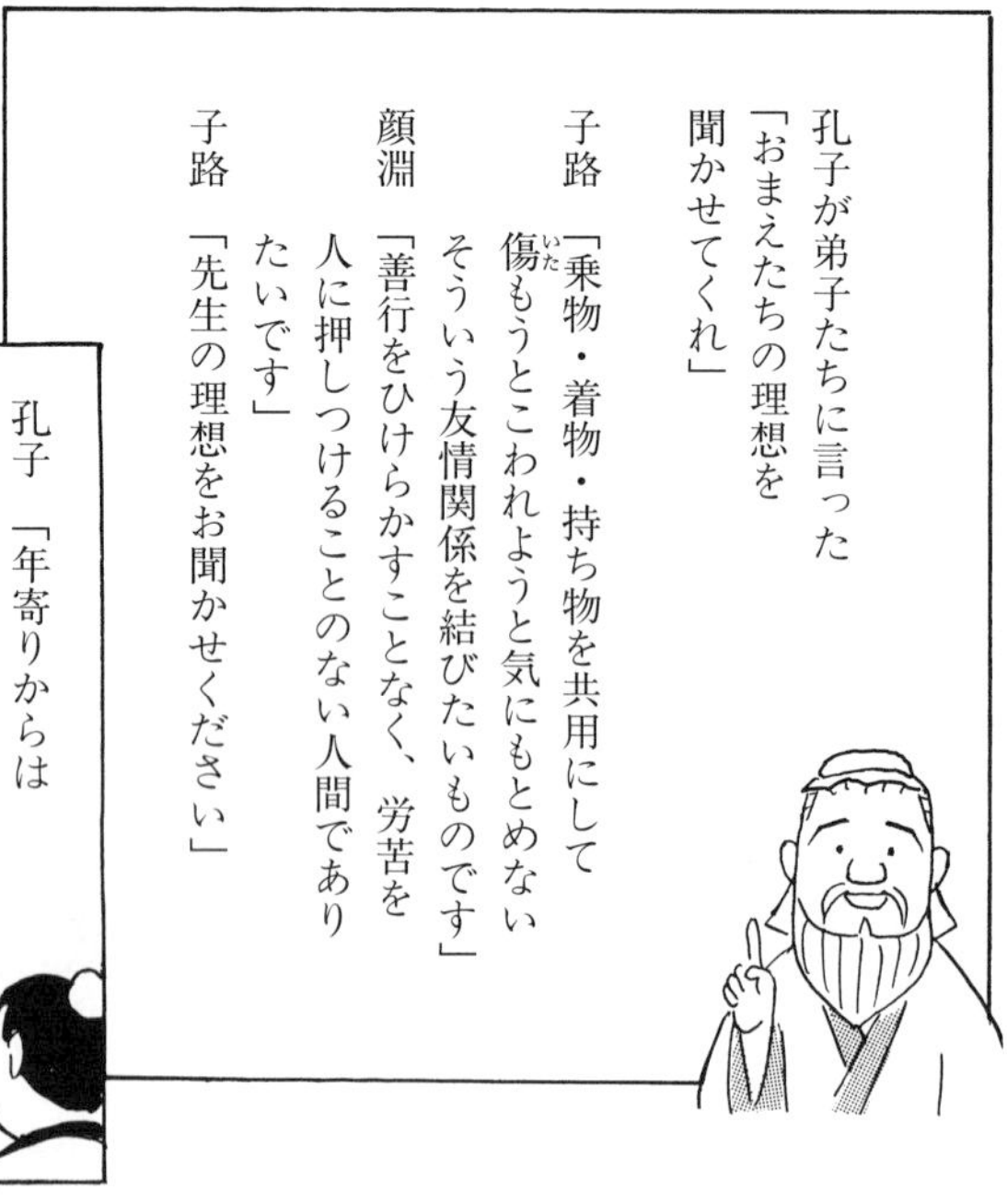
孔子が弟子たちに言った
「おまえたちの理想を聞かせてくれ」
子路「乗物・着物・持ち物を共用にして傷《いた》もうとこわれようと気にもとめないそういう友情関係を結びたいものです」
顔淵「善行をひけらかすことなく、労苦を人に押しつけることのない人間でありたいです」
子路「先生の理想をお聞かせください」

孔子「年寄りからは安心され友だちからは信頼され年少者からはしたわれるそういう人間でありたい」

自分にきびしく

子《し》曰《いわ》く、已《や》んぬるかな、吾《われ》未《いま》だ能《よ》く其《そ》の過《あやま》ちを見《み》て内《うち》に自《みずか》ら訟《せ》むる者《もの》を見《み》ざるなり。

ああ
なげかわしや……
自分の過ちに気づいたら自分で自分を責めるそういう人間に出会ったことがないとは……
自分の過ちに気づいてもすなおに認めず弁解ばかりしているヤツばかり
自分自身にきびしくなくて進歩も向上もない！
政界
ええその件につきましては…
官界
そのような事実は…
財界
記憶していません

「自己責任」の四字熟語が注目されている

向学心を身につける

子《し》曰《いわ》く、十室《じっしつ》の邑《ゆう》にも、必《かなら》ず忠信《ちゅうしん》、丘《きゅう》の如《ごと》き者有《ものあ》らん。丘《きゅう》の学《がく》を好《この》むに如《し》かざるなり。

人間、まじめだけではダメ

どんな小さな村にも私ぐらいの誠実な人間は必ずいるものだ
しかし私ほど勉強好きの人間はいないだろう
孔子の言わんとしていることは誠実だけが人間のすべてではない
学問することによって人間ははじめて人間であると言ってるのよ！
つまり人間は向学心を身につけることが大切だということ
ウチのパパとママに聞かせてやりたいナ

註・〈十室の邑〉＝戸数十軒ぐらいの小さな村のこと。

雍也篇《ようやへん》

雍とは、弟子の仲弓のことを表す。孔子教学の重要なところが多く語られている。

南に座れる人となれ

子《し》曰《いわ》く、雍《よう》や南面《なんめん》せしむべし。

雍は南向きにすわってもよい人物である
つまり孔子は雍は君主になれる人物だと評したのである
孔子は雍を大変に高く評価したということね
うん
わが家じゃ南側は女房
オレは北側

大名君主は南向きに座り臣下は北向きに座る

註・〈雍〉＝孔子の高弟の一人。別名を仲弓といった。

自分にきびしく他人に寛大

仲弓《ちゅうきゅう》、子桑伯子《しそうはくし》を問《と》う。子曰《しいわ》く、可《か》なり。簡《かん》。仲弓曰《ちゅうきゅういわ》く、敬《けい》に居《い》て簡《かん》を行《おこな》い、以《もっ》て其《そ》の民《たみ》に臨《のぞ》む。亦可《またか》ならずや。簡《かん》に居《い》て簡《かん》を行《おこな》うは、乃《すなわ》ち大簡《たいかん》なること無《な》からんや。子曰《しいわ》く、雍《よう》の言然《げんしか》り。

仲弓が孔子に子桑伯子という人物の批評を求めた
寛大でリッパな人物だよ
自分にきびしく他人に寛大ならリッパですが他人に寛大で自分にも寛大ではどうかと思いますが
そうだおまえのいうとおりだよ
反省 オレは人にきびしく自分に寛大だった
この人物にあてはまる人は誰でしょう?

註・〈子桑伯子〉＝どんな人物か不明だが、支配者階級の人物と思われる。

学問好きだった顔回

哀公《あいこう》問《と》う。弟子《ていし》、孰《たれ》か学《がく》を好《この》むと為《な》す。孔子《こうし》、対《こた》えて曰《いわ》く、顔回《がんかい》なる者《もの》有《あ》り、学《がく》を好《この》む。怒《いか》りを遷《うつ》さず。過《あやま》ちを貳《ふた》たびせず。不幸《ふこう》、短命《たんめい》にして死《し》せり。今《いま》や、則《すなわ》ち亡《な》し。未《いま》だ学《がく》を好《この》む者《もの》を聞《き》かざるなり。

哀公が孔子にたずねた――
あなたのお弟子たちの中でいちばん学問が好きな人はだれですか？
顔回です。彼はよく学び怒りを他に移さずあやまちを二度くり返すこともありません
しかし不幸にして短命でした彼ほど学問好きな人間は他にはいないでしょう
最愛の弟子顔回を孔子はしばしばほめたたえています

註・〈哀公〉＝孔子が仕えた最後の魯の国の君主。

金持ちを太らせるな

子華《しか》、斉《せい》に使《つか》いす。冉子《ぜんし》其《そ》の母《はは》の為《ため》に粟《ぞく》を請《こ》う。子曰《しいわ》く、之《これ》に釜《ふ》を与《あた》えよ。益《ま》さんことを請《こ》う。曰《いわ》く、之《これ》に庾《ゆ》を与《あた》えよ。冉子《ぜんし》之《これ》に粟五秉《ぞくごへい》を与《あた》う。子曰《しいわ》く、赤《せき》の斉《せい》に適《ゆ》くや、肥馬《ひば》に乗《の》り、軽裘《けいきゅう》を衣《き》る。吾之《われこれ》を聞《き》く。君子《くんし》は急《きゅう》なるに周《すく》うて富《と》めるに継《つ》がず。

不公平なことは改めよう

註・〈子華《しか》〉＝孔子の弟子公西赤の別名。

子華《しか》が孔子の代理で斉の国へ出張したとき弟子の冉有《ぜんゆう》が孔子に言った——
留守中子華の母親に留守手当てを出してやってくれませんか

そうだな一釜《ふ》もとどけてやりなさい
〝一釜〟とは約十二リットルの穀物のこと

それでは
少ない
のでは……
それじゃ
一庾《ゆ》（一釜の倍）
をとどけなさい
それでも
少ない
私の独断で
五秉《ごへい》（一釜の
百二十倍）を
とどけてやろう
そのことを
あとで知った
孔子は――
子華は
太った馬に乗り
上等な毛皮を着て
出かけた
留守手当てを
必要とするような
経済状況じゃ
ないよ
つまり孔子は
貧しい人には
与えても
金持ちを
太らせるような
ことをしないのが
君子の道だと
教えたのである
証券会社
総会屋
融資
銀行

度量について

原思《げんし》、之《これ》が宰《さい》たり、之《これ》に粟《ぞく》九百《きゅうびゃく》を与《あた》う。辞《じ》す。子曰《しいわ》く、毋《なか》れ、以《もっ》て爾《なんじ》の隣《りん》里郷党《りきょうとう》に与《あた》えんか。

広い心のもち主を度量のある人という

孔子が魯《ろ》の国の大臣であったとき弟子の原思《げんし》を奉行に任命しその給料として米九百を与えた
そんなにいただいては多すぎますご辞退します
まアとっておけ多すぎると思ったら村の人たちにわけてやればよいではないか
ウチの部課長に聞かせてやりたい話ね
みんな高給もらってもケチ!!

註・〈原思〉＝姓は原、名は憲。孔子の弟子。

毛なみより才能

子《し》、仲弓《ちゅうきゅう》を謂《い》いて曰《いわ》く、犂牛《りぎゅう》の子《こ》、騂《あか》くして且《か》つ角《かく》ならば、用《もち》うること勿《な》からんと欲《ほっ》すと雖《いえど》も、山川《さんせん》其《そ》れ諸《これ》を舎《す》てんや。

埋もれた
才能を
掘りおこす

父親の非行に悩んでいた仲弓をみて孔子はつぎのようにはげました
―

「ありふれたまだら牛の子でも……」

「毛なみがよくりっぱな角をもっていたら祭祀の供物に使える」

「祭られる神々のほうでも見捨てはおくまい」

『生まれや育ちがどうあろうと才能さえあれば必ず世に認められる』と孔子は言っているのよ
くじけずがんばろうね！

うん

三人三様の人材

季康子《きこうし》問《と》う、仲由《ちゅうゆう》は政《まつりごと》に従《したが》わしむべきか。子《し》曰《いわ》く、由《ゆう》や果《か》なり。政《まつりごと》に従《したが》うに於《お》いてか何《なに》か有《あ》らん。曰《いわ》く、賜《し》や政《まつりごと》に従《したが》わしむべきか。曰《いわ》く、賜《し》や達《たつ》なり。政《まつりごと》に従《したが》うに於《お》いてか何《なに》か有《あ》らん。曰《いわ》く、求《きゅう》や政《まつりごと》に従《したが》わしむべきか。曰《いわ》く、求《きゅう》や芸《げい》なり。政《まつりごと》に従《したが》うに於《お》いてか何《なに》か有《あ》らん。

人は
それぞれ
長所がある

註・〈季康子〉＝魯の家老で、孔子の弟子を最も多く登用した。

魯の家老季康子《きこうし》が、孔子に
仲由（子路）、賜（子貢）、求（冉求）
の三人の弟子は、政治をまかせても
よい人物か、とたずねた
子路は決断力のある男です
子貢は緻密な男です
冉求は多才な男です
三人ともりっぱに政治を担当するでしょう

深い別れの言葉

伯牛《はくぎゅう》、疾有《やまいあ》り、子之《しこれ》を問《と》う。牖《まど》より其《そ》の手《て》を執《と》り、曰《いわ》く、之《こ》れ亡《な》からん。命《めい》なるかな。斯《こ》の人《ひと》にして斯《こ》の疾有《やまいあ》るや、斯《こ》の人《ひと》にして斯《こ》の疾有《やまいあ》るや。

孔子は不治の病にかかった弟子の冉伯牛《ぜんはくぎゅう》を見舞って言った
かわいそうに もう助かりそうにない…
これも天命というものだ
しかし これほどの人物が こんな不治の病にかかるとは…

病気は手加減してくれない

清貧に生きる

子《し》曰《いわ》く、賢《けん》なるかな回《かい》や。一簞《いったん》の食《し》、一瓢《いっぴょう》の飲《いん》、陋巷《ろうこう》に在《あ》り。人《ひと》は其《そ》の憂《うれ》いに堪《た》えず。回《かい》や其《そ》の楽《たの》しみを改《あらた》めず。賢《けん》なるかな回《かい》や。

心に豊かさを蓄えよう

顔回《がんかい》はえらいやつだ
三度の食事は
一ぜん飯に一杯の
汁だけ
住んでいる所は
路地裏のあばらや
普通の人間なら
たえられないような
貧乏ぐらしを
悠々として生きて
いる
実にえらい男だ
これは
孔子が愛弟子
顔回の
貧しくても
心豊かな
生き方を
ほめたたえた
言葉です
はずかしい
心の貧困

チャレンジ精神が大切

冉求《ぜんきゅう》曰《いわ》く、子《し》の道《みち》を説《よろこ》ばざるに非《あら》ず。力《ちから》足《た》らざるなり。子《し》曰《いわ》く、力《ちから》足《た》らざる者《もの》は、中道《ちゅうどう》にして廃《はい》す。今女《いまなんじ》は画《かぎ》れり。

自分の前に
壁をつくるな

弟子の冉求《ぜんきゅう》（冉有《ぜんゆう》）が孔子に言った――
「先生のお説は高いところにあって私にはついていけません」
「本当についてこれないなら途中で倒れてるはずだ おまえは自分からダメだと見切りをつけているからいかんのだ」
東大 突波
孔子は自分の非力をなげく前にチャレンジ精神が大切だといましめたのよ おまえもがんばるのよ！
東大 突波
どうでもいいけど一字まちがってるよママ

小物になるな

子《し》、子夏《しか》に謂《い》いて曰《いわ》く、女《なんじ》、君子《くんし》の儒《じゅ》と為《な》れ、小人《しょうじん》の儒《じゅ》と為《な》ること無《な》かれ。

あなたのタイプは
○か×か

孔子は学者を志している弟子の子夏《しか》に言った——
「学者には二つのタイプがある」
「自分を向上させるため君子としての学者になるか」
「世間体や名声だけを気にする小物の学者になるかだ」
つまり孔子は子夏に有害無益な学者になるなとさとしたのでアル
論語
先生はどっちのタイプですかァ
カーッ
小物のタイプらしい

たのみになる部下とは

子游《しゆう》、武城《ぶじょう》の宰《さい》と為《な》る。子曰《しいわ》く、女《なんじ》、人《ひと》を得《え》たるか。曰《いわ》く、澹台滅明《たんだいめつめい》という者《もの》有《あ》り。行《ゆ》くに径《こみち》に由《よ》らず。公事《こうじ》に非《あら》ざれば、未《いま》だ嘗《かつ》て偃《えん》の室《しつ》に至《いた》らざるなり。

「コソコソ」「ペコペコ」たよりない

武城の長官となった子游《しゆう》に孔子がたずねた――
たのみになる部下は見つかったかね
はい澹台滅明《たんだいめつめい》という者がおります
彼は常に公道を歩き間道をコソコソと歩いたりしません
また公務以外で私の部屋をたずねることもありません
そこへいくとキミは上役のオレの部屋に用もないのによく顔を出すなァ
この男の用はゴマすり

謙虚について

子《し》曰《いわ》く、孟《もう》之《し》反《はん》、伐《ほこ》らず。奔《はし》りて殿《でん》たり。将《まさ》に門《もん》に入《はい》らんとするや、其《そ》の馬《うま》に策《むちう》って曰《いわ》く、敢《あえ》て後《おく》るるに非《あら》ざるなり。馬《うま》進《すす》まざればなり。

へりくだった
すなおな人が
謙虚な人

孟《もう》之《し》反《はん》は ある戦いに負けて 退却したとき その しんがり（最後尾） をつとめた
敗走するとき しんがりをつとめる ことはもっとも むずかしい とされる
孟之反は 城門に逃げこむとき 言った
しんがりを 買って出たんじゃ ない
この馬が 走らなかったんだ！
つまり孔子は 孟之反の 謙虚な人柄を ほめる エピソードとして この話をしたの です

註・〈孟之反〉＝魯の国の家老。

人間として通るべき道

子《し》曰《いわ》く、誰《たれ》か能《よ》く出《い》ずるに戸《こ》に由《よ》らざらん。何《なん》ぞ斯《こ》の道《みち》に由《よ》ること莫《な》きや。

人の道は
ふみはずさない

部屋を出るとき
戸口を通らない
者はいない
それなのに
人間として
通らなければ
ならない人道を
だれも通らないのは
おかしい
人道
みんな
人の道を
はずれた
ことばかり
やっている
ということだ
贈賄
收賄
不倫
不倫妻めッ
もう部屋の
戸口も
通させない!!
ドン
ドン
あなた
あけて!

バランスについて

子《し》曰《いわ》く、質《しつ》、文《ぶん》に勝《か》てば則《すなわ》ち野《や》。文《ぶん》、質《しつ》に勝《か》てば則《すなわ》ち史《し》。文質彬彬《ぶんしつひんぴん》として、然《しか》る後《のち》に君子《くんし》。

ボロは着てても心の錦

内面の質素さが
表面の飾りを
しのぐようでは
あらっぽくなる
またその逆でも
形式だけを
重んずるように
なる
内面的な質素さと
形体がよく、バランス
がとれている人こそ
君子といえる
外形
内面
●図に示せば
こうなります
こちら
アンバランス
バランスが
とれている
質素

註・〈史〉＝朝廷の文書係。内容よりも形式を重んじる代名詞とされた。

偶然について

子《し》曰《いわ》く、人《ひと》の生《い》くるや直《なお》し。之《こ》れ罔《な》くして生《い》くるは幸《さいわい》にして免《まぬか》るるなり。

人の生き方は本来、正直ですなおであるべきだ
しかし、その逆のまがった生き方をしている人間は偶然で助かっているだけだ
汚職官僚
悪徳商社
なるほど
オレたちは偶然で助かっているだけらしい
偶然でお前たちの悪事が発覚した両人をタイホする
タイホ状
汚職官僚
悪徳商社

無事故無違反も偶然助かっていることがある

上には上

子《し》曰《いわ》く、之《これ》を知《し》る者《もの》は之《これ》を好《この》む者《もの》に如《し》かず。之《これ》を好《この》む者《もの》は之《これ》を楽《たの》しむ者《もの》に如《し》かず。

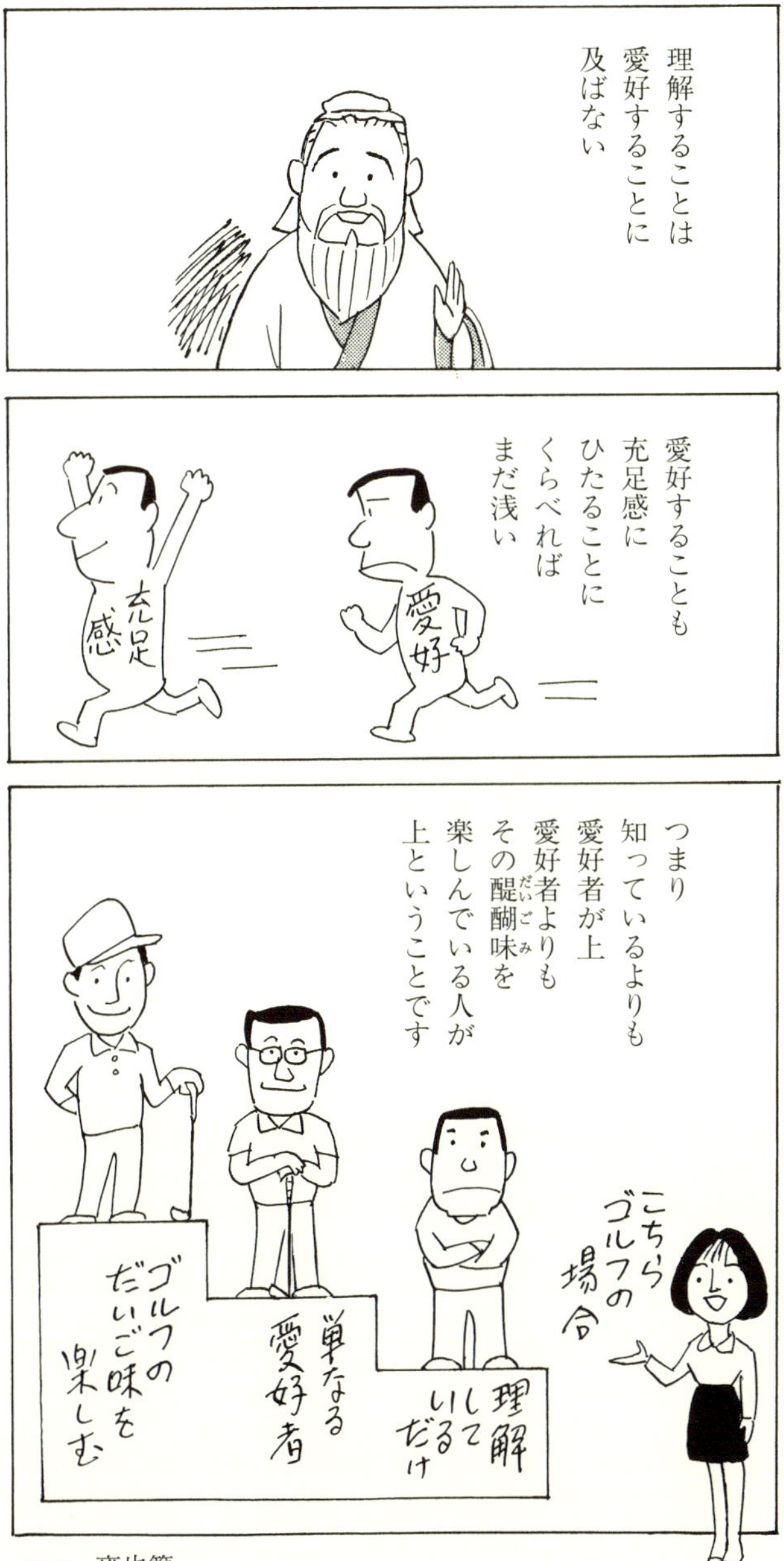

理解することは
愛好することに
及ばない
愛好することも
充足感に
ひたることに
くらべれば
まだ浅い
愛好
充足感
つまり
知っているよりも
愛好者が上
愛好者よりも
その醍醐味《だいごみ》を
楽しんでいる人が
上ということです
こちら
ゴルフの
場合
理解
している
だけ
単なる
愛好者
ゴルフの
だいご味を
楽しむ

理解し愛し……
結婚への過程
は楽しい

能力しだい

子《し》曰《いわ》く、中人《ちゅうじん》以上《いじょう》は、以《もっ》て上《かみ》を語《かた》るべきなり。中人《ちゅうじん》以下《いか》は、以《もっ》て上《かみ》を語《かた》るべからず。

孔子の言ってることはだ・・・
人を教育するには相手の能力に応じたものから始めよということだろ
ところでキミはどの程度かな？
そういうおまえこそどの程度だ！
オレたちは同じ程度らしい

知と仁

樊遅《はんち》、知《ち》を問《と》う。子曰《しいわ》く、民《たみ》の義《ぎ》を務《つと》め、鬼神《きしん》を敬《けい》して之《これ》を遠《とお》ざく。知《ち》と謂《い》うべし。

仁《じん》を問《と》う。曰《いわ》く、仁者《じんしゃ》は難《かた》きを先《さき》にして獲《う》ることを後《のち》にす。仁《じん》と謂《い》うべし。

樊遅《はんち》という弟子が孔子に問うた――

先生「知」とは何でしょうか？

神仏はあがめてもたよらず人間として何をなすべきかを考えることそれが「知」である
それでは「仁」とは何ですか？

人間として労多くして功少なしと知っていても困難に向かってあえて実践する態度こそ「仁」である

動と静

子曰《しいわ》く、知者《ちしゃ》は水《みず》を楽《たの》しみ、仁者《じんしゃ》は山《やま》を楽《たの》しむ。知者《ちしゃ》は動《うご》き、仁者《じんしゃ》は静《しず》かなり。知者《ちしゃ》は楽《たの》しみ、仁者《じんしゃ》は寿《いのち》ながし。

現代を処するタイプ

知識人は
水の動きを楽しみ
仁徳の人は
静かな山を楽しむ

知識人は
活動的
仁徳の人は
静かさを好む

これは孔子の
知識人と
仁徳の人を
くらべたときの
基本的な
考えである
●知識人は頭の回転が速く
環境や境遇に応じて
身を処する
●仁徳の人は境遇や
利害関係にとらわれず
長生きする

さかずきについて

子《し》曰《いわ》く、觚《こ》、觚《こ》ならず。觚《こ》ならんや、觚《こ》ならんや。

觚《こ》とは
さかずきの一種
である
この種のさかずきは
酒をガブガブ
飲むためのもので
はない
酒の量を
ほどよくおさえる
ためのさかずきで
大酒を飲んでは
何のためのさかずき
かわからない
ということ
である
ガブ
ガブガブ
飲むなら
これで
やりなさい
よッ

見境の
つかない人間は
困りもの

君子はだまされない

宰我《さいが》、問《と》うて曰《いわ》く、仁者《じんしゃ》は之《これ》に告《つ》げて井《い》に仁《じん》有《あ》りと曰《い》うと雖《いえど》も、其《そ》れ之《これ》に従《したが》わんや。子曰《しいわ》く、何為《なんす》れぞ其《そ》れ然《しか》らんや。君子《くんし》は逝《ゆ》かしむべし、陥《おとしい》るべからざるなり。欺《あざむ》くべし、罔《し》うべからざるなり。

宰我――
仁徳をもった人は井戸の中に仁徳のある人がおっこちていると聞いたらその井戸の中に入っていきますか
君子たるものそんなバカなまねはしない
井戸のそばまで行っても中に飛び込んだりはしない
表面はだませても道理に合わないことで最後までだましつづけることはできないね

知識について

子《し》曰《いわ》く、君子《くんし》は博《ひろ》く文《ぶん》を学《まな》び、之《これ》を約《やく》するに礼《れい》を以《もっ》てせば、亦《また》以《もっ》て畔《そむ》かざるべきか。

知識も
クモの巣が張ると
役に立たない

博学で
あることはよい
博
学
しかし
広く浅い知識だけで
満足してはならない
実行してこそ
その知識は
役に立つ
ガーン
知識

中庸の徳

子曰《しいわ》く、中庸《ちゅうよう》の徳《とく》為《た》るや、其《そ》れ至《いた》れるかな。民鮮《たみすくな》きこと久《ひさ》し。

「中庸」とは
片寄りのない
ほどよい中間

中庸の徳――
つまりどちらにも
片寄らない
ほどよい中間を
得ている徳
これはまことに
すばらしい
右
左
しかし
このすばらしい
美徳も
人民の間では
長いこと忘れられて
しまっている
中庸
中庸の徳を
備えた人物の
いないことが
さびしい
右
左

注・〈中庸〉＝儒家でもっとも尊重される概念。

他人への思いやり

子貢《しこう》曰《いわ》く、如《も》し博《ひろ》く民《たみ》に施《ほどこ》して、能《よ》く衆《しゅう》を済《すく》う有《あ》らば、如何《いかん》。仁《じん》と謂《い》うべきか。
子曰《しいわ》く、何《なん》ぞ仁《じん》を事《こと》とせん。必《かなら》ずや聖《せい》か。尭《ぎょう》・舜《しゅん》も其《そ》れ猶《な》お諸《これ》を病《や》めり。夫《そ》れ仁者《じんしゃ》は己《おのれ》立《た》たんと欲《ほっ》して人《ひと》を立《た》て、己《おのれ》達《たっ》せんと欲《ほっ》して人《ひと》を達《たっ》す。能《よ》く近《ちか》く譬《たと》えを取《と》る、仁《じん》の方《みち》と謂《い》うべきのみ。

自分が得たい
ことを
まず他人から

子貢
との
対話

子貢が仁についての考えを孔子に問うた――
人民を貧困から救い生活に安らぎを与えることができたらこれこそ仁というべきではありませんか

そこまで
いけば
仁というより
もはや聖である
尭や舜でさえ
それができなくて
悩んだほどだ

仁徳のある人物は
自分がある地位に
立ちたいと思えば
まず他人を
その地位に立てて
やる

自分が自由で
ありたいと願ったら
まず他人の自由を
重んじるなど
そういう他人への
思いやりこそ
仁の道である

註・〈尭・舜〉＝ともに中国古代の聖王、孔子が理想とする大政治家。

述而篇《じゅつじへん》

この篇は、孔子が自分自身のことを語った言葉、孔子の容姿・態度・行動に関したものが、多く収められている。

孔子の処世態度

子《し》曰《いわ》く、述《の》べて作《つく》らず。信《しん》じて古《いにしえ》を好《この》む。窃《ひそ》かに我《われ》を老彭《ろうほう》に比《ひ》す。

わたしは昔のことを
話して伝えるが
創作はしない
創作
なぜなら
古いものの中の
よいものをよい
と信じ
その中の好むものを
心から愛好する
からだ
古
このような
わたしの態度は
昔の老彭《ろうほう》に
似ていると思って
いる
これはわたしの
基本的な
処世態度
でもある

昔の
よいものを
大切にする

注・〈老彭〉＝殷の賢大夫といわれた人。異説として老は老子、彭は彭祖（堯の時代の人で数百歳まで生きた）であるというの

わたしの取り柄

子《し》曰《いわ》く、黙《もく》して之《これ》を識《しる》し、学《まな》びて厭《いと》わず。人《ひと》を誨《おし》えて倦《う》まず。何《なに》か我《われ》に有《あ》らんや。

いろいろ
しゃべらないで
だまって
認識を深める
毎日
学問にはげんでも
飽きることがない
どんな相手
だろうと
人を教えることで
つかれたり
熱意を失ったり
しない
この三つが
わたしの取《と》り柄《え》
である
そこへいくと
わしの取り柄は
よくしゃべること
ロクに
勉強も
しないし
仕事もしない
しかし
選挙に強い
この三つが
わしの取り柄

反省を常とする

子《し》曰《いわ》く、徳《とく》の脩《おさ》まらざる、学《がく》の講《こう》ぜざる、義《ぎ》を聞《き》きて徙《うつ》る能《あた》わざる、不善《ふぜん》を改《あらた》むる能《あた》わざる、是《こ》れ吾《わ》が憂《うれ》いなり。

一、仁徳を身につける修業を怠る
二、学問勉強を怠る
三、正道を聞きながら実行を怠る
四、悪いことと知りながらそれを改めない
孔子はこの四つを反省の基準とした
そして孔子はこの四つを「わが憂いなり」とした
孔子の如き聖人でさえこのように反省を常とした
しかるに現代は・・・
常に反省しているのはどこかのサルだけである

どの機関にも反省研修会の設置を

孔子の私生活

子《し》の燕居《えんきょ》するや、申申如《しんしんじょ》たり、夭夭如《ようようじょ》たり。

朝廷から自宅に帰った孔子の私生活はどうであったか——
ちょっとのぞいてみよう
まことにのびやか…そしてにこやかで楽しそうさすがだなァ
つぎはこっち
ピシャ
オレの私生活はなさけない

私生活は明るくのびやかに

孔子も人の子

子《し》曰《いわ》く、甚《はなはだ》しいかな、吾《わ》が衰《おとろ》えたるや。久《ひさ》しいかな、吾《わ》れ復《ま》た夢《ゆめ》に周公《しゅうこう》を見《み》ず。

人の晩年も
夕陽のように
ありたい

ああ
わたしも
年をとった
ものだ
近ごろは
気力もすっかり
おとろえて
しまった
そういえば
周公の夢も
見なくなって
久しい
これは
体力、気力が
ともにおとろえた
孔子晩年の
嘆きの言葉です

註・〈周公〉＝周王朝の基礎を築いた大政治家。魯国の始祖であり孔子が常に理想としていた人物。

わが人生

子《し》曰《いわ》く、道《みち》に志《こころざ》し、徳《とく》に拠《よ》り、仁《じん》に依《よ》り、芸《げい》に游《あそ》ぶ。

大志をもって
道を行く――
大志
心のよりどころ
とするのは仁徳
仁徳
そして、教養を
積み――
自由におおらかに
その中に
身をゆだねる
人生でありたい
仁徳
大志
教養

孔子から
学ぶ生き方

来る者は拒まず

子《し》曰《いわ》く、束脩《そくしゅう》を行《おこな》うより以上《いじょう》は、吾《わ》れ未《いま》だ嘗《かつ》て誨《おし》うること無《な》くんばあらず。

「規定の手続き」とは謝礼である

孔子は
規定の手続きをふんで
教えをうけたい
という人なら
相手がだれでも
入門を許しました

わが校も
孔子と
同じ方針
でアル
裏口入学
規定の
手続き
名門校

註・〈束脩〉＝乾肉を束ねたもの、教えを乞うときのお礼とした。

やる気のない者には教えない

子《し》曰《いわ》く、憤《ふん》せずんば啓《けい》せず。悱《ひ》せずんば発《はっ》せず。一隅《いちぐう》を挙《あ》げて三隅《さんぐう》を以《もっ》て反《かえ》らざれば、則《すなわ》ち復《また》せざるなり。

やる気のない者は去れ

努力して
いま一歩という
ところまできて
なかなか目標に
とどかないとき——
目標
言いたいことが
口でうまく
表現できないとき
わたしは助言や
指導をする
しかし
一つの隅を示したとき
あとの三つの隅も
理解して
答えられない者には
指導しない
つまり
やる気の
ない人間には
何を教えても
ムダだから
である
Z Z Z

註・〈「……啓せず」「……発せず」〉は、「啓発する」の語源となった。

仲間にする人物

子《し》、顔淵《がんえん》に謂《い》いて曰《いわ》く、之《これ》を用《もち》うれば則《すなわ》ち行《おこな》い、之《これ》を舎《す》つれば則《すなわ》ち蔵《かく》る。惟《た》だ、我《われ》と爾《なんじ》と是《こ》れ有《あ》るかな。

子路《しろ》曰《いわ》く、子《し》、三軍《さんぐん》を行《おこな》わば、則《すなわ》ち誰《たれ》と与《とも》にせん。

子《し》曰《いわ》く、暴《ぼう》虎馮河《こひょうが》、死《し》して悔《く》い無《な》き者《もの》は、吾《わ》れ与《とも》にせざるなり。必《かなら》ずや事《こと》に臨《のぞ》みて懼《おそ》れ、謀《はか》りごとを好《この》んで成《な》る者《もの》なり。

無謀な人
乱暴な人は
仲間にしない

顔淵よ
世の中に認められたら
全力でつとめるが
認められないときは
じっとがまんの
生活ができるのは
わたしとお前ぐらい
だろうな
これをそばで聞いていた子路《しろ》が
ムッとして口を出した
先生が
一国の総司令官に
なられたら
だれと
行動を共にしますか?

わたしが仲間にしたいのは素手で虎に立ち向かったり……
黄河のような大河を歩いて渡ろうとする命知らずはごめんだね
わたしがたよりにするのはこのような人物だよ
『事《こと》に当《あた》っては慎《しん》重《ちょう》で周《しゅう》到《とう》な策《さく》略《りゃく》をめぐらしその作《さく》戦《せん》を成《せい》功《こう》できる人《じん》物《ぶつ》』

孔子の人生観

子《し》曰《いわ》く、富《とみ》にして求《もと》むべくんば、執鞭《しつべん》の士《し》と雖《いえど》も、吾亦之《われまたこれ》を為《な》さん。如《も》し求《もと》むべからずんば、吾《わ》が好《この》む所《ところ》に従《したが》わん。

金
金持ちになることが人間の努力目標というならわたしはどんな仕事をしてでも追求しよう
学問
しかし金持ちになることが人生の目的ではないならわたしは自分の好む道に進む
金
金
金持ちになることだって生涯かけて追求するようなことではない
これが孔子の人生観であった
金

金持ち願望の人がウヨウヨ

三つの気くばり

子《し》の慎《つつし》む所《ところ》は、斉《さい》、戦《せん》、疾《しつ》。

孔子が
その生活の中で
慎重に対処
したものが
三つありました
一つめは祭事
祭事を
行う前に
身を清め
精神を集中
する
斎戒
沐浴中
二つめは戦争
慎重に
戦争
三つめは病気
慎重に
病氣

慎重に対処するもの三つ
1、祭事
2、戦争
3、病気

不正行為の果て

子《し》曰《いわ》く、疏食《そし》を飯《く》らい水《みず》を飲《の》み、肱《ひじ》を曲《ま》げて之《これ》を枕《まくら》とす。楽《たの》しみ亦《また》其《そ》の中《うち》に在《あ》り。不義《ふぎ》にして富《と》み且《か》つ貴《とうと》きは、我《われ》に於《おい》て浮雲《ふうん》の如《ごと》し。

大切なことは
結果である

粗末な食事で
ゴロ寝する
貧乏暮らしでも
楽しみはある
それにひきかえ
不正行為で得た
金や地位で
派手な暮らしを
するのは――
不正
――空に浮かぶ
雲のように
はかなく
むなしいものだ
利益供与
脱税
詐欺
強盗
贈収賄
汚職

孔子とはどんな人物?

葉公《しょうこう》、孔子《こうし》を子路《しろ》に問《と》う。子路《しろ》対《こた》えず。子曰《しいわ》く、女奚《なんじなん》ぞ曰《い》わざる、其《そ》の人《ひと》と為《な》りや、憤《いきどお》りを発《はっ》して食《しょく》を忘《わす》れ、楽《たの》しみては以《もっ》て憂《うれ》いを忘《わす》れ、老《おい》の将《まさ》に至《いた》らんとするを知《し》らざるのみ。

葉公《しょうこう》が子路《しろ》にたずねた
孔子とはどのような人物かね
それでおまえはなんと答えたのかネ
先生が偉大すぎて答えられませんでした
なぜ答えなかったんだ
熱中すると食事を忘れ
楽しんでいるときは心配ごとも忘れ・・・・
老い先短いことさえ忘れている男だと言えばよかったのに
ハハハハ
やはり先生は偉大だ

わたしは天才ではない

子《し》曰《いわ》く、我《われ》は生《うま》れながらにして之《これ》を知《し》る者《もの》に非《あら》ず。
古《いにしえ》を好《この》み敏《びん》にして以《もっ》て之《これ》を求《もと》むる者《もの》なり。

わたしは生まれながらの天才ではない
昔のことが好きで先人の歩んだ道を一生懸命に勉強しているだけだよ
孔子は謙虚な人でした
オレが先だ
オレが先だ
オレがオレが
わたしがわたしが

たよるなら
ひかえめな人

人を語りて神を語らず

子《し》は怪《かい》・力《りき》・乱《らん》・神《しん》を語《かた》らず。

聖人は常を語りて怪を語らず
怪異
徳を語りて力を語らず
怪力
治を語りて乱を語らず
無秩序
人を語りて神を語らず
神

孔子は宗教が顕示するような超自然的なことに興味をもたなかった

三人歩めばわが師あり

子《し》曰《いわ》く、三人《さんにん》行《おこな》えば、必《かなら》ず我《わ》が師《し》有《あ》り。其《そ》の善《ぜん》なる者《もの》を択《えら》びて之《これ》に従《したが》い、其《そ》の不善《ふぜん》なる者《もの》は而《すなわ》ち之《これ》を改《あらた》む。

人の言動から教訓を受ける

自分もふくめて
三人で行動する場合
他の二人のうちの
どちらかは、自分が
見習うべきものが
必ずあるだろう
そのよいものを
選んで
それに見習い
よくないほうからは
反省の糧《かて》として
人のふり見て
わが身を正せばよい
特定の師を
もたない孔子は
こんな形で
勉強をかさね
ました

毅然たり孔子

子《し》曰《いわ》く、天《てん》、徳《とく》を予《われ》に生《しょう》ぜり。桓魋《かんたい》其《そ》れ予《われ》を如何《いかん》せん。

旅の途中
命を狙われた
孔子のエピソード

先生あぶない！
桓魋というやつのしわざです
早くここを立ち去りましょう
このとき孔子は言った――
わたしには天からさずかった使命がある
果たすべき使命がある
桓魋ごときになにができようぞ！

註・〈桓魋〉＝宋の国の軍務をつかさどる大臣。

孔子の教育方針

子《し》曰《いわ》く、二三子《にさんし》、我《われ》を以《もっ》て隠《かく》せりと為《な》すか。吾《われ》は隠《かく》す無《な》きのみ。吾《われ》行《おこな》いて二三子《にさんし》と与《とも》にせざる者《もの》無《な》し。是《こ》れ丘《きゅう》なり。

裸になって話し合える仲

先生の教えは広く深い とても追いつけない
先生は何かをかくしているのだろうか
わたしは何もかくしてはいない
あ 先生
いつ何を行動するときもわたしは諸君と行動を共にしてきた
それがこのわたし（丘《きゅう》）なのだ
孔子は隠すよりも自分をさらけ出すことのほうが弟子たちにとって最良の教育方針としていた

註・〈二三子〉＝孔子が呼びかけた言葉で「諸君」というような意味。

教育の重点

子《し》、四《し》を以《もっ》て教《おし》う。文《ぶん》、行《こう》、忠《ちゅう》、信《しん》。

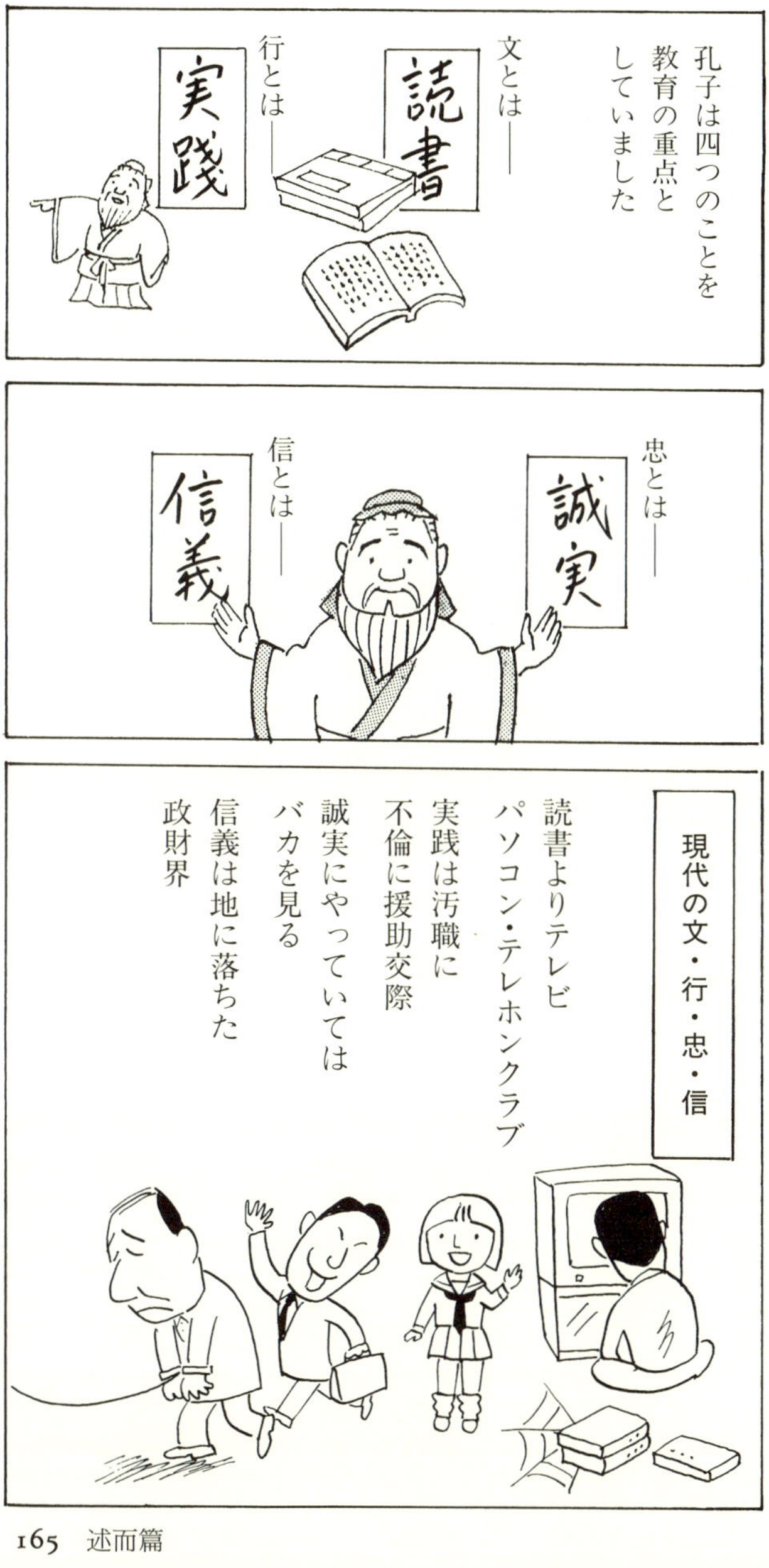

孔子は四つのことを
教育の重点と
していました
文とは――
読書
行とは――
実践
忠とは――
誠実
信とは――
信義
現代の文・行・忠・信
読書よりテレビ
パソコン・テレホンクラブ
実践は汚職に
不倫に援助交際
誠実にやっていては
バカを見る
信義は地に落ちた
政財界

教育の荒廃は
心の荒廃

子曰《しいわ》く、聖人《せいじん》は吾《われ》得《え》て之《これ》を見《み》ず。君子者《くんししゃ》を見《み》るを得《え》ば、斯《こ》れ可《か》なり。
子曰《しいわ》く、善人《ぜんにん》は吾《われ》得《え》て之《これ》を見《み》ず。恒有《つねあ》る者《もの》を見《み》るを得《え》ば、斯《こ》れ可《か》なり。亡《な》くして有《あ》りと為《な》し、虚《むな》しくして盈《み》てりと為《な》し、約《まず》しくして泰《ゆたか》なりと為《な》す。恒有《つねあ》るに難《かた》し。

世の中見栄っぱりばかり

見栄っぱりは
中身に自信が
ない証拠

註・〈聖人〉＝超人的な道徳者。

「今は聖人には会えないが、すぐれた道徳者には会える」
「今は善人を望んでも無理だが、せめて行動に一定の基準がある人に会えたら満足だ」
と孔子は言った

「〝行動に基準のある人物〟は世の中にいそうでいない」
「世間に多いのは中身はカラッポなのにあるように見せかけている見栄っぱりばかりだとても、行動に基準があるとは、言えない」

孔子の心づかい

子《し》、釣《つ》りして綱《こう》せず。弋《よく》して宿《しゅく》を射《い》ず。

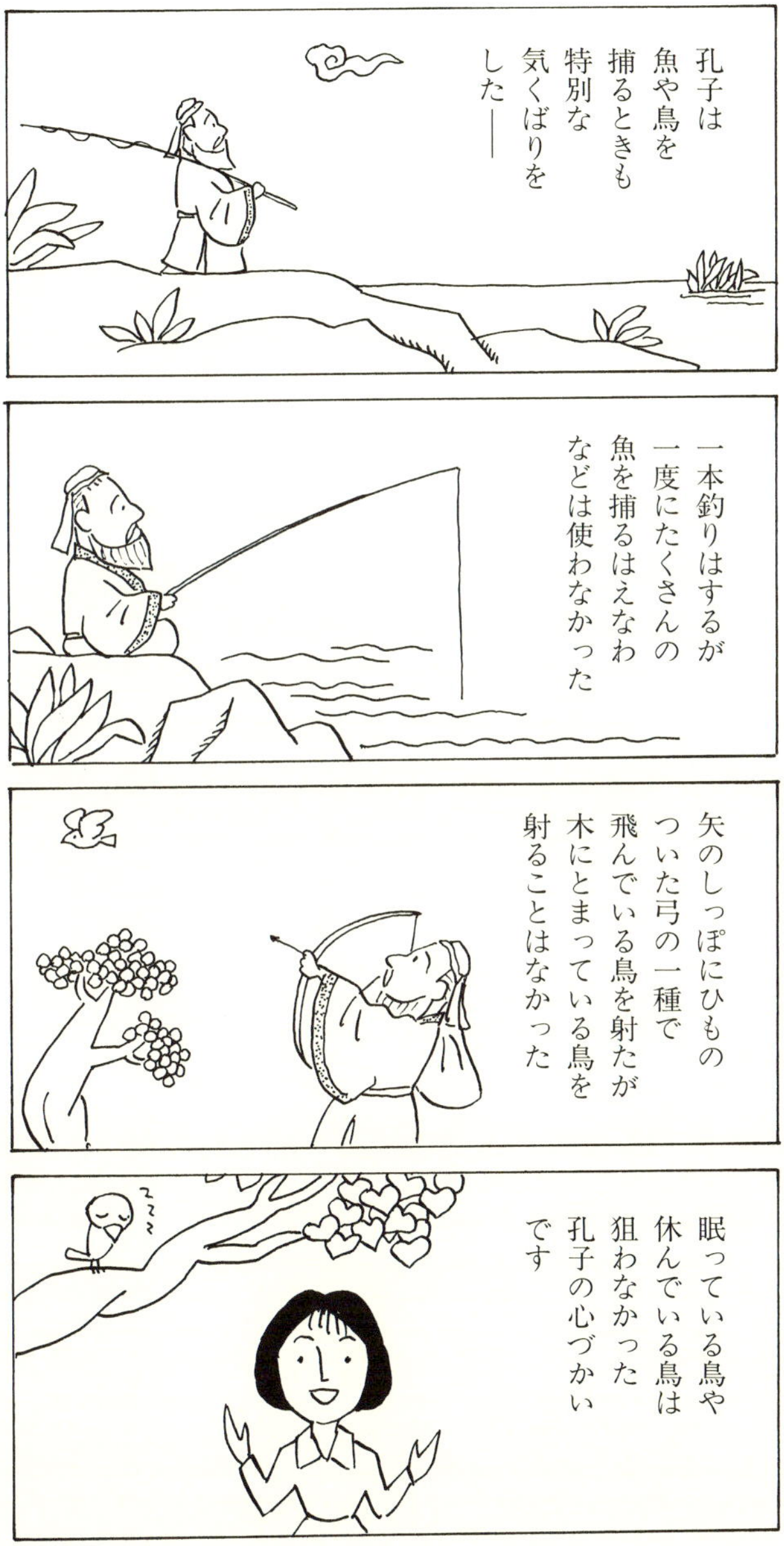
孔子は
魚や鳥を
捕るときも
特別な
気くばりを
した――
一本釣りはするが
一度にたくさんの
魚を捕るはえなわ
などは使わなかった
矢のしっぽにひもの
ついた弓の一種で
飛んでいる鳥を射たが
木にとまっている鳥を
射ることはなかった
眠っている鳥や
休んでいる鳥は
狙わなかった
孔子の心づかい
です
zzz

やさしい
心づかいを
忘れない

孔子の自信と謙遜

子曰《しいわ》く、蓋《けだ》し知《し》らずして之《これ》を作《つく》る者有《ものあ》らん。我《われ》は是《こ》れ無《な》きなり。多《おお》く聞《き》きて其《そ》の善《よ》き者《もの》を択《えら》びて之《これ》に従《したが》い、多《おお》く見《み》て之《これ》を識《しる》す。知《し》るの次《つぎ》なり。

自信があるから謙遜できる

「知」とは知性であり「作」とは創作をいう
知性をはたらかせず直観にたよって創作する人もいるがわたしはそんなことはしない
知性
充分な知性はなくても多くを聞き、その善きものに従うまた、多くの書を読みそれをおぼえておきそして創作する
このような人は完全な知性の人間とはいえなくともそれにつぐ人である
これは孔子自身の自信と謙遜の言葉です

互郷《ごきょう》、与《とも》に言《い》い難《がた》し。童子《どうじ》見《まみ》ゆ。門人《もんじん》惑《まど》う。子《し》曰《いわ》く、其《そ》の進《すす》むに与《くみ》するなり。其《そ》の退《しりぞ》くに与《くみ》せざるなり。唯《ひと》えに何《なん》ぞ甚《はなはだ》しきや。人《ひと》己《おのれ》を潔《きよ》くして以《もっ》て進《すす》む。其《そ》の潔《きよ》きに与《くみ》せん。其《そ》の往《おう》を保《ほ》せざるなり。

進歩する心に協力する

上ってくる人には手を貸そう

互郷《ごきょう》という村の少年が孔子に会いに来た
孔子は快く少年に会ったので弟子たちが首をかしげた
あの子の向上心を買ったのだ進歩したいというあの子に協力するために会ったのだ
会わなかったら退歩に手を貸したことになるだれであろうと清潔な気持ちには応えてやりたい

〝仁〟は近きにあり

子《し》曰《いわ》く、仁《じん》遠《とお》からんや。我《われ》、仁《じん》を欲《ほっ》すれば、斯《ここ》に仁《じん》至《いた》る。

〝仁〟とは人間の道
である
それは
手のとどかない
遠いところにあるので
あろうか——
そうではない
「仁」は、人間が
それを求めるとき
すぐそこにある
仁
そうだった
わたしたちは
長年
これを求めるのを
忘れていた……
仁
ひたすら求めつづけたのは…
金ばかりだった
ゼネコン
証券会社
仁

「仁」も
金になるなら
売りそうな
人たちもいる

孔子の人柄《ひとがら》

孔子は、合唱会を催し、歌が気にいると
それをくり返し歌ってもらい、それから自分も
いっしょに歌うのが常であった。

学問の点では
わたしは
人なみだという自信は
あるが、実践となると
まだ君子にふさわしい
とはいえないと思う

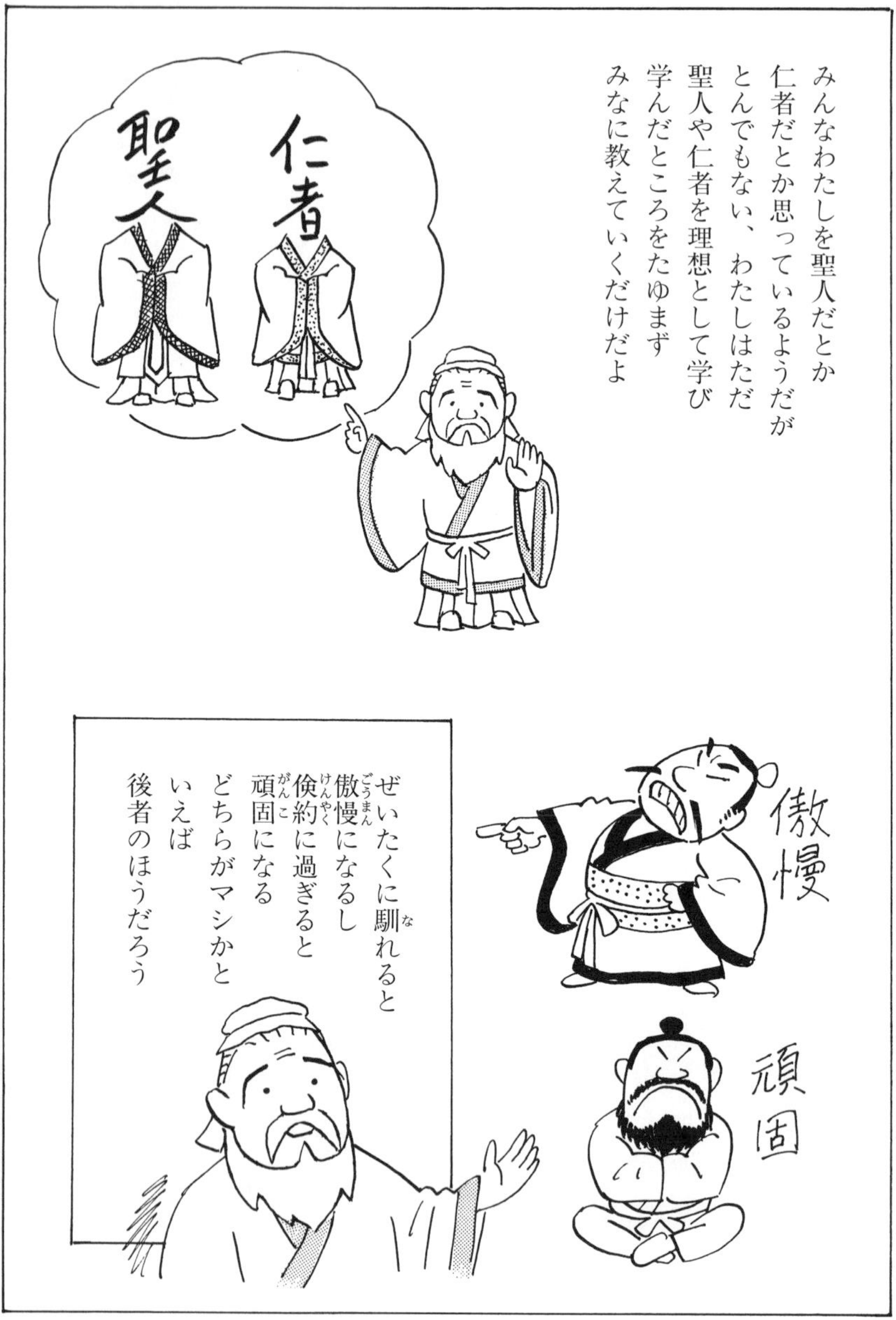
みんなわたしを聖人だとか
仁者だとか思っているようだが
とんでもない、わたしはただ
聖人や仁者を理想として学び
学んだところをたゆまず
みなに教えていくだけだよ
仁者
聖人
傲慢
頑固
ぜいたくに馴《な》れると
傲慢《ごうまん》になるし
倹約《けんやく》に過ぎると
頑固《がんこ》になる
どちらがマシかと
いえば
後者のほうだろう

泰伯篇《たいはくへん》

この篇では、泰伯という賢人の賞賛など、古代の君主の賞賛にまじって、曽子に関する文章が集められている。

生活の中の〝礼〟

子《し》曰《いわ》く、恭《きょう》にして礼無《れいな》ければ則《すなわ》ち労《ろう》す。慎《しん》にして礼無《れいな》ければ則《すなわ》ち葸《し》す。勇《ゆう》にして礼無《れいな》ければ則《すなわ》ち乱《みだ》す。直《ちょく》にして礼《れい》なければ則《すなわ》ち絞《こう》す。

態度がていねい
なのはよい
しかし礼にかなった
ていねいさでないと
骨折り損になる
ペラペラペラペラ
礼
慎重である
ことはよいが
礼にかなって
いないと
いじけてみえる
慎重に……
礼
勇敢であることは
よいが、これも礼に
かなっていないと
ただ粗暴なだけだ
礼
率直で正直も
よいが、やはり
礼にかなっていないと
人を締めあげる
冷酷さになって
しまう
ズケズケ
礼

何事も
礼儀が
かんじん

上に立つ者の心がけ

君子《くんし》、親《しん》に篤《あつ》ければ、則《すなわ》ち民仁《たみじん》に興《おこ》る。故旧《こきゅう》遺《わす》れざれば、則《すなわ》ち民偸《たみうす》からず。

上下一体と
いうこと

上に立つ者が
肉親に対して情愛が
こまやかであれば
下の者もそれに
倣う
上に立つ者が
古い友人や昔なじみを
忘れずにだいじに
すれば、下の者も
それに倣う
そして
下の者も
人情に
厚くなる
だろう
しかし
上に立つ者が
これでは
ついて
いけない
不正行為
社長!

礼を大切にする三つの意味

曽子《そうし》、疾《やまい》有《あ》り。孟敬子《もうけいし》之《これ》を問《と》う。曽子《そうし》言《い》いて曰《いわ》く、鳥《とり》の将《まさ》に死《し》せんとするや、其《そ》の鳴《な》くこと哀《かな》し。人《ひと》の将《まさ》に死《し》せんとするや、其《そ》の言《い》うや善《よ》し。君子《くんし》の道《みち》に貴《たっと》ぶ所《ところ》の者《もの》は三《さん》。容貌《ようぼう》を動《うご》かしては斯《ここ》に暴慢《ぼうまん》に遠《とお》ざかる。顔色《がんしょく》を正《せい》しては斯《ここ》に信《しん》に近《ちか》づく。辞気《じき》を出《い》だせば斯《ここ》に鄙倍《ひばい》を遠《とお》ざく。籩豆《へんとう》の事《こと》は則《すなわ》ち有司《ゆうし》存《そん》す。

礼に始まり
礼に終わる

註・〈孟敬子《もうけいし》〉＝魯《ろ》の国の家老。

危篤《きとく》におちいった曽子《そうし》は
見舞いにきた孟敬子《もうけいし》に
「死にのぞんだ鳥の鳴き声は悲しい
死にのぞんだ人間の言葉はすぐれている
生命の終わりのよい言葉として
うそいつわりのないわたしの話をよく聞いて
ほしい」と、人の上に立つ者として
礼を大切にする三つの
ことを告《つ》げました——

一つは、立ち居ふるまいが
礼にかなうことによって
言動などが粗暴で
なくなる
礼
二つには、表現が
礼にかなうことによって
信義を保ち、人から
だまされない状態に
近づく
礼
三つめは
言語が礼にかなう
ことによって
いやらしさや
薄っぺらな
他人の言語を
遠ざける
礼
「礼はこの根本精神が
大切であり
祭事の運営に
ついての礼などは
係員にまかせれば
よいことです」
と言い残した

人の上に立つには

曽子《そうし》曰《いわ》く、能《のう》を以《もっ》て不能《ふのう》に問《と》い、多《おお》きを以《もっ》て寡《すくな》きに問《と》い、有《あ》れども無《な》きが若《ごと》く、実《み》つれども虚《むな》しきが若《ごと》く、犯《おか》さるれども校《こう》せず。昔者《むかし》、吾《わ》が友《とも》、嘗《かつ》て斯《ここ》に従事《じゅうじ》せり。

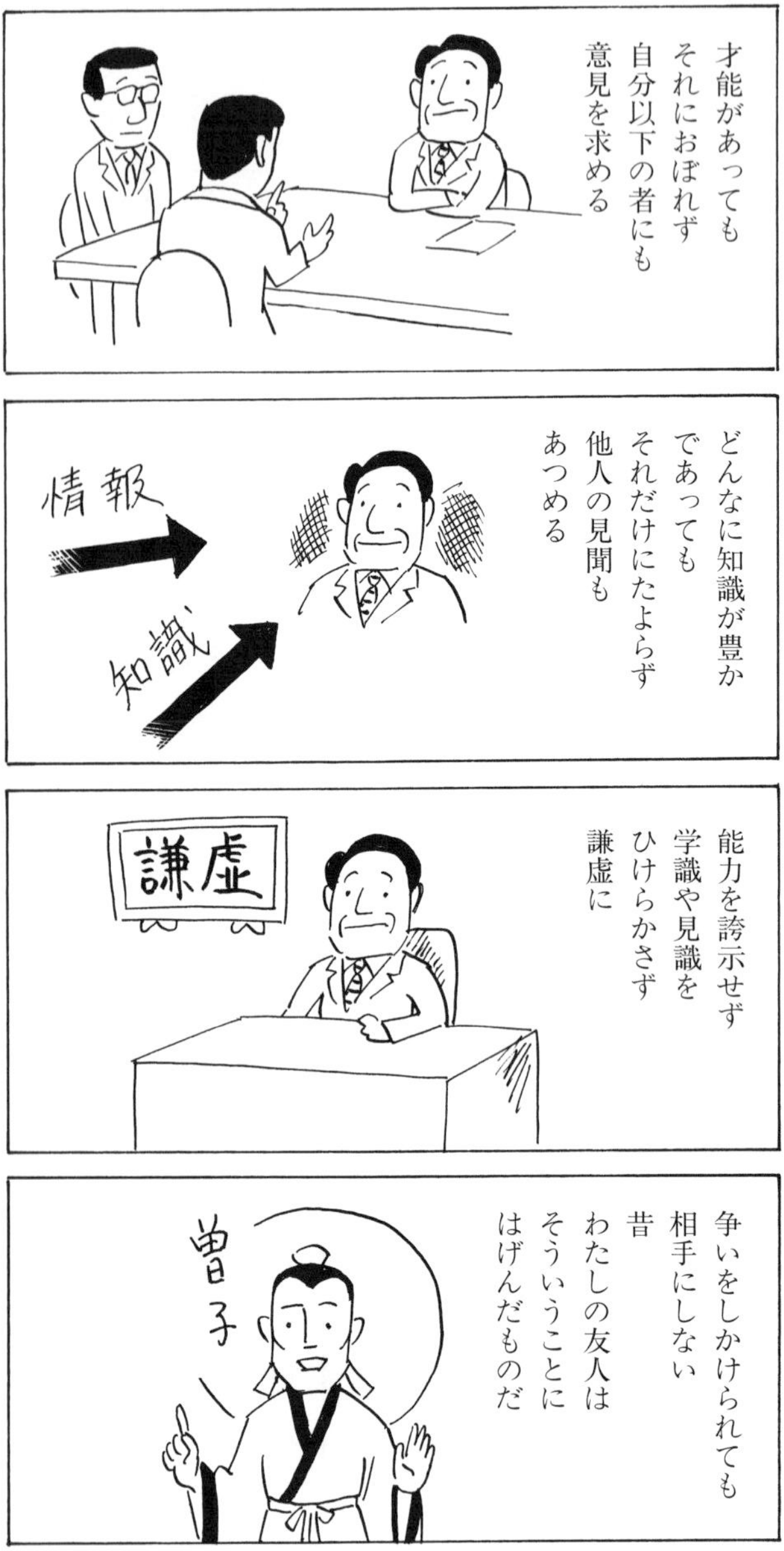
才能があっても
それにおぼれず
自分以下の者にも
意見を求める
情報
知識
どんなに知識が豊か
であっても
それだけにたよらず
他人の見聞も
あつめる
謙虚
能力を誇示せず
学識や見識を
ひけらかさず
謙虚に
曽子
争いをしかけられても
相手にしない
昔
わたしの友人は
そういうことに
はげんだものだ

理想の人物像

曽子《そうし》曰《いわ》く、以《もっ》て六尺《りくせき》の孤《こ》を託《たく》すべく、以《もっ》て百里《ひゃくり》の命《めい》を寄《よ》すべく、大節《たいせつ》に臨《のぞ》みて奪《うば》うべからず。君子人《くんしじん》か、君子人《くんしじん》なり。

曽子が理想とする人物像

幼い孤児をあずけても安心できる人
安心して一国の政治をまかせられる人
政治
重大な局面に立っても毅然《きぜん》としている人
そういう人物こそ君子といえる
曽子

註・〈六尺の孤〉=幼い孤児のこと。

人の一生は遠い道のり

曽子《そうし》曰《いわ》く、士《し》は以《もっ》て弘毅《こうき》ならざるべからず。任重《にんおも》くして道遠《みちとお》し。仁《じん》以《もっ》て己《おのれ》が任《にん》と為《な》す。亦重《またおも》からずや。死《し》して後已《のちや》む。亦遠《またとお》からずや。

リーダーたる者
強い信念をもた
ねばならない

士たるものは
広い度量と強固な
意志をもたねばなら
ない
度量
意志
なぜなら
士たるものの
任務は重く
道は遠い
からである
仁の達成を
使命とし
その責任は
重い
責任
それを背負って
死ぬまで精進を
つづけねばならない
これは遠い道のり
ではないか

註・〈士〉＝若手の官吏。

教養のプロセス

子《し》曰《いわ》く、詩《し》に興《おこ》り、礼《れい》に立《た》ち、楽《がく》に成《な》る。

孔子の言う
教養の順序
とは

詩を読んで
人間的感情を
呼びさます
感情
詩
礼にのっとり
人格内容を
充実する
人格の
形成
礼
音楽を
学ぶことにより
調和させる
感情
人格
感情
人格
これが
教養
である

ハタ迷惑ということ

子《し》曰《いわ》く、勇《ゆう》を好《この》みて貧《まず》しきを疾《にく》むは、乱《みだ》る。人《ひと》にして不仁《ふじん》なるを、之《これ》を疾《にく》むこと已甚《はなはだ》しければ、乱《みだ》る。

ハタ迷惑を
自覚しない
日本人も多い

勇敢な行為を
好む人が
自分が貧乏なことに
不平をもって行動すると
ハタ迷惑になりかね
ない
オレの
月給上げろ！

仁や道徳観念が
ない人を憎み遠ざけたい
と思うのはいいが
その一念でこりかたまると
ハタ迷惑になり
かねない
出ていけ!!

能力ある人物

子曰《しいわ》く、如《も》し周公《しゅうこう》の才《さい》の美有《びあ》りとも、驕《おご》りて且《か》つ吝《やぶさ》かならしめば、其《そ》の余《よ》は観《み》るに足《た》らざるのみ。

能ある人間は謙虚

周《しゅう》公《こう》ほどの
すばらしい才能の
持ち主でも
傲慢であったり
ケチだったりしたら
美点はすべて
帳消しだ
じっさいには
周公は包容力が
あり 謙虚な
人物だったと
いいます
孔子の言わんと
することは
能力のある
人ほど 頭が低く
包容力がある
ということです
こんな人間は
評価するに
値《あたい》しない!
才能

向学の人

子《し》曰《いわ》く、三年《さんねん》学《まな》びて、穀《こく》に至《いた》らざるは得易《えやす》からざるなり。

学歴だけで
よい結果は
得られない

三年も学問をして
就職を望まず
学問をつづけよう
とする人は
得がたい人物だ
いまどきの若者が
欲しいのは
大学卒の学歴だけ
大学
卆業証書
学歴を得たら
すぐ職さがし
会社
入社試験
あんちゃん
ここは
会社と
ちがうで
耺業安定所

職業安定所＝現ハローワーク

余計な口出しはしない

子《し》曰《いわ》く、其《そ》の位《くらい》に在《あ》らざれば、其《そ》の政《まつりごと》を謀《はか》らず。

どこにでもいる余計な口出し

その地位についていなければその政治には口出しをしない
会社の場合――
自分の職務以外のことにあれこれ口出しをして会社の秩序を乱すな
総務課長とくにキミはよそのポジションに口出しが過ぎるぞ!!
社長だって…
わしは手は出すが口は出さん

孔子も手をやく連中

子《し》曰《いわ》く、狂《きょう》にして直《ちょく》ならず、侗《とう》にして愿《げん》ならず、悾悾《こうこう》にして信《しん》ならざるものを、吾《わ》れは之《これ》を知《し》らず。

ウソつきで
不まじめで
信頼できない

情熱家だが
正直でない
子供っぽい純情さを
もっているが
まじめでない
愚直だが
信頼感がない
こうした連中は
手のほどこし
ようがないネ

学問する態度

子《し》曰《いわ》く、学《まな》ぶは及《およ》ばざるが如《ごと》くするも、猶《な》お之《これ》を失《うしな》わんことを恐《おそ》る。

学問することのむずかしさを強調

学問というものは
人を追いかけるのと
同じだ
学問
追いつこうと
たえず努力して
いないと
見失ってしまう
学問
追えども
追えども
捕らえることが
できない
学問
一生懸命に
追いかけていても
対象を
見失うおそれが
ある
学問

人材は得がたい

舜《しゅん》に臣《しん》五人《ごにん》有《あ》りて、天下《てんか》治《おさ》まる。武王《ぶおう》曰《いわ》く、予《われ》に乱臣十人《らんしんじゅうにん》有《あ》り。孔子《こうし》曰《いわ》く、才《さい》難《かた》しと。其《そ》れ然《しか》らずや。唐虞《とうぐ》の際《さい》は、斯《これ》より盛《さかん》なりと為《な》す。婦人《ふじん》有《あ》り、九人《くにん》のみ。天下《てんか》を三分《さんぶん》して斯《そ》の二《に》を有《たも》ち、以《もっ》て殷《いん》に服事《ふくじ》す。周《しゅう》の徳《とく》は、其《そ》れ至徳《しとく》と謂《い》うべきのみ。

人材は
すぐれた人物の
下に集まる

舜《しゅん》の国にはすぐれた臣下が
五人いて、そのために天下は
太平であった
そして後の周王朝の創始者である
武王も言っている
「わたしにはすぐれた政務補佐官が
十人いる」
これについて孔子の感想は——
人材
天下太平

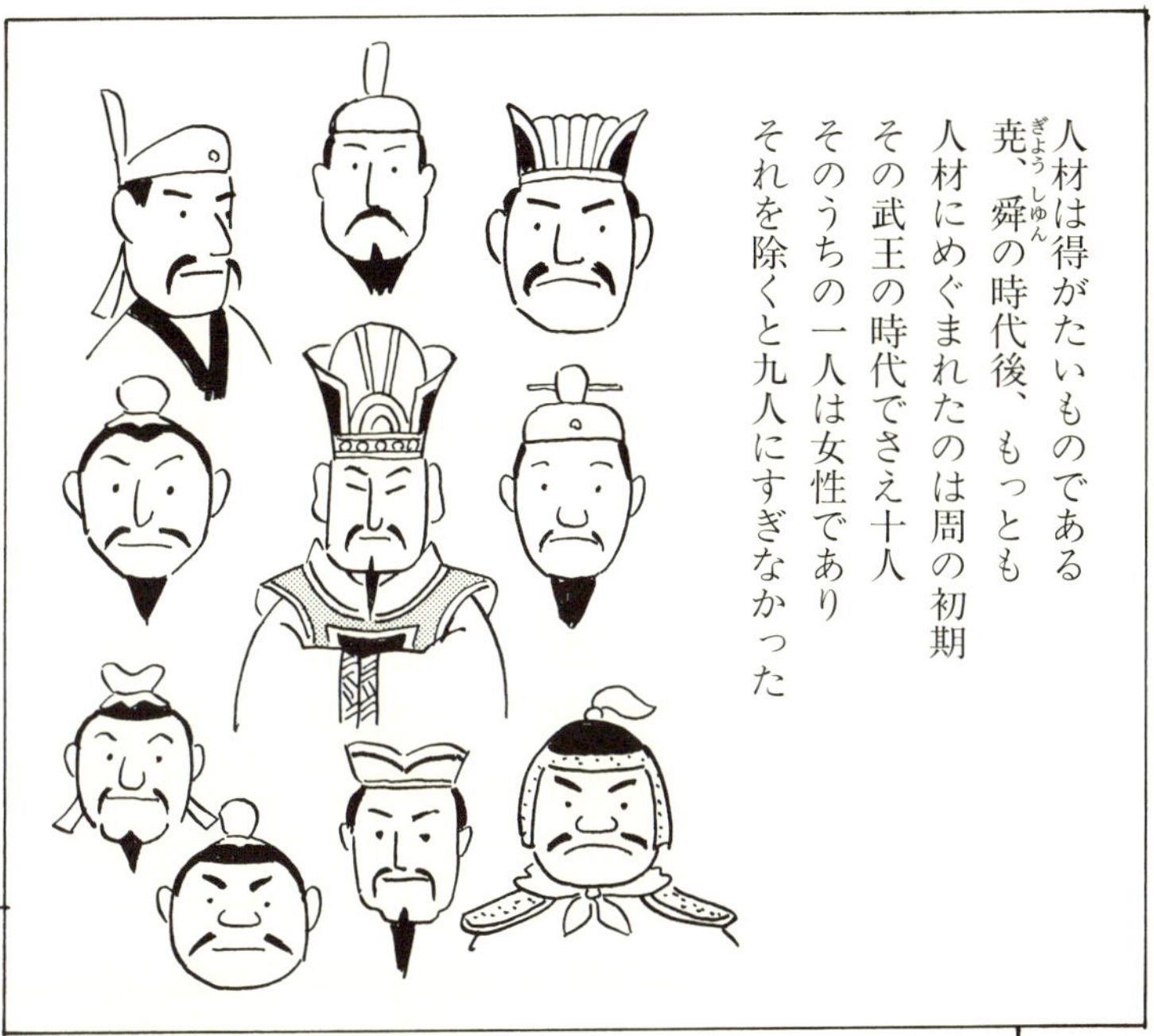
人材は得がたいものである
堯《ぎょう》、舜《しゅん》の時代後、もっとも
人材にめぐまれたのは周の初期
その武王の時代でさえ十人
そのうちの一人は女性であり
それを除くと九人にすぎなかった

九人の人材を得たからこそ
天下の三分の二までが
周に服従していた、しかも周は
それほど力があっても
礼をつくして殷王朝に仕えた
そうした周の徳こそ、至上のもの
と評価してよい

孔子のほめ言葉

子《し》曰《いわ》く、禹《う》は吾《われ》間然《かんぜん》すること無《な》し。飲食《いんしょく》を菲《うす》くして、孝《こう》を鬼神《きしん》に致《いた》し、衣服《いふく》を悪《あ》しくして、美《び》を黻冕《ふつべん》に致《いた》し、宮室《きゅうしつ》を卑《ひく》くして、力《ちから》を溝洫《こうきょく》に尽《つ》くす。禹《う》は吾《われ》間然《かんぜん》すること無《な》し。

禹《う》には頭が下がる
日常の食生活は
きりつめ、神様への
お祭りのお供えは
りっぱにした
衣服も質素に
お祭りの大礼服は
りっぱなものを整えた
住の生活においても
居宅は粗末にして
農業のための
水利事業に力を
つくした
禹には、実に
頭が下がる
これは舜《しゅん》の臣禹に
対する孔子の賛美
の言葉です

注・〈禹〉―夏王朝の始祖。

子罕篇《しかんぺん》

この篇は、孔子の言行の記録や、孔子の出処進退に関する門人の記録が、多く収められている。

謙虚だった孔子

達巷《たつこう》の党人《とうじん》曰《いわ》く、大《おお》いなるかな孔子《こうし》。博《ひろ》く学《まな》びて而《しか》も名《な》を成《な》す所無《ところな》しと。子之《しこれ》を聞《き》き、門弟子《もんていし》に謂《い》いて曰《いわ》く、吾何《われなに》をか執《と》らん。御《ぎょ》を執《と》らんか。射《しゃ》を執《と》らんか。吾《われ》は御《ぎょ》を執《と》らん。

達巷《たつこう》の村人が
孔子をほめたたえて
言った――
まったくえらい人だ
何の専門家である
というきまった名前
もないがえらい人だ
それを伝え聞いた
孔子は――
わたしの専門は
馬車の馭者《ぎょしゃ》か
弓を射ることに
するか
まあ馭者にして
おこうか
当時は馬車を
のりまわせることと
弓を射ることは
君子の必須科目と
されていた
これは孔子の
謙虚さを示す
条項である
自信をもった人物の、
謙遜の言葉
である

註・〈達巷〉＝地名。〈党〉＝五百戸ぐらいの村。

孔子がもっていなかったもの

子《し》、四《し》を絶《た》つ。意《い》毋《な》く、必《ひつ》毋《な》く、固《こ》毋《な》く、我《が》毋《な》し。

弟子たちは
孔子を
どう見ていたのでしょうか

孔子には
四つのものが
なかった
一つは
「主観で憶測
すること」
二つは
「自分の考えを
無理に押し通す
こと」
考
三つは
「固執すること」
そして
もう
一つは?
「自分本位の考え
をもつ」ことが
なかった
そうだ!
そのとおり

怒れる孔子

子《し》、匡《きょう》に畏《い》す。曰《いわ》く、文王《ぶんおう》既《すで》に没《ぼっ》す、文《ぶん》、茲《ここ》に在《あ》らざらんや。天《てん》の将《まさ》に斯《こ》の文《ぶん》を喪《ほろ》ぼさんとするや、後死《こうし》の者《もの》、斯《こ》の文《ぶん》に与《あずか》ることを得《え》ざるなり。天《てん》の未《いま》だ斯《こ》の文《ぶん》を喪《ほろ》ぼさざるや、匡人《きょうひと》其《そ》れ予《われ》を如何《いかん》。

匡《きょう》という町で暴徒にかこまれたとき孔子は、胸を張って言い放った
文王すでに亡きとはいえその伝統はこのわたしがうけついでいる！
天がこの伝統を亡ぼすつもりならそれをわたしにまで伝えるはずがない
この伝統とともにある限りこのわたしを匡のやからがどうすることができようぞ！
人まちがいだったらしい

注・〈文王〉＝周王朝の創始者。文明の創始者とも言われる。

多芸はほめられない

大宰《たいさい》、子貢《しこう》に問《と》うて曰《いわ》く、夫子《ふうし》は聖者《せいじゃ》か。何《なん》ぞ其《そ》れ多能《たのう》なるや。子貢曰《しこういわ》く、固《もと》より天之《てんこれ》を縦《ゆる》して将《まさ》に聖《せい》ならしめんとす。又《また》多能《たのう》なり。子之《しこれ》を聞《き》きて曰《いわ》く、大宰我《たいさいわれ》を知《し》れるか。吾少《われわか》くして賤《いや》し。故《ゆえ》に鄙事《ひじ》に多能《たのう》なり。君子《くんし》は多《た》ならんや。多《た》ならざるなり。牢曰《ろういわ》く、子云《しい》う、吾試《われもち》いられず。故《ゆえ》に芸《げい》あり。

才能は自慢するものではない

註・〈大宰〉＝官名であり、首相の地位である。

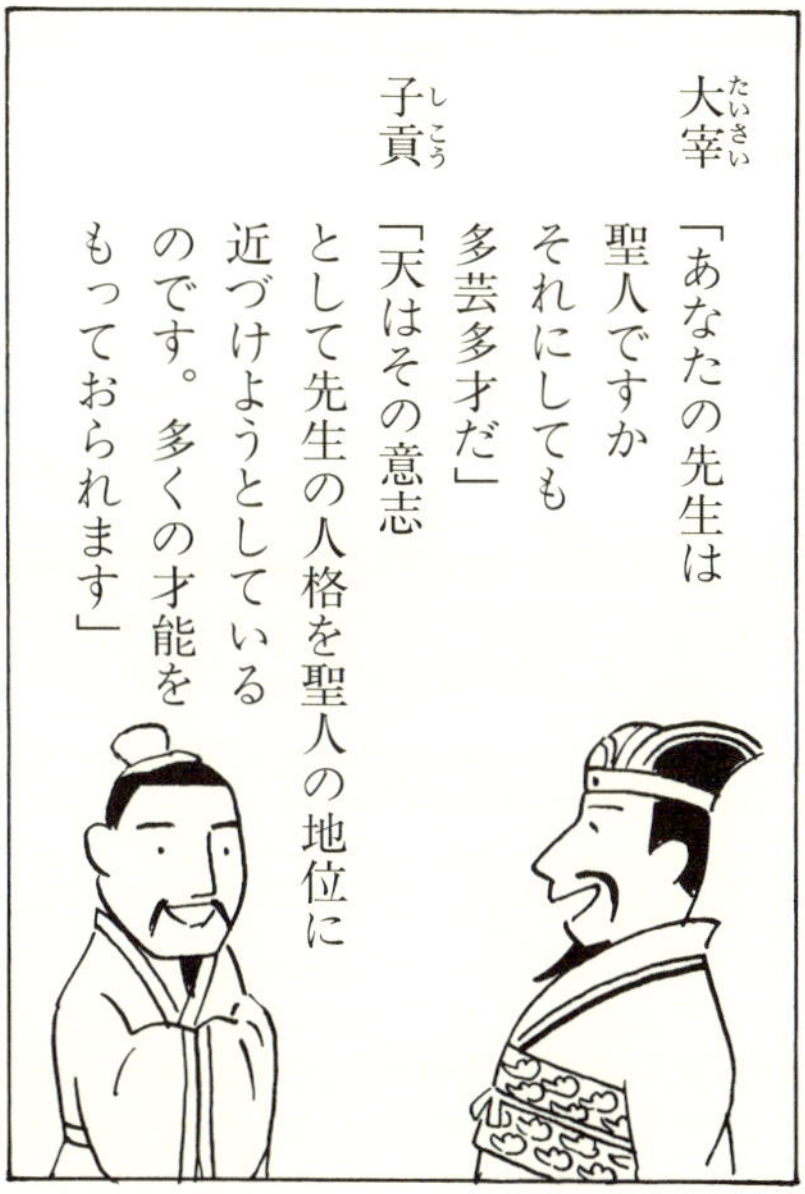

大宰《たいさい》
「あなたの先生は
聖人ですか
それにしても
多芸多才だ」
子貢《しこう》
「天はその意志
として先生の人格を聖人の地位に
近づけようとしている
のです。多くの才能を
もっておられます」

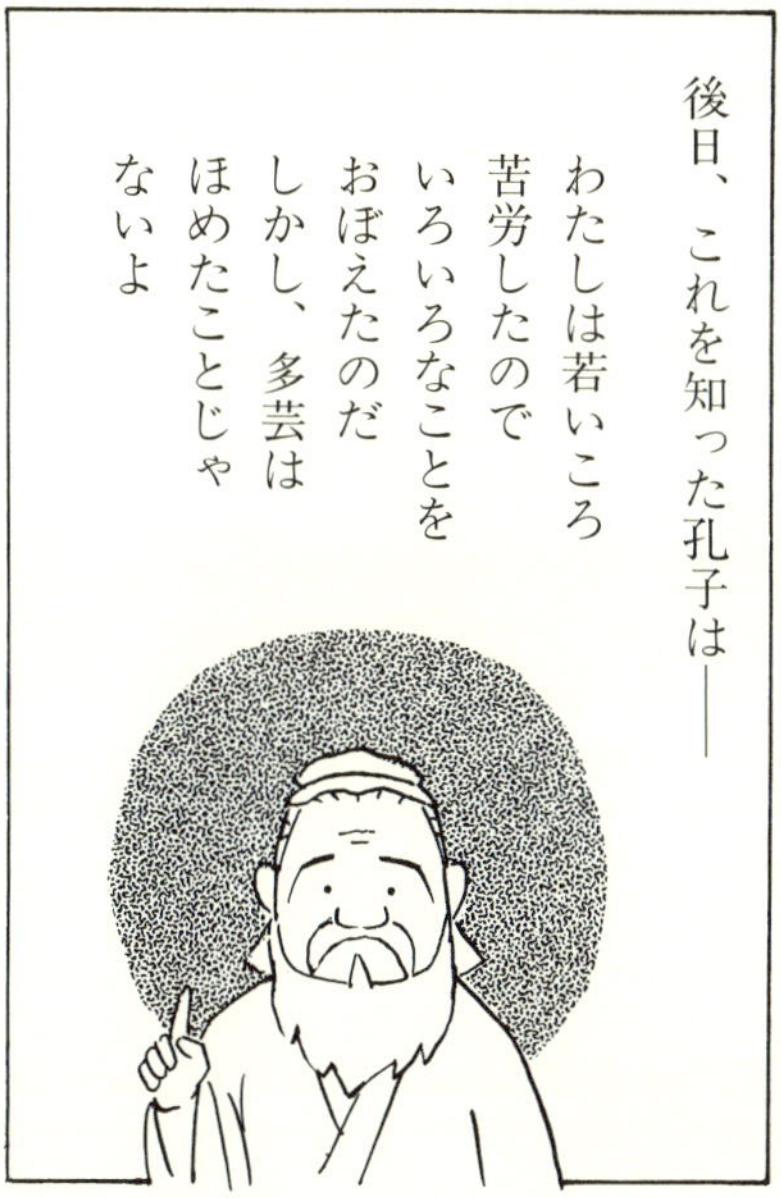

後日、これを知った孔子は――
わたしは若いころ
苦労したので
いろいろなことを
おぼえたのだ
しかし、多芸は
ほめたことじゃ
ないよ

謙遜について

子《し》曰《いわ》く、吾《われ》知《し》ること有《あ》らんや。知《し》ること無《な》きなり。鄙《ひ》夫《ふ》有《あ》りて我《われ》に問《と》う。空空如《こうこうじょ》たり。我《われ》其《そ》の両端《りょうたん》を叩《たた》いて竭《つ》くす。

知識があっても謙遜している

わしが物知りだという評判だが、実はそうじゃない
知識の乏しい人の質問に充分に答えてやるだけだよ
あんたも物知りだと評判よ
おうなんでも聞いてくれオレの知らないことはない！
じゃ聞くけど謙遜ってどういう意味？

註・〈鄙夫〉＝身分のいやしい者、知識の乏しい人。

孔子の心づかい

子《し》、斉衰者《しさいしゃ》と冕衣裳者《べんいしょうしゃ》と、瞽者《こしゃ》とを見《み》れば、之《これ》を見《み》て少《わか》しと雖《いえど》も必《かなら》ず作《た》つ。之《これ》を過《す》ぐれば必《かなら》ず趨《はし》る。

礼をつくす
人でありたい

喪服《もふく》を着た人
礼服を着た人
目の不自由な人

これらの人たちに
出会ったとき
孔子は立ち上がって
迎え、その前を
通るときは
歩き方に注意した
と言います

註・〈斉衰者〉＝喪服を着ている人。〈冕衣裳〉＝大礼服のこと。〈瞽者〉＝目の不自由な人。

顔回の孔子観

顔淵《がんえん》、喟然《きぜん》として嘆《たん》じて曰《いわ》く、之《これ》を仰《あお》げば弥《いよいよ》高《たか》く、之《これ》を鑽《き》れば弥《いよいよ》堅《かた》し。之《これ》を瞻《み》るに前《まえ》に在《あ》り、忽焉《こつえん》として後《うしろ》に在《あ》り。夫子《ふうし》は循《じゅん》循然《じゅんぜん》として善《よ》く人《ひと》を誘《いざな》う。我《われ》を博《ひろ》むるに文《ぶん》を以《もっ》てし、我《われ》を約《やく》するに礼《れい》を以《もっ》てす。罷《や》まんと欲《ほっ》すれども能《あた》わず。既《すで》に吾《わ》が才《さい》を竭《つ》くせり。立《た》つ所《ところ》有《あ》りて卓爾《たくじ》たるが如《ごと》し。之《これ》に従《したが》わんと欲《ほっ》すと雖《いえど》も、由末《よしな》きのみ。

孔子が聖人と称されるゆえん

顔淵《がんえん》（顔回《がんかい》）が
感嘆して言った――
先生は
仰げば仰ぐほど
高く、切りこめば
切りこむほど堅い

先生は
学問の広がりと
礼の実践に集約して
わたしたちを教えて
くださり、疲れて
途中でやめようと
思ってもやめられないように
導いてくださいます

わたしは、全力を
出しつくしても
先生はさらに
新しいものをうち立て
わたしを招いています
それはとてもわたしが
到達できない高さです

買い手があったら売りますか？

子貢《しこう》曰《いわ》く、斯《ここ》に美玉《びぎょく》有《あ》り。匵《ひつ》に韞《おさ》めて諸《これ》を蔵《ぞう》せんか。善《よ》き賈《あたい》を求《もと》めて諸《これ》を沽《う》らんか。子《し》曰《いわ》く、之《これ》を沽《う》らんかな。之《これ》を沽《う》らんかな、我《われ》は賈《あたい》を待《ま》つ者《もの》なり。

世の中の役に立ちたい

子貢が聞いた——

もしここに宝石があるとします 先生はこれを箱にしまいますか 買い手をさがして売りますか？

売るよ 売るとも！

いい値段の買い手を待っているところだよ
これは子貢が孔子によい条件だったら仕官する気持ちがあるかをたずねた比喩である

註・〈比喩〉＝物事の説明のため、似たものにおきかえて表現すること。

住民の心しだい

子《し》、九夷《きゅうい》に居《お》らんと欲《ほっ》す。或《ある》ひと曰《いわ》く、陋《いや》しきこと之《これ》を如何《いかん》。
子曰《しいわ》く、君子之《くんしこれ》に居《お》らば、何《なん》の陋《いや》しきことか之《こ》れ有《あ》らん。

環境も
心がけしだい

ある時、孔子が
乱世をきらって
九夷《きゅうい》に移り住みたい
と言った
しかし先生
九夷は
きたなく
むさくるしい
所ですよ
君子が
そこに住めば
むさくるしさは
なくなるよ
きたなくなったり
むさくるしくなるのも
住民の心しだいだと
孔子は教えた
のです

註・〈九夷〉＝東方の未開地のこと。

これくらいのことならできる

子曰《しいわ》く、出《い》でては則《すなわ》ち公卿《こうけい》に事《つか》え、入《い》りては則《すなわ》ち父兄《ふけい》に事《つか》う。喪事《そうじ》は敢《あえ》て勉《つと》めずんばあらず。酒《さけ》の困《みだ》れを為《な》さず。何《なん》ぞ我《われ》に有《あ》らんや。

やる気があれば何でもできる

外に出ては
会社の上司に
仕え
家に帰っては
父兄に仕える
また近所に葬式が
あれば、できる限り
手助けをし
酒を飲んでも
乱れたりしない
これくらいのことなら
わたしにもできる
たいして困難な
ことではない
ウチの亭主の場合
一、会社では
上司とケンカ
二、家に帰っては
ゴロ寝するだけ
三、近所に不幸が
あっても知らん
ぷり
四、酒を飲んだら
大トラ

註・〈公卿〉＝国の高官のこと。

時の流れ

子《し》、川《かわ》の上《ほとり》に在《あ》りて曰《いわ》く、逝《ゆ》く者《もの》は斯《か》くの如《ごと》きか、昼夜《ちゅうや》を舍《す》てず。

時も水もとめどなく流れている

過ぎ去るものはすべてこの川の水のごとくであろうか
昼も夜も一刻のやすみもなく過ぎ去る
人間の命も歴史もこの川の水のように過ぎ去り移っていく
この有名な一節は孔子が川の水の流れを見ながらやすみなく過ぎ去っていく時間への思いを託した言葉だといいます

美女を愛するが如くに

子《し》曰《いわ》く、吾《われ》未《いま》だ徳《とく》を好《この》むこと、色《いろ》を好《この》むが如《ごと》くする者《もの》を見《み》ざるなり。

心を奪われるのは、美女と金ばかり

わたしは
美女を愛するがごとくに
熱烈に道徳を愛した人に
まだ出会ったことがない
道徳
××
事務所
孔子のおっしゃるとおりよ!
アータッ
そのエネルギーを
すこしは
心の修養に
向けたら
どうなの!!

自分の責任について

子《し》曰《いわ》く、譬《たと》えば山《やま》を為《つく》るが如《ごと》し。未《いま》だ一簣《いっき》を成《な》さざるも、止《や》むは吾《わ》が止《や》むなり。
譬《たと》えば地《ち》を平《たいら》かにするが如《ごと》し。一簣《いっき》を覆《おお》うと雖《いえど》も、進《すす》むは吾《わ》が往《ゆ》くなり。

自己責任のもち方で人生も決まる

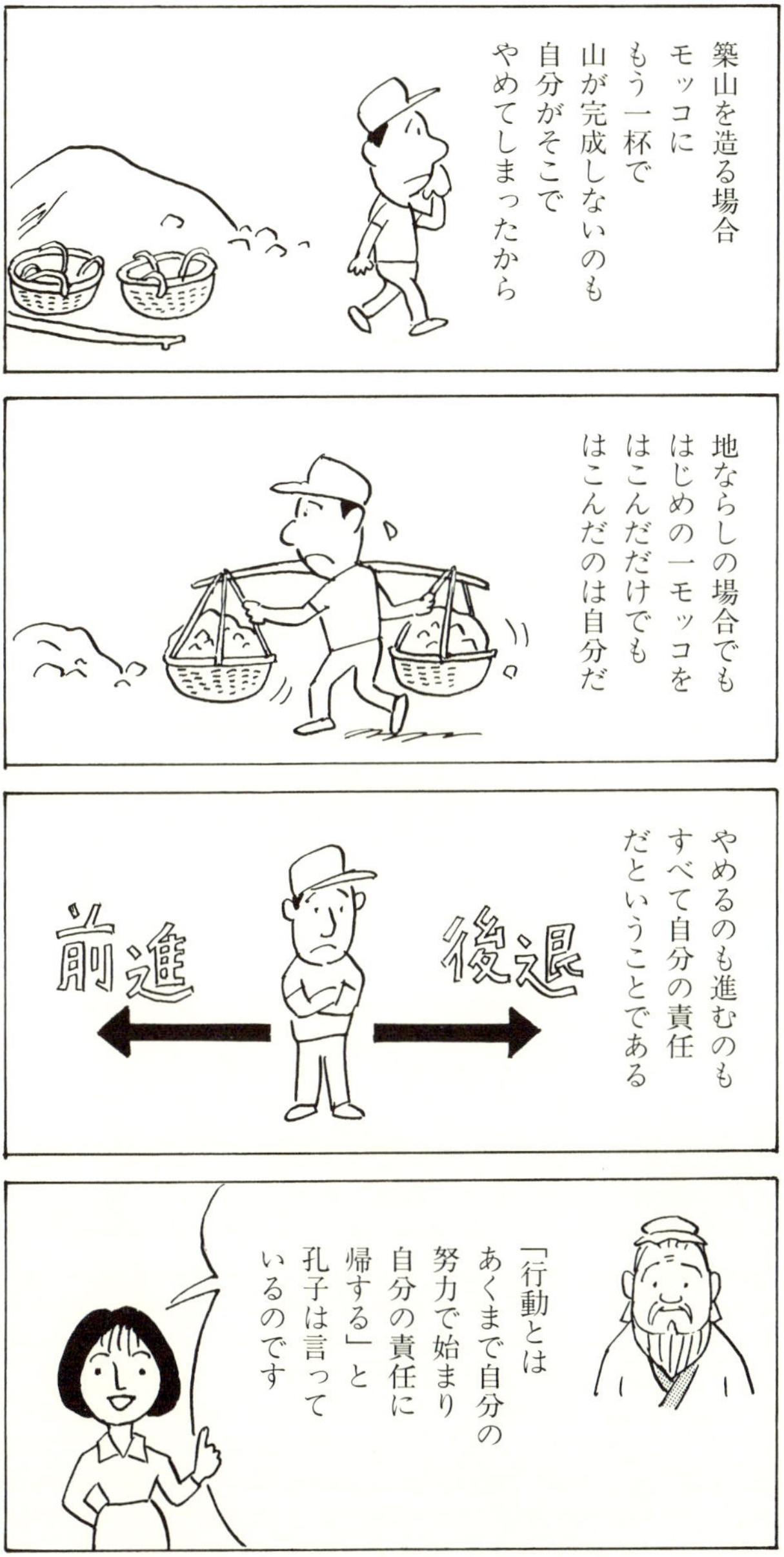

築山を造る場合
モッコに
もう一杯で
山が完成しないのも
自分がそこで
やめてしまったから
地ならしの場合でも
はじめの一モッコを
はこんだだけでも
はこんだのは自分だ
やめるのも進むのも
すべて自分の責任
だということである
後退
前進
「行動とは
あくまで自分の
努力で始まり
自分の責任に
帰する」と
孔子は言って
いるのです

註・〈モッコ〉＝竹で編んで作った土を運ぶ道具。

最愛の弟子〝顔回〟

子《し》曰《いわ》く、之《これ》に語《つ》げて惰《おこた》らざる者《もの》は、其《そ》れ回《かい》なるか。

学問に対する
情熱をもって
いるか——

わたしの話を聞き
ながら、ときどき
退屈そうな顔をする
弟子がいる中
顔回（顔淵）だけは
ちがう
孔子が最愛の弟子
顔回をほめた言葉
である
顔回は理解力が
すぐれていて
孔子の言葉を
早く理解できたので
退屈しなかったのだ
と言います
そして学問に
対する情熱が
もっとも豊か
だったたね
は…

顔回を惜しむ

子《し》曰《いわ》く、苗《なえ》にして秀《ひい》でざる者《もの》有《あ》り。秀《ひい》でて実《みの》らざる者《もの》有《あ》り。

人生いろいろ
人間もさまざま

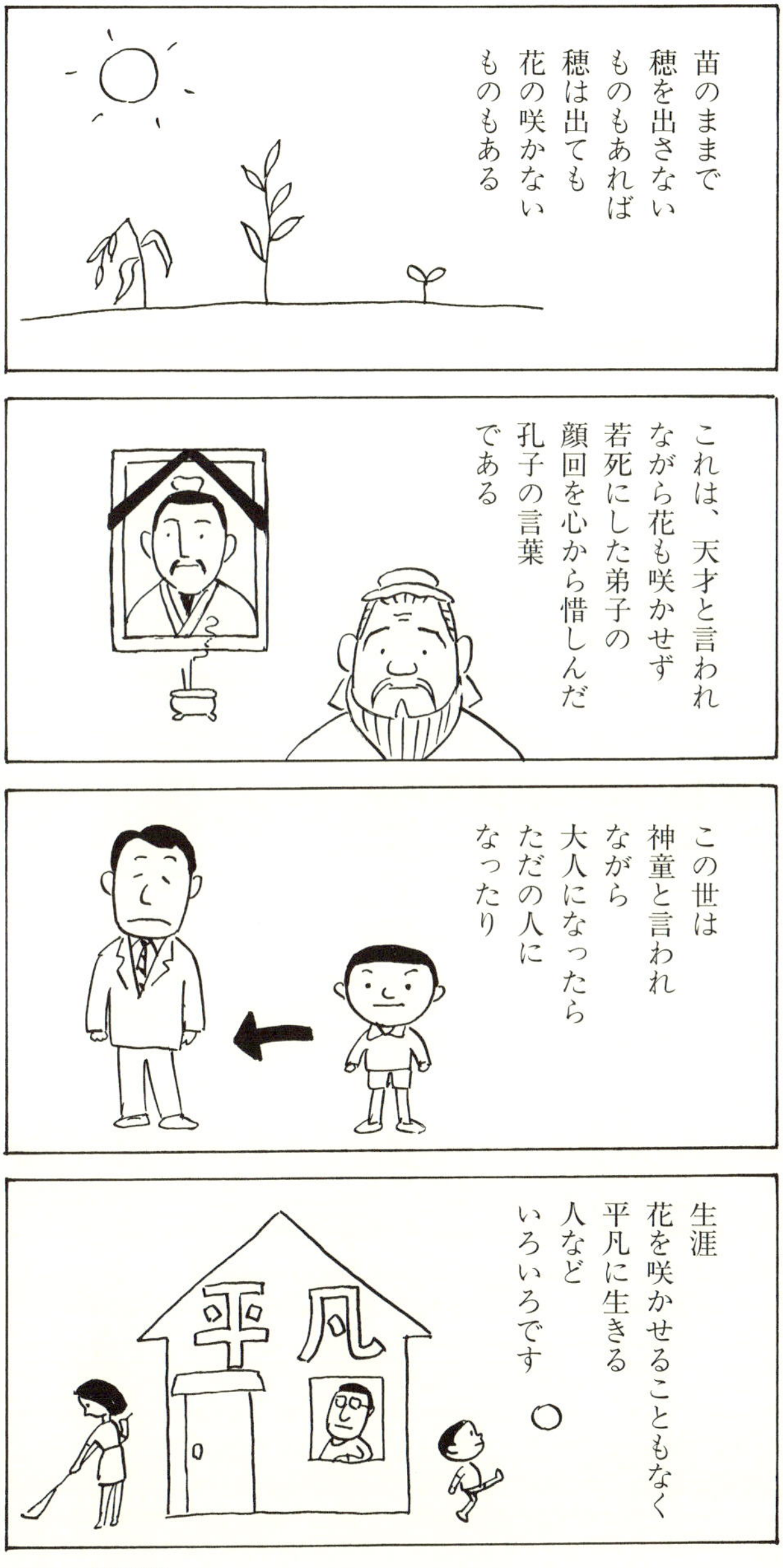
苗のままで
穂を出さない
ものもあれば
穂は出ても
花の咲かない
ものもある
これは、天才と言われ
ながら花も咲かせず
若死にした弟子の
顔回を心から惜しんだ
孔子の言葉
である
この世は
神童と言われ
ながら
大人になったら
ただの人に
なったり
生涯
花を咲かせることもなく
平凡に生きる
人など
いろいろです
平凡

後生おそるべし

子《し》曰《いわ》く、後生《こうせい》畏《おそ》るべし。焉《いずく》んぞ来者《らいしゃ》の今《いま》に如《し》かざるを知《し》らんや。四十五十《しじゅうごじゅう》にして聞《きこ》ゆること無《な》くんば、斯《こ》れ亦《また》畏《おそ》るるに足《た》らざるのみ。

常に期待される人間でありたい

青年はおそれ敬うべきである
将来
がんばれェ
未来の人間が今の人間より劣るなんてどうして言えるか
未来
現在
しかし、四十歳五十歳になっても何もできないようではおそれ敬う価値がない
孔子は若い世代に大きな期待をかけていた若者は無限の可能性を秘めているからである
可能性

註・〈後生〉＝若者とか後輩の意。

人の意見を聞く心得

子《し》曰《いわ》く、法語《ほうご》の言《げん》は、能《よ》く従《したが》う無《な》からんや。之《これ》を改《あらた》むるを貴《とうと》しと為《な》す。巽与《そんよ》の言《げん》は、能《よ》く説《よろこ》ぶ無《な》からんや。之《これ》を繹《たず》ぬるを貴《とうと》しと為《な》す。説《よろこ》びて繹《たず》ねず、従《したが》いて改《あらた》めず。吾之《われこれ》を如何《いかん》ともする末《な》きのみ。

まちがいは
すぐ改める
姿勢が大切

まちがいをはっきりと
指摘されれば
だれでもうなずかずには
いられない
しかし、うなずくだけでなく
そのまちがいを改める気持ちが
大切である

やさしい言葉はうれしい
遠まわしの注意なら
いやがらず聞こうとするが
この場合も表面だけでなく
相手の真意を
知ることが大切だ

人の意見に対し
ただうなずくだけ
表面だけを見て
真意を考えようと
しない
こういう連中には
手のほどこしようがない

人の志は奪えない

子曰《しいわ》く、三軍《さんぐん》も帥《すい》を奪《うば》うべきなり。匹夫《ひっぷ》も志《こころざし》を奪《うば》うべからざるなり。

志のない人間は
哀しい

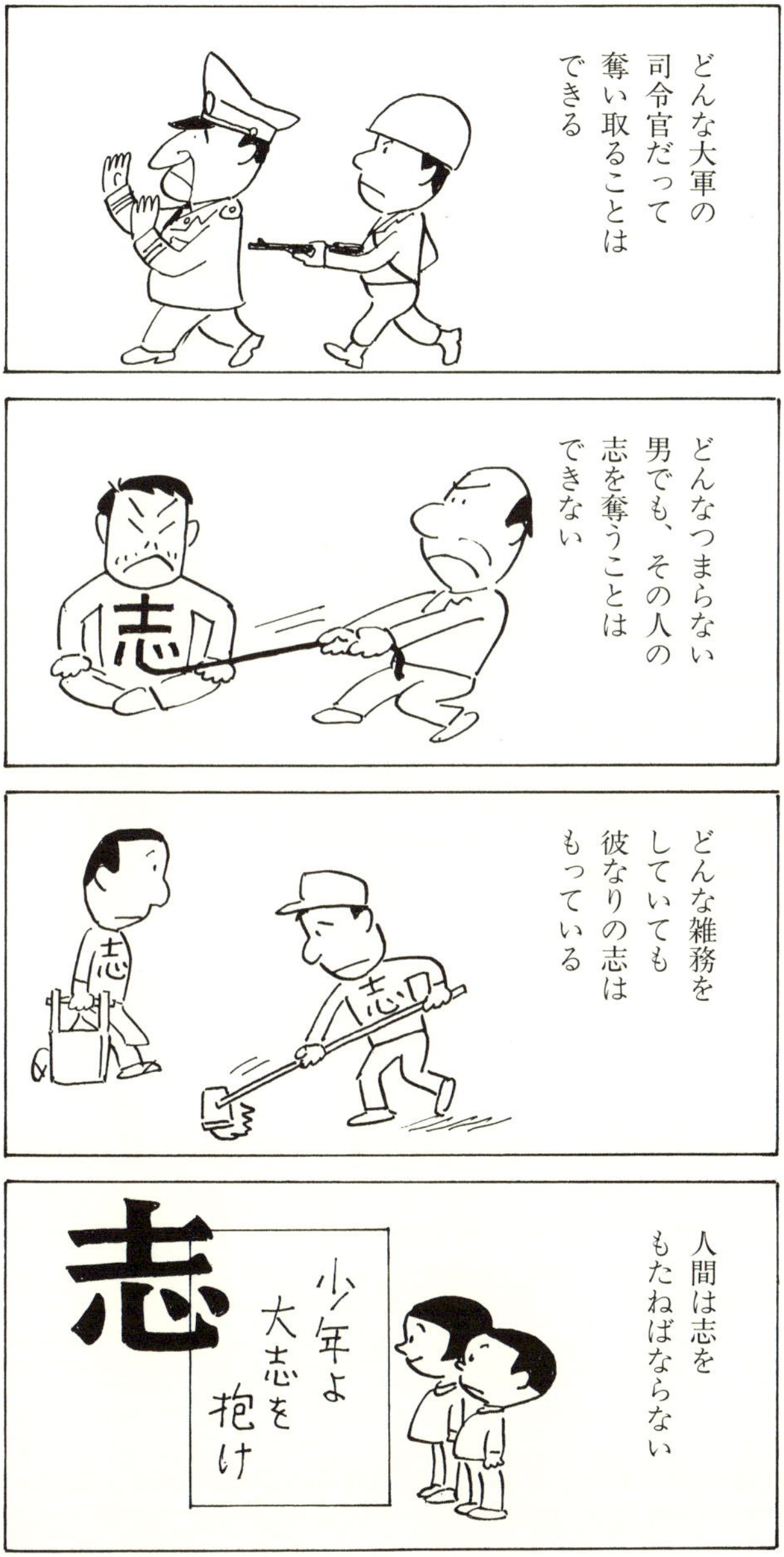
どんな大軍の
司令官だって
奪い取ることは
できる
どんなつまらない
男でも、その人の
志を奪うことは
できない
志
どんな雑務を
していても
彼なりの志は
もっている
志
志
人間は志を
もたねばならない
志
少年よ
大志を
抱け

註・〈三軍〉＝大軍のこと。〈匹夫〉＝低い階級、つまらない男をいう。

ボロは着てても心は錦

子《し》曰《いわ》く、敝《やぶ》れたる縕袍《おんぽう》を衣《き》て、狐貉《こかく》を衣《き》たる者《もの》と立《た》ちて、而《しか》も恥《は》じざる者《もの》は、其《そ》れ由《ゆう》なるか。

志にも
高低がある

自分はボロを着て
豪華な毛皮を
まとった人のそばに
ならぶ
それでも
何の引け目も
感じないで
堂々としている
よオ
それは
その人の志が
高いからである
志
これは志の高かった
弟子の子路《しろ》を
孔子がほめた
言葉です
子路

孔子、子路をとがめる

忮《そこな》わず求《もと》めず、何《なに》を用《もっ》てか臧《よ》からざらん。子路《しろ》終身之《しゅうしんこれ》を誦《しょう》す。子曰《しいわ》く、是《こ》の道《みち》や、何《なん》ぞ以《もっ》て臧《よ》しとするに足《た》らん。

積極的なところに進歩あり

人を害せず
無理な要求は
しない
かくてわが身も
善《よ》し
子路《しろ》は
この詩経《しきょう》の句を
自分の戒律として
いつも口ずさんで
いた
人を害せず……
孔子は
それをとがめて
言った
子路や
それで善《よ》しとは
言えない
もっと積極的な
心がまえこそ
望ましいね

人間の真価がわかるとき

子《し》曰《いわ》く、歳寒《としさむ》くして、然《しか》る後《のち》に松柏《しょうはく》の彫《しぼ》むに後《おく》るることを知《し》るなり。

「逆境こそ試練」の心がまえ

どんなに
寒い冬でも
松柏《しょうはく》は
しぼまない
人間もまた同じで
重大事に
ぶつかって
その真価が
わかる
大不況
ここで
しぼんでしまっては
負け
いまこそ
真価を
発揮するとき

君子の生き方

子《し》曰《いわ》く、知者《ちしゃ》は惑《まど》わず。仁者《じんしゃ》は憂《うれ》えず。勇者《ゆうしゃ》は懼《おそ》れず。

迷わず
憂えず
恐れない

知識人は
物の道理を知り
現状を理解し
未来を展望
しているから
事にあたって
迷うことはない
物の道理
現状把握
未来予測
仁徳ある人は
私利私欲を捨て
やましいところ
がない
だからあれこれ
心配ごとがない
勇気と
決断力のある人は
すべてに
恐れることがない
不況
これが君子の生き方である

人はさまざまである

子《し》曰《いわ》く、与《とも》に共《とも》に学《まな》ぶべきも、未《いま》だ与《とも》に道《みち》に適《ゆ》くべからず。与《とも》に道《みち》に適《ゆ》くべし、未《いま》だ与《とも》に立《た》つべからず。与《とも》に立《た》つべきも、未《いま》だ与《とも》に権《はか》るべからず。

結果よければ
すべてよし

いっしょに勉強した
仲間でも、同じ道を
選ぶとは限らない
いっしょの道を
選んだとしても
事にあたって
同じ行動をとるとは
限らない
Uターン
同じ行動を
とったとしても
状況判断が
同じとは限らない
考えも行動も
人はさまざまである

恋に遠近はない

唐棣《とうてい》の華《はな》、偏《へん》として其《そ》れ反《はん》せり。豈《あ》に爾《なんじ》を思《おも》わざらんや。室《しつ》の是《こ》れ遠《とお》ければなり。子曰《しいわ》く、未《いま》だ之《これ》を思《おも》わざるなり。夫《そ》れ何《なん》の遠《とお》きことか之《こ》れ有《あ》らん。

花を見れば
君ぞ恋しき……
思いつのり
道に出たが
君の家は遠い……
遠い
それではまだ
恋しているとは
いえまい
本当に
恋をしていれば
遠いも近いも
なくなるものだよ

恋の遠近、
孔子の
いましめ

郷党篇《きょうとうへん》

孔子の公的、私的な生活の具体的な記録をまとめている。「礼」の一般的な規定として説いた部分が多いとする学説もある。ともあれ、これによって、当時の「礼」の規定を知ることができる。

公私のつかいわけ

すでに偉人と認められていた
孔子であったが
たかぶらず
おとなしい
暮らしむきだった
ところが、ひとたび宗廟《そうびょう》や
朝廷に出ると
てきぱきと意見をのべ
それでいてつつしみ深かった

朝廷での孔子は
自分より下の者とは
おだやかに話し
上の者と話すときは
つつましやかな
態度であった
君主の前では
うやうやしく振るまい
それでいて固くなる
ことはなかった

注・〈宗廟〉＝君主が先祖の祭りをする霊屋。

朝廷での孔子

朝廷に出た孔子は
宮城の門を腰をかがめて通った
君主の通路である中央に立ったり
敷居を踏んで通ったりは
けっしてしなかった
君主の前を通るときは
緊張し足どりをととのえ
言葉づかいもつつましくした
宮殿に上るときは、着物の裾《すそ》をたぐり
腰をかがめて息を殺し階段を登った
宮殿を退出するときは、小走りに
階段を降り、ほっとひと息ついたという
孔子の朝廷での態度は
折目正しい姿勢で
つらぬかれていた

接待役のとき

国賓の接待役を命じられたとき孔子はどうしたか
まず城門での出迎えのときは、顔を緊張させ
足早に位置についた
賓客の口上を順次伝達するときは、左右の
同僚と伝達のたびごとに手を組み合わせおじぎ
をするしきたりだが、このとき礼服の裾のさばきが
見事だった
つぎに賓客を先導するとき、足の運びは
一歩一歩、型にはまっていた
賓客を見送ったあとは、必ず君主の前へ出て
「客人は満足してお帰りになりました」と
報告した

服装について

君子は着物の襟《えり》とか袖口《そでぐち》にふちどりをする場合、紺《こん》や赤茶色は避けた
また、赤や紫の布地を普段着に用いることも避けた
夏には単衣《ひとえ》のかたびらを着るが外出するときは、その上に上衣を着用した
冬には、上衣が黒であれば、下に小羊の黒い毛皮を着用し、上衣が白であれば、下に白鹿の毛皮を着用し、上衣が黄色であれば、下に狐の黄色い毛皮を着用した
普段着として用いる毛皮の上衣は、長目に仕立て右袖だけは短めにした
寝具には身の丈《たけ》の一倍半の掛け布団《ぶとん》を用い
普段座《すわ》る場所には狐や貉《むじな》の毛皮を敷いた
喪中以外はアクセサリーをつけた
黒は公式の礼服、白は凶事の着衣、黄は祭事に参列するときの着衣
毎月一日には、正装して出仕した

孔子の食生活

ご飯《はん》はなるべく精白し、なまものは
なるべく薄く切ったものを食べた
すえたご飯や、少しでもいたんだ魚や肉は
口にしなかった
また色の悪いもの、悪臭のするもの、季節
はずれのもの、切り方の悪いもの、生煮えの
もの、だし汁やソースの合っていないものは食べ
なかった。肉はどんなに多くともご飯より多く
はとらなかった
酒も定量はないが乱れるほど飲まなかった
酒も乾肉《ほしにく》も市販のものは口にしなかった
食事の量も多くはなかった

食事のときは
むずかしい話は
しなかった
ベッドに入ってからは
しゃべらなかった
座るときも
敷き物の位置を
きちんと直してからでないと
座らなかった
村の親睦会に出席したときは、
年長者が退席してから、
はじめて
自分も席を立った
他国の友人に向けて
使者を出すときは
みずから使者に向かって
頭を二度下げてから
送り出した。これは
使者への敬意ではなく
はるかなる友人に対しての
敬意であった

孔子の家の厩《うまや》が焼けたとき
帰宅してそれを知ると
「人間にケガはなかったか」
とたずね、
馬のことはたずねなかった

主君からの呼び出しが
あったときは、馬車の
用意を待たず外へ出て
歩きはじめ、用意を
ととのえた馬車が
それを追った

馬車に乗るときは
姿勢をくずさず
すがり綱《づな》をしっかりにぎり
車の中では、うしろを
振り向いたり
大声で話したり
指さしたりは
しなかった

先進篇《せんしんへん》

この篇は、弟子たちに対する孔子の批評や、あるいは愛情などのエピソードが集まっている。

野性味を買う

子《し》曰《いわ》く、先進《せんしん》の礼楽《れいがく》に於《お》けるは、野人《やじん》なり。後進《こうしん》の礼楽《れいがく》に於《お》けるは、君子《くんし》なり。如《も》し、之《これ》を用《もち》いば、則《すなわ》ち吾《わ》れは先進《せんしん》に従《したが》わん。

礼儀作法や音楽など
文化的生活においては
先輩たちは野性味に
あふれており
後輩たちは洗練されている
どちらを評価するかといえば
わたし（孔子）は
野性味あふれたスケールの
大きいほうを買うね

弟子それぞれ

子《し》曰《いわ》く、我《われ》に陳《ちん》・蔡《さい》に従《したが》いし者《もの》は、皆門《みなもん》に及《およ》ばざるなり。徳行《とくこう》には、顔淵《がんえん》、閔子騫《びんしけん》、冉伯牛《ぜんはくぎゅう》、仲弓《ちゅうきゅう》。言語《げんご》には、宰我《さいが》、子貢《しこう》。政事《せいじ》には、冉有《ぜんゆう》、季路《きろ》。文学《ぶんがく》には、子游《しゆう》、子夏《しか》。

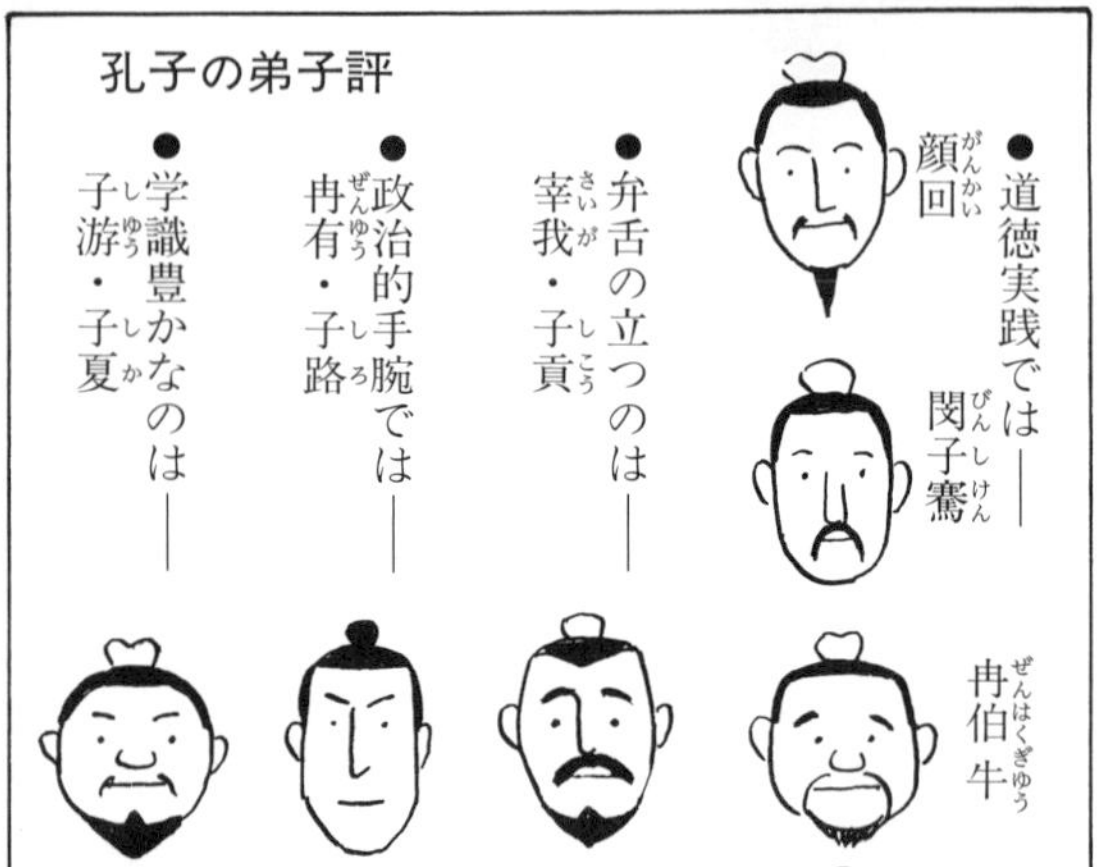
孔子の弟子評
●道徳実践では――
顔回《がんかい》
閔子騫《びんしけん》
冉伯牛《ぜんはくぎゅう》
仲弓《ちゅうきゅう》
●弁舌の立つのは――
宰我《さいが》・子貢《しこう》
●政治的手腕では――
冉有《ぜんゆう》・子路《しろ》
●学識豊かなのは――
子游《しゆう》・子夏《しか》

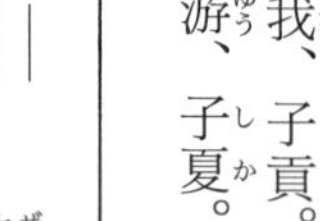

註・〈先進〉＝先輩の弟子。子路や顔淵たち。〈後進〉＝後輩の弟子。子夏、曽子など。

顔回について

子《し》曰《いわ》く、回《かい》や、我《われ》を助《たす》くる者《もの》に非《あら》ざるなり。吾《わ》が言《げん》に於《おい》て説《よろこ》ばざる所無《ところな》し。

孔子の顔回評

「顔回は、わたしの言葉をすぐ理解して
質問も意見も言わない。その点では、彼は
協力者ではない」
これは、孔子が顔回の頭脳と人柄を
ほめたたえた言葉です

南容について

南容《なんよう》、三《み》たび白圭《はくけい》を復《ふく》す。孔子《こうし》、其《そ》の兄《あに》の子《こ》を以《もっ》て之《これ》に妻《めあ》わす。

白圭《はくけい》（宝石）が
欠けたのなら
磨けば磨けるが
ことばのあやまちは
取り返せない

南容という弟子が
この詩をくり返し
口にしているのを知って
孔子は、南容を
見込んで
自分の兄の娘と
結婚させた

註・〈白圭〉＝詩の一節（詩経では「大雅」の巻にある）。

顔回の父

顔淵《がんえん》死《し》す。顔路《がんろ》、子《し》の車《くるま》以《もっ》て之《これ》が椁《かく》を為《つく》らんと請《こ》う。子曰《しいわ》く、才《さい》あるも才《さい》あらざるも、亦各々《またおのおの》其《そ》の子《こ》を言《い》うなり。鯉《り》や死《し》す。棺《かん》有《あ》りて椁《かく》無《な》し。吾《わ》れ徒行《とこう》して以《もっ》て之《これ》が椁《かく》を為《つく》らず。吾《わ》が大夫《たいふ》の後《のち》に従《したが》うを以《もっ》て、徒行《とこう》すべからざるなり。

最愛の弟子顔回が死んで顔回の父顔路が経済的援助をたのみにきた――
葬儀をりっぱにするため棺桶の外枠を作ってやりたいのですがその費用がありません先生の車をいただいて費用にしたいのですが……
孔子は理性を失わず答えた
顔回はすぐれた子供であったどんな子でもわが子は可愛いものだわたしの息子が死んだときわたしは外側の枠はこさえてやらなかった子供の外棺のために車を売って、以後歩いて通うということをわたしはしなかったわたしだって重臣のはしくれ、車なしで歩いて外出するわけにはいかないからね

孔子のなげき（その1）

顔淵《がんえん》死《し》す。子《し》曰《いわ》く、噫《ああ》、天予《てんわれ》を喪《ほろ》ぼせり。
天予《てんわれ》を喪《ほろ》ぼせり。

孔子の学問の後継者であり
政治的にも絶対の協力者であった
顔回の死で、孔子は絶望して
言った――
ああ
天がわれを
ほろぼして
しまったのだ！

孔子のなげき（その2）

顔淵《がんえん》死《し》す。子《し》、之《これ》を哭《こく》して慟《どう》す。従者曰《じゅうしゃいわ》く、
子慟《しどう》せり。曰《いわ》く、慟《どう》する有《あ》るか。夫《か》の人《ひと》の為《ため》
に慟《どう》するに非《あら》ずして、誰《た》が為《ため》にせん。

顔回の死を知って
孔子は大声をあげて泣いた
供の者がびっくりして
「先生があれほど慟哭《どうこく》される
とは……」
それを聞いて孔子は言った
「そうとも、回のために
声をあげて泣くのだ
彼こそ、わたしの慟哭を
ささげるべき人物だ」

顔回の葬儀

顔淵《がんえん》死《し》す。門人《もんじんあつ》厚く之《これ》を葬《ほうむ》らんと欲《ほっ》す。子曰《しいわ》く、不可《ふか》なりと。門人《もんじんあつ》厚く之《これ》を葬《ほうむ》る。子曰《しいわ》く、回《かい》や予《われ》を視《み》ること、猶《な》お父《ちち》のごとくなり。予《われ》は視《み》ること猶《な》お子《こ》のごとくするを得《え》ざるなり。我《われ》に非《あら》ざるなり。夫《か》の二三子《にさんし》なり。

顔回が死んで友人たちが
盛大な葬儀を計画した
しかし、孔子は
「心がこもっていれば質素でいい」と言って止めた
しかし、弟子たちは
孔子の制止をきかず
盛大な葬儀を行ってしまった
忌
孔子はいきどおりを顔に表して言った
彼らは、わたしの言うことをきかず
過分な虚礼で葬儀を
行ってしまった
生前わたしを父のように
したってくれた回を
わたしはわが子のように
心のこもった葬儀に
してやれなかった
これは、わたしの責任
ではない、二三人の諸君
の責任である！

心をこめることが何よりも大切

死のことなどわからない

季路《きろ》、鬼神《きしん》に事《つか》えんことを問《と》う。子《し》曰《いわ》く、未《いま》だ人《ひと》に事《つか》うること能《あた》わず、焉《いずく》んぞ能《よ》く鬼《き》に事《つか》えん。敢《あえ》て死《し》を問《と》う。曰《いわ》く、未《いま》だ生《せい》を知《し》らず。焉《いずく》んぞ死《し》を知《し》らん。

「先走るな」ということ

季路《きろ》（子路《しろ》）が孔子に
たずねた――
神々には
どういう態度で
仕えたら
いいでしょうか？
生きている人にも
まだ充分に
仕えることも
できないのに
神に仕えること
などを問うな
それでは
もう一つ
おたずねします
死とは何で
しょうか？
生の意味さえ
まだつかめないのに
ましてや
死のことなど
わかるまいに

四人の弟子

閔子《びんし》、側《かたわら》に侍《じ》す、誾誾如《ぎんぎんじょ》たり。子路《しろ》、行行如《こうこうじょ》たり。冉有《ぜんゆう》、子貢《しこう》、侃侃如《かんかんじょ》たり。子楽《したの》しむ。由《ゆう》の若《ごと》きは、其《そ》の死《し》を得《え》ざるがごとく然《しか》り。

座り方にも人柄が出る

孔子をかこんで四人の弟子が座っている
閔子騫《びんしけん》はつつましやか
子路はひじをはっている
冉有と子貢はのびのびとかまえている
孔子は子路に向かって言った
子路のような性格の男は普通の死に方はできまいな

●孔子の予言どおり、子路はその後内乱に巻きこまれ殺された。

閔子騫《びんしけん》について

魯人《ろひと》、長府《ちょうふ》を為《つく》る。閔子騫《びんしけん》曰《いわ》く、旧貫《きゅうかん》に仍《よ》らば、之《これ》を如何《いかん》。何《なん》ぞ必《かなら》ずしも改《あらた》め作《つく》らん。子曰《しいわ》く、夫《か》の人《ひと》は言《い》わず。言《い》えば必《かなら》ず中《あた》ること有《あ》り。

ムダ口は たたかない人

魯《ろ》の国で宝物庫を
改築したとき
閔子騫が
「今まで間に合っていたら
それでいいのに……」と
改築を批判した
それを聞いた孔子は
閔子騫を評して言った
あの男は
ふだんは無口だが
口をひらくと
的《まと》を射たことを
言う
●孔子は閔子騫の態度を好ましく思ったのです。

子路について

子曰《しいわ》く、由《ゆう》の瑟《しつ》、奚為《なんす》れぞ丘《きゅう》の門《もん》に於《おい》てせん。門人《もんじん》、子路《しろ》を敬《けい》せず。子曰《しいわ》く、由《ゆう》や堂《どう》に升《のぼ》れり、未《いま》だ室《しつ》に入《い》らざるなり。

孔子が言った
「子路の琴は
わたしの家ではどうもね……」
それを聞いて弟子たちは
子路を尊敬しなくなった
そこで孔子は、
彼らに言った
「子路の琴の腕は
相当なものだが
表座敷では通用する
しかし、奥座敷では
まだ無理だと
言ったのだよ」

註：〈瑟〉＝大きな琴。

過ぎたるは及ばざるが如し

子貢《しこう》問《と》う。師《し》と商《しょう》と孰《いず》れか賢《まさ》れる。子曰《しいわ》く、師《し》や過《す》ぎたり。商《しょう》や及《およ》ばず。曰《いわ》く、然《しか》らば則《すなわ》ち師《し》愈《まさ》れるか。子曰《しいわ》く、過《す》ぎたるは猶《な》お及《およ》ばざるがごとし。

子貢が孔子にたずねた
「子張と
子夏とでは
どちらがすぐれて
いるでしょうか」
「子張は度が過ぎる
子夏は度が足りない」
「すると子張のほうが
すぐれていると……」
「いや、過ぎたるは
及ばざるがごとし
過と不足は同じだよ」

註：この章は、「過ぎたるは及ばざるが如し」の出典となったもの。

冉求《ぜんきゅう》に怒る

季氏《きし》、周公《しゅうこう》より富《と》む。而《しこう》して求《きゅう》や之《これ》が為《ため》に聚斂《しゅうれん》して之《これ》に附益《ふえき》す。子曰《しいわ》く、吾《わ》が徒《ともがら》に非《あら》ざるなり。小子《しょうし》、鼓《こ》を鳴《な》らして之《これ》を攻《せ》めて可《か》なり。

怒るときは怒る！

魯《ろ》の三家老の一人季氏《きし》は税の取り立てなどで周公をしのぐ私財をたくわえていた
冉求は季氏の下で税の取り立てにはげみ季氏がさらに私腹を肥やすのに手を貸していた
税金
金
孔子はそれを知って怒り弟子たちに言った——
諸君、戦いを挑むものが太鼓をたたいて襲いかかるように公然と彼を攻撃してよろしい

註・〈周公〉＝魯国の始祖、周公旦のことをいうが、他の説もある。

弟子たちの寸評

柴《さい》や愚《ぐ》なり。参《しん》や魯《ろ》なり。師《し》や辟《へき》なり。由《ゆう》や喭《がん》なり。

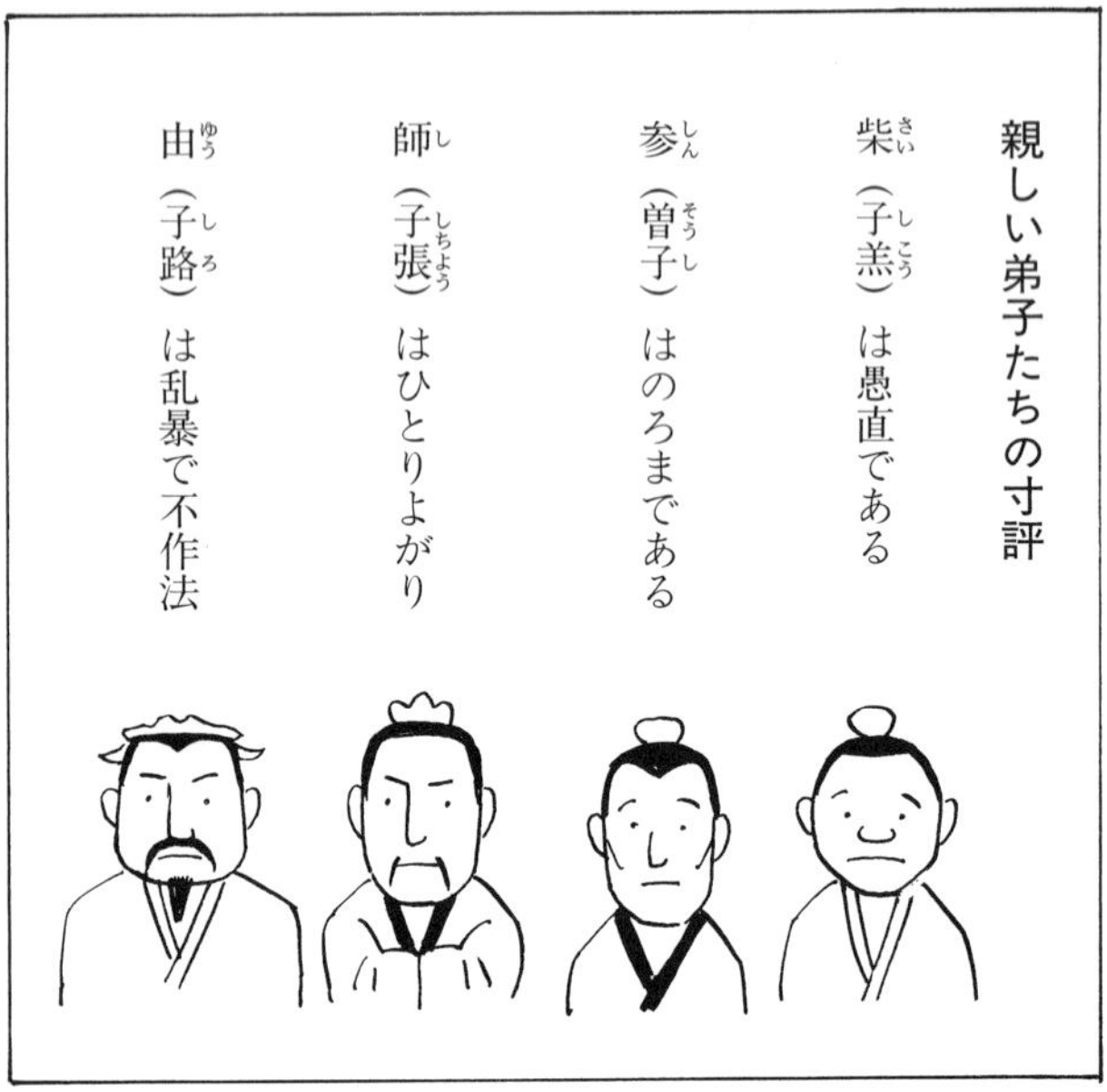

親しい弟子たちの寸評
柴《さい》（子羔《しこう》）は愚直である
参《しん》（曽子《そうし》）はのろまである
師《し》（子張《しちょう》）はひとりよがり
由《ゆう》（子路《しろ》）は乱暴で不作法

顔回と子貢

子曰《しいわ》く、回《かい》や其《そ》れ庶《ちか》きか。屢々空《しばしばむな》し。賜《し》は命《めい》を受《う》けずして、貨殖《かしょく》す。億《おも》んぱかれば、則《すなわ》ち屢々中《しばしばあた》る。

顔回の人格は
ほぼ完全に近いが
かわいそうに
しょっちゅう
貧乏ばかりしている
子貢は利殖に
精出して金もうけを
しているが、将来の
見通しをあやまる
ような人物ではない

善人とは

子張《しちょう》、善人《ぜんにん》の道《みち》を問《と》う。子《し》曰《いわ》く、迹《あと》を践《ふ》まず。亦《また》室《しつ》に入《い》らず。

子張が
「善人の生き方」
について孔子に
たずねた
古い習慣に
ただ従うという
だけでなく
少しは創造的で
あること、といって
いちばん奥深い
ところに達しないのが
善人である

議論だけでは人はわからない

子《し》曰《いわ》く、論《ろん》の篤《あつ》きに是《こ》れ与《くみ》せば、君子者《くんししゃ》か、色荘者《しきそうしゃ》か。

議論が充実して
いるだけでは
その人が本当に
りっぱな人か
それともうわべ
だけの人物か
区別がつかない

冉有《ぜんゆう》と子路

子路《しろ》問《と》う。聞《き》けば斯《すなわ》ち諸《これ》を行《おこな》わんか。子《し》曰《いわ》く、父兄《ふけい》在《いま》す有《あ》り。之《これ》を如何《いかん》ぞ其《そ》れ聞《き》くままに斯《すなわ》ち之《これ》を行《おこな》わん。冉有《ぜんゆう》問《と》う。聞《き》けば斯《すなわ》ち諸《これ》を行《おこな》わんか。子《し》曰《いわ》く、聞《き》けば斯《すなわ》ち之《これ》を行《おこな》え。公西《こうせい》華《か》曰《いわ》く、由《ゆう》や問《と》う、聞《き》けば斯《すなわ》ち諸《これ》を行《おこな》わんかと。子《し》曰《いわ》く、父兄《ふけい》在《いま》す有《あ》りと。求《きゅう》や問《と》う。聞《き》けば斯《すなわ》ち諸《これ》を行《おこな》わんかと。子《し》曰《いわ》く、聞《き》けば斯《すなわ》ち之《これ》を行《おこな》えと。赤《せき》や惑《まど》う、敢《あ》えて問《と》う。子《し》曰《いわ》く、求《きゅう》や退《しりぞ》く。故《ゆえ》に之《これ》を進《すす》む。由《ゆう》や人《ひと》を兼《か》ぬ。故《ゆえ》に之《これ》を退《しりぞ》く。

人間は千差万別

註・〈教条主義〉は、ただ一つの論理を相手かまわず押しつける。孔子はそうではなく、それぞれ相手によって、よく考え、適切に指導した。人を見て法を説いたのである。

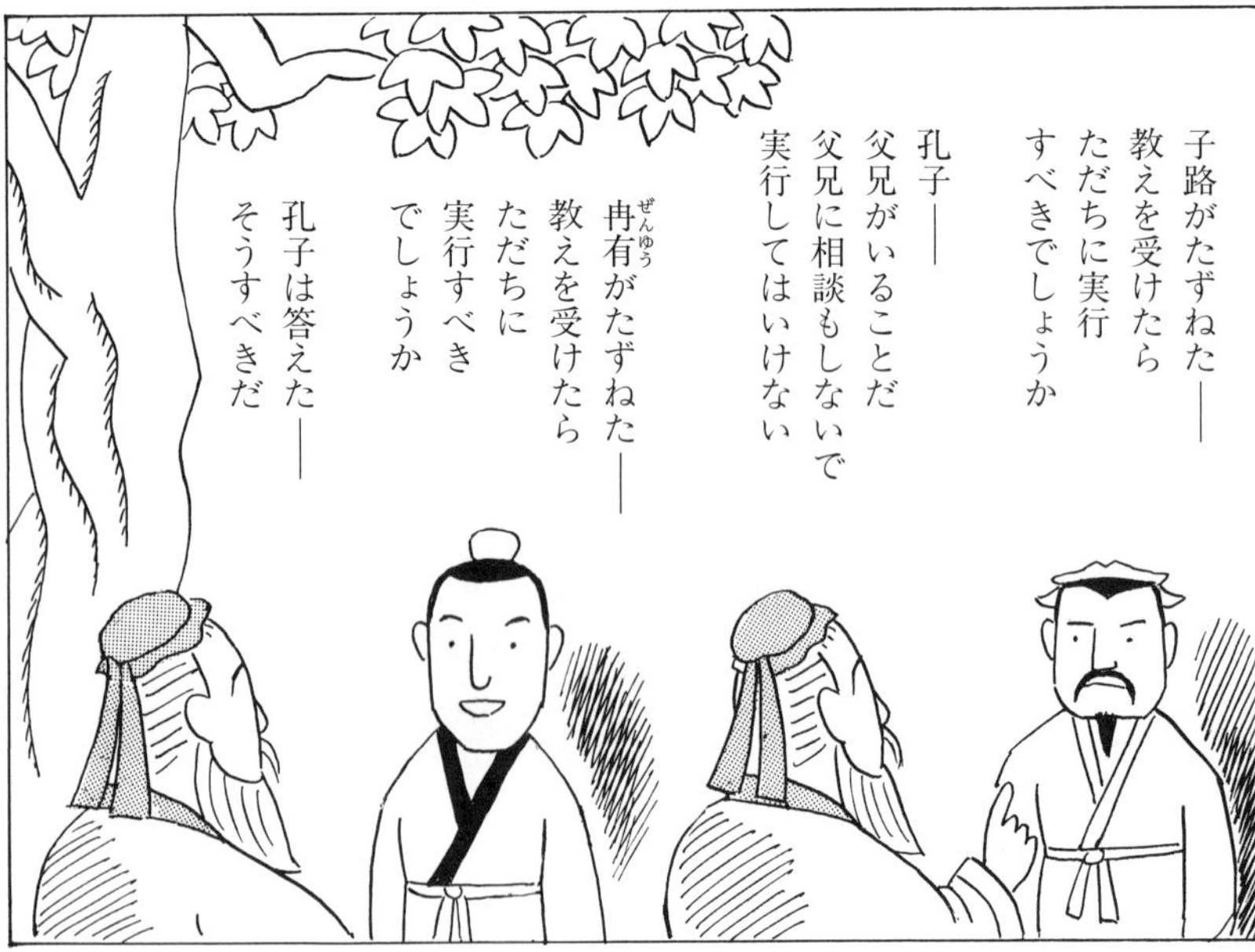
子路がたずねた——
教えを受けたら
ただちに実行
すべきでしょうか
孔子——
父兄がいることだ
父兄に相談もしないで
実行してはいけない
冉有《ぜんゆう》がたずねた——
教えを受けたら
ただちに
実行すべき
でしょうか
孔子は答えた——
そうすべきだ

そばで聞いていた
公西華が、二人に対する
孔子の答えがちがっているため
その理由をたずねた――
子路には
〃父兄がいることだ〃と
すぐ実行すべきでは
ないとお答えになり
冉有には
すぐ実行すべきとの
お答えでしたが
わたしには先生の
真意がわかりません

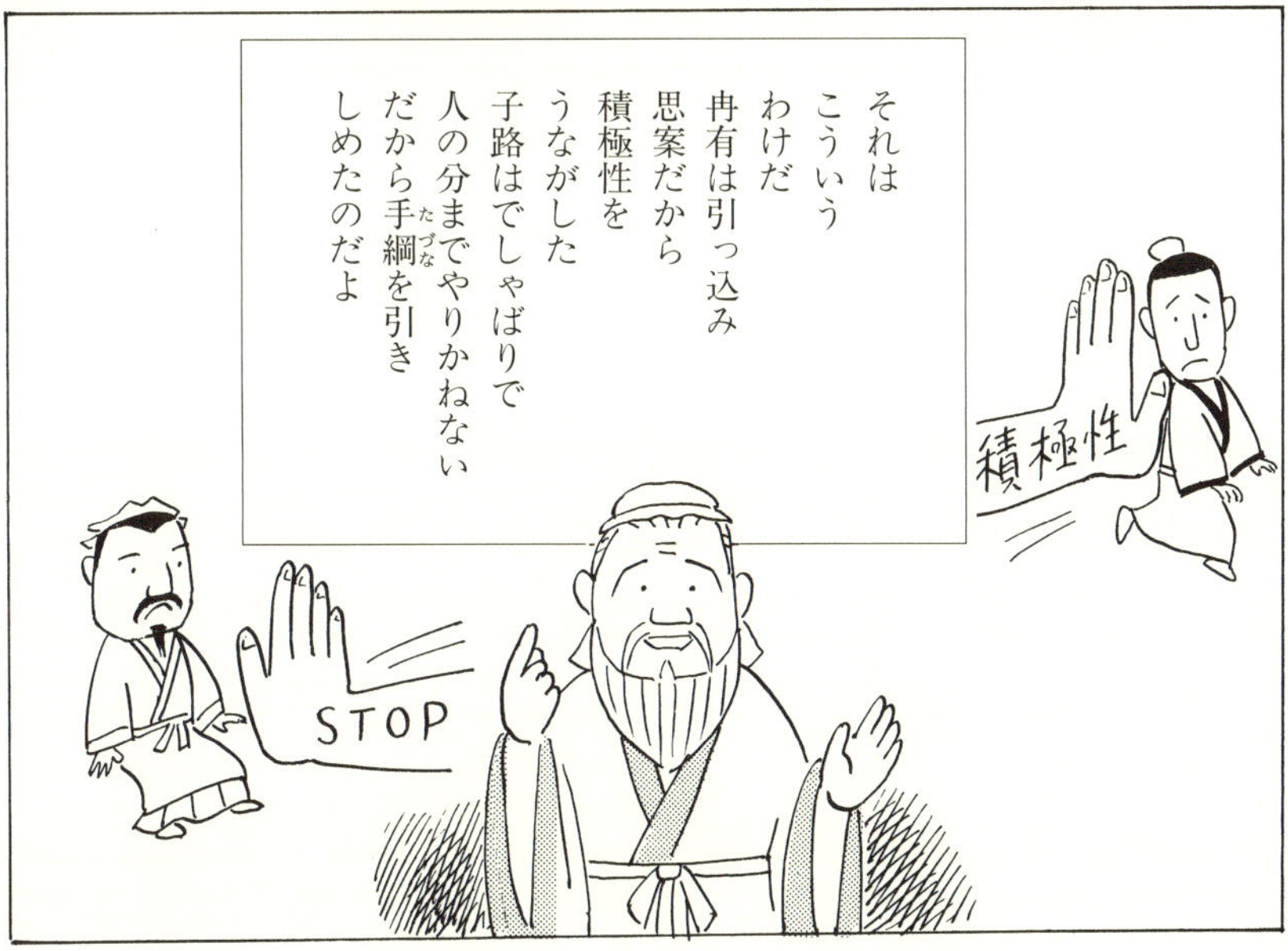
それは
こういう
わけだ
冉有は引っ込み
思案だから
積極性を
うながした
子路はでしゃばりで
人の分までやりかねない
だから手綱《たづな》を引き
しめたのだよ
積極性
STOP

孔子襲われる

子《し》、匡《きょう》に畏《い》す。顔淵《がんえん》、後《おく》る。子《し》曰《いわ》く、吾《わ》れ女《なんじ》を以《もっ》て死《し》せりと為《な》せり。曰《いわ》く、子《し》在《いま》す。回《かい》、何《なん》ぞ敢《あえ》て死《し》せん。

美しき
師弟愛

孔子が匡《きょう》という所で
暴徒に襲われた
このとき顔回は
一行よりおくれ
その場にいなかった
やがて一行に
追いついた
顔回を見て
孔子はよろこび
叫んだ
先生!
おお!
回よ
生きて
いたか!
先生が
生きておられ
るのに
どうして
わたしが
死ねましょう
か!

子路《しろ》、子羔《しこう》をして費《ひ》の宰《さい》為《た》らしむ。子曰《しいわ》く、夫《か》の人《ひと》の子《こ》を賊《そこな》わん。子路曰《しろいわ》く、民人《みんじん》有《あ》り。社稷《しゃしょく》有《あ》り。何《なん》ぞ必《かなら》ずしも書《しょ》を読《よ》みて、然《しか》る後《のち》に学《まな》ぶと為《な》さんや。子曰《しいわ》く、是《こ》の故《ゆえ》に夫《か》の佞者《ねいしゃ》を悪《にく》む。

口達者な奴はきらいだ

註・〈子羔〉＝孔子の弟子。〈費〉＝都市の名。

どこにでもいる
口達者
おじゃま虫

子路が
後輩の子羔《しこう》を費《ひ》という都市の
長官に推薦したことについて
孔子がとがめた――
未熟者を
重職につけて
荷が重すぎないかね

子路は抗弁した――
未熟だから
長官に適さない
というのですか
人民を
治める経験だって
勉強です
読書だけが
勉強だとは
思いません

孔子――
だから
口の達者なやつはきらいだ

四人の弟子たちが抱負を語る

ある日孔子は四人の弟子たちに
将来の希望をたずねた――
わたしが年上だから
といって遠慮する
ことはない
みんなの考えを
聞かせてほしい
日頃君たちは
世間から認められない
となげいているが
もし認められたら
何をするつもりかね

子路が
まっ先に答えた――

わたしは
内憂外患《ないゆうがいかん》で苦しむ
小国で働きたいと
思います
まわりの大国から侵略
され、そして飢饉《ききん》に苦しん
でいる、そんな困難な国の
政治をわたしがまかされたら
人民に勇と義を教え
三年間でのり切ってみせ
ます

つぎに冉有《ぜんゆう》が
答えた――

わたしは
もっと小さな国で
けっこうです
わたしがそこの政治の
責任者となったら
三年間で
人民の経済生活を
安定させます
文化生活のきまり
である礼楽は
さらに有能な君子の
出現を待ちます

つづいて公西華が答えた――
自信があるわけでは
ありませんが、勉強して
やってみたいと思います
宗廟の祭りのときや
諸大名の会合があるとき
君主の輔佐役のはしくれ
をつとめたいと思います

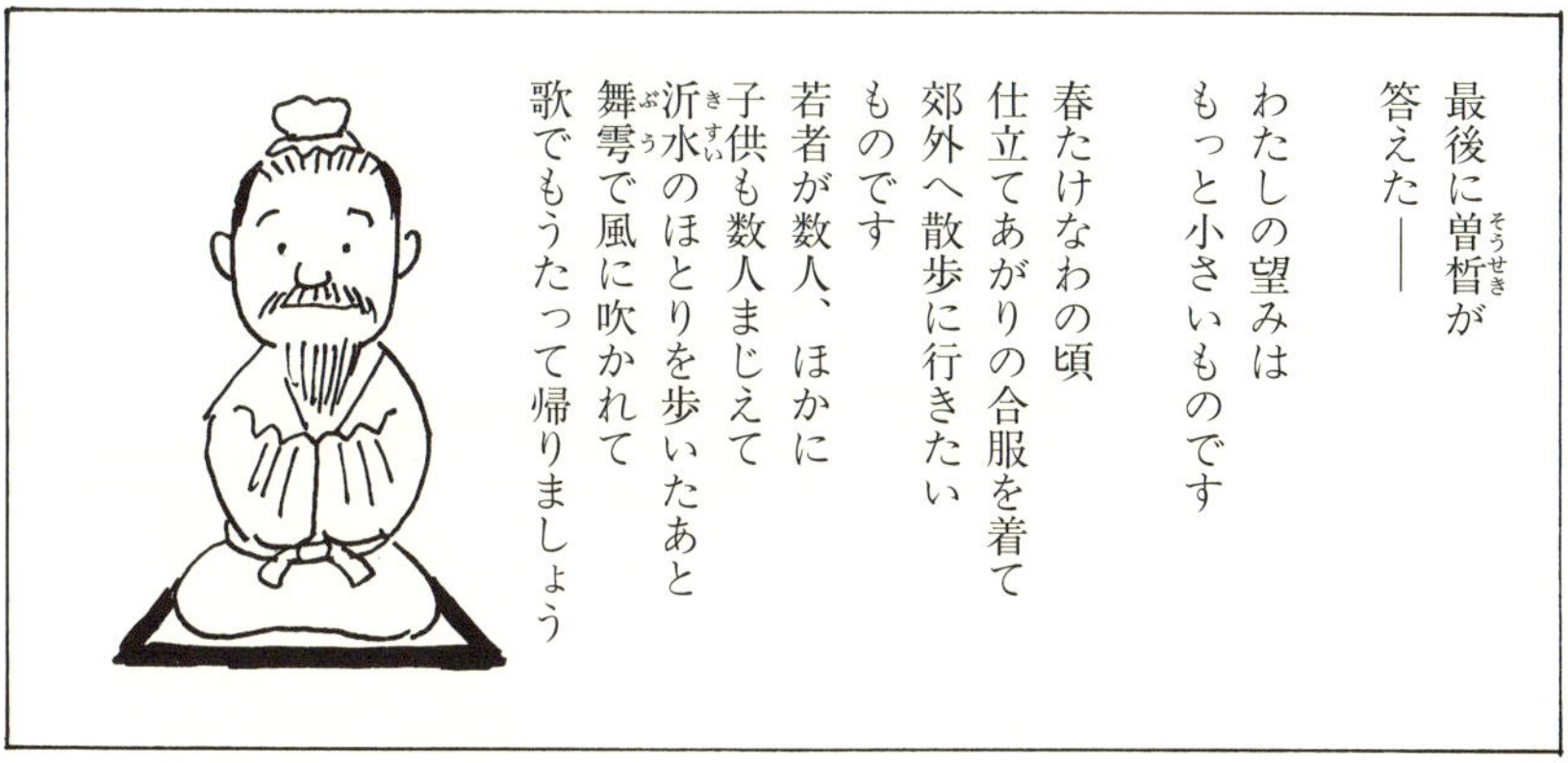
最後に曽皙《そうせき》が
答えた――
わたしの望みは
もっと小さいものです
春たけなわの頃
仕立てあがりの合服を着て
郊外へ散歩に行きたい
ものです
若者が数人、ほかに
子供も数人まじえて
沂水《きすい》のほとりを歩いたあと
舞雩《ぶう》で風に吹かれて
歌でもうたって帰りましょう

孔子は満足そうに言った――
わたしも
おまえと
同じだよ

——やがて三人が席を立ち曽皙だけが残った
あの三人の抱負を先生はどうお考えですか?
どういうことはないみんなそれなりの希望を言ったまでだ
先生は子路のときお笑いになったのはなぜですか?
仁
一国の政治をあずかるには礼の心が大切だ子路の言い方にはすこし思いあがったところがあったから笑ったのだよ
冉有の言うどんな小さな国でも国は国だ公西華の言った宗廟の祭りも諸大名の会合もやはり国の行事だ彼ほどの人物が輔佐役のはしくれだったら、だれがその上に立てるかねぇ

顔淵篇《がんえんへん》

この章の特徴は、第一章「顔淵、仁を問う」にはじまり、第二十三章の「子貢、友を問う」まで、大半が孔子と弟子たちの問答になっているところにある。

見るな、聞くな、言うな、動くな

顔淵《がんえん》、仁《じん》を問《と》う。子曰《しいわ》く、己《おのれ》に克《か》ちて礼《れい》に復《かえ》るを仁《じん》と為《な》す。一日《いちじつ》己《おのれ》に克《か》ちて礼《れい》に復《かえ》れば、天下《てんか》仁《じん》に帰《き》す。仁《じん》を為《な》すは己《おのれ》に由《よ》る。而《しこう》して人《ひと》に由《よ》らんや。顔淵曰《がんえんいわ》く、請《こ》う其《そ》の目《もく》を問《と》う。子曰《しいわ》く、礼《れい》に非《あら》ざれば視《み》ること勿《な》かれ。礼《れい》に非《あら》ざれば聴《き》くこと勿《な》かれ。礼《れい》に非《あら》ざれば言《い》うこと勿《な》かれ。礼《れい》に非《あら》ざれば動《うご》くこと勿《な》かれ。顔淵曰《がんえんいわ》く、回不敏《かいふびん》なりと雖《いえど》も、請《こ》う斯《こ》の語《ご》を事《こと》とせん。

意志は
強くもて

顔淵《がんえん》（顔回）が仁とは何か
と孔子にたずねた
孔子――
一日でも自分に
うちかって
礼にたちもどれば
天下の人びとは
みな仁の道に
かえるだろう

孔子は
つづけて言った——
仁の道を
実践するのは
自分の意志の
問題であり
他人の力に
たよったりする
ものではない

さらに顔淵は
仁の実践にどのような
項目が重要かと
質問した
孔子——
礼にあらざ
れば
見るな
聞くな
言うな
動くな
顔淵は言った——
至らぬわたしですがいまのお言葉を
自分の仕事として努力します

円満な人間関係

仲弓《ちゅうきゅう》、仁《じん》を問《と》う。子曰《しいわ》く、門《もん》を出《い》でては大賓《たいひん》を見《み》るが如《ごと》くし、民《たみ》を使《つか》うには大祭《たいさい》を承《う》くるが如《ごと》くす。己《おのれ》の欲《ほっ》せざる所《ところ》を、人《ひと》に施《ほどこ》す勿《な》かれ。邦《くに》に在《あ》りても怨《うら》み無《な》く、家《いえ》に在《あ》りても怨《うら》み無《な》し。

仲弓曰《ちゅうきゅういわ》く、雍《よう》は不敏《ふびん》なりと雖《いえど》も、請《こ》う斯《こ》の語《ご》を事《こと》とせん。

仁とは何か、という
仲弓の質問に孔子は
答えた――
一歩外に出て人と
接するときは
賓客に接するように
丁重な態度で
接することだ
人を使うときは
大祭にのぞむときと
同じように
敬虔《けいけん》な態度で、
こまかく
気をくばること
また
人からされたく
ないことは、自分も
人にしないことだ
こういう心がけで
いれば
公的にも私的にも
人間関係は円満
になるだろう

仁者は口が重い

司馬牛《しばぎゅう》、仁《じん》を問《と》う。子曰《しいわ》く、仁者《じんしゃ》は其《そ》の言《げん》や訒《じん》。曰《いわ》く、其《そ》の言《げん》や訒《じん》、斯《すなわ》ち之《これ》を仁《じん》と謂《い》うか。子曰《しいわ》く、之《これ》を為《な》すこと難《かた》し。之《これ》を言《い》いて訒《じん》する無《な》きを得《え》んや。

「軽口」は
中身がない

司馬牛《しばぎゅう》という門人が仁者とはどのような人物かと孔子にたずねた
仁者は口が重い
口が重いそれだけで仁者といえるのですか?
何事も言うはやさしく実行するのはむずかしい
「仁」の実践のむずかしさを知ればおのずと口も重くなるということだよ

●「仁とは何か?」という顔回、仲弓、司馬牛の三人の質問に対し、孔子は、質問者の性格やレベルを考えて、三者三様に答えています。

君子とは？

司馬牛《しばぎゅう》、君子《くんし》を問《と》う。子曰《しいわ》く、君子《くんし》は憂《うれ》えず懼《おそ》れず。曰《いわ》く、憂《うれ》えず懼《おそ》れず、斯《すなわ》ち之《これ》を君子《くんし》と謂《い》うか。子曰《しいわ》く、内《うち》に省《かえ》りみて疚《やま》しからず、夫《そ》れ何《なに》をか憂《うれ》え何《なに》をか懼《おそ》れん。

「君子」不足の政・官・財界

司馬牛が孔子に君子とはどんな人物をいうのか、とたずねた――
心に心配やおそれのないのが君子である
それだけで君子といえるのですか？
自分の心に反省して何らやましいところがなかったら心配したりおそれたりすることはない
なにを心配してるの
政・官・財
なにをおそれてるの

司馬牛《しばぎゅう》憂《うれ》えて曰《いわ》く、人皆兄弟有《ひとみなきょうだいあ》り。我独《われひと》り亡《な》し。子夏曰《しかいわ》く、商之《しょうこれ》を聞《き》く。死生命有《しせいめいあ》り。富《ふう》貴天《きてん》に在《あ》り。君子《くんし》は敬《けい》して失《うしな》う無《な》く、人《ひと》と与《まじ》わるに恭《うやうや》しくして礼有《れいあ》らば、四海《しかい》の内《うち》、皆兄《みなきょう》弟《だい》なり。君子何《くんしなん》ぞ兄弟無《きょうだいな》きを患《うれ》えんや。

世界は兄弟だ

広い心を
もとう

司馬牛には
一つの嘆《なげ》きがあった――
よい兄弟を
もった人が
うらやましい
わたしはいつも
ひとりぼっちだ
それを聞いて
子夏がなぐさめて言った――
死ぬも生きるも
金持ちになるのも
みな運命だ
それを憂えては
ならない

運命を気にすることなくつねに礼を守ってつつしみ深く人とつき合っていくのが君子たる者の生き方だ――
そうすれば世界中がみな兄弟になる実の兄弟がないことを嘆くことはないよ

聡明とは何か？

子張《しちょう》、明《めい》を問《と》う。子曰《しいわ》く、浸潤《しんじゅん》の譖《しん》、膚受《ふじゅ》の愬《そ》、行《おこな》われず。明《めい》と謂《い》うべきのみ。浸潤《しんじゅん》の譖《しん》。膚受《ふじゅ》の愬《そ》、行《おこな》われず。遠《えん》と謂《い》うべきのみ。

人を見抜く力を養う

ある日、弟子の子張が
「聡明」とは何か、と
孔子に質問した
孔子――
水がものを
人の気づかない間に
だんだんとひたして
いくように、悪臣は
日数をかけて君主の
心に食い入るたくみな
讒言《ざんげん》をやるものだ
そのような讒言や
中傷を受けつけない
君主なら、人を見抜く
聡明さがあり、すぐれた
洞察力のもち主である

註・〈讒言〉＝事実をまげ、いつわって他人を悪く言うこと。

政治について

子貢《しこう》、政《まつりごと》を問《と》う。
子曰《しいわ》く、食《しょく》を足《た》らし、兵《へい》を足《た》らし、民《たみ》、之《これ》を信《しん》ず。
子貢曰《しこういわ》く、必《かなら》ず已《や》むことを得《え》ずして去《さ》らば、斯《こ》の三者《さんしゃ》に於《おい》て、何《なに》をか先《さき》にせん。
曰《いわ》く、兵《へい》を去《さ》らん。
子貢曰《しこういわ》く、必《かなら》ず已《や》むことを得《え》ずして去《さ》らば、斯《こ》の二者《にしゃ》に於《おい》て、何《なに》をか先《さき》にせん。
曰《いわ》く、食《しょく》を去《さ》らん。古《いにしえ》より皆《みな》死《し》有《あ》り。民《たみ》、信《しん》無《な》くば立《た》たず。

信頼こそ
すべて

子貢が政治について
孔子に質問した――
政治のいちばん
大切なことは
なんですか？
孔子は答えた――
食糧の確保
軍備の充実
人民の信頼を得る
この三つだ

子貢――
その三つのうち
一つを捨てるとしたら
どれでしょう
孔子――
軍備を
捨てよう

子貢――
残りの二つのうち
もう一つを
捨てねばならぬ
としたら
孔子――
食糧を捨てよう
人間はいつかは死ぬ
死からは逃れられない
しかし、信頼がなく
なっては、人間は
存在しない
政治そのものが
成り立たない
食糧
軍備
信頼

質朴と形態は表裏一体

棘子成《きよくしせい》曰《いわ》く、君子《くんし》は質《しつ》のみ。何《なん》ぞ文《ぶん》を以《もつ》て為《な》さんや。子貢《しこう》曰《いわ》く、惜《お》しいかな、夫子《ふうし》の君子《くんし》を説《と》くや。駟《し》も舌《した》に及《およ》ばず。文《ぶん》は猶《な》お質《しつ》のごとく、質《しつ》は猶《な》お文《ぶん》のごとくならば、虎豹《こひょう》の鞟《かく》は、猶《な》お犬羊《けんよう》の鞟《かく》のごとし。

衛の国の家老
棘子成《きよくしせい》と孔子の
弟子子貢《しこう》が
君子について
議論した
君子にとって
大切なのは
質朴さであり
文化的なかざりや
形態は必要ない
それは失言です
失言は四頭立ての
馬車で追いかけても
取り消せませんよ
質朴と形態は
表裏一体、たとえば
虎や豹の毛皮も
なめしてしまえば
犬や羊と見わけが
つかないが
虎や豹はなめす前は
美しい模様を
もっている
犬や羊とは
価値が違う
人間も虎豹のごとく
なければならない

表と裏のある人間になるな

余裕こそ財源

哀公《あいこう》、有若《ゆうじやく》に問《と》うて曰《いわ》く、年《とし》饑《う》えて用《よう》足《た》らず。之《これ》を如何《いかん》。

有若《ゆうじやく》対《こた》えて曰《いわ》く、盍《なん》ぞ徹《てつ》せざるや。

曰《いわ》く、二《に》だにも吾《わ》れ猶《な》お足《た》らず。之《これ》を如何《いかん》ぞ其《そ》れ徹《てつ》せんや。

対《こた》えて曰《いわ》く、百姓《ひやくせい》足《た》らば、君《きみ》、孰《たれ》と与《とも》にか足《た》らざらん。百姓《ひやくせい》足《た》らずば、君《きみ》、孰《たれ》と与《とも》にか足《た》らん。

心のゆとりが
大切

孔子晩年の魯の国の君主だった哀公は、孔子の弟子有子に財政難を訴えた
哀公――今年は凶作で財源が確保できない何かよい対策はないか

有子――
ならば
減税なさる
ことです
哀公――
とんでもない
今でさえ
足りないのに
減税など
できるものか!
有子――
人民の暮らしに
余裕があること
それが財源です
人民の暮らしに
余裕がないなら
君主である
あなたにだって
余裕があるはずが
ありません

是非の弁別法

子張《しちょう》、徳《とく》を崇《たか》くし惑《まど》いを弁《わきま》えんことを問《と》う。子曰《しいわ》く、忠信《ちゅうしん》を主《しゅ》とし、義《ぎ》に徙《うつ》るは、徳《とく》を崇《たか》くするなり。之《これ》を愛《あい》して其《そ》の生《い》きんことを欲《ほっ》し、之《これ》を悪《にく》んで其《そ》の死《し》なんことを欲《ほっ》す。既《すで》に其《そ》の生《い》きんことを欲《ほっ》し、又其《またそ》の死《し》なんことを欲《ほっ》す。是《こ》れ惑《まど》いなり。……

よい悪いの区別の仕方

弟子の子張が孔子にたずねた
先生
道徳意識を
高め、惑《まど》いを
なくす弁別法
について
教えてください

孔子――誠実であることを根本におき義、すなわちただしきことを基準とするこれが道徳意識を向上させるのだ

人に接する場合
孔子――是非の弁別については……感情にかられてある人が好きになれば生きてほしいと思い相手をきらいになれば早く死ねばよいと思う同一人物について生と死というまったく相反することを望むそれこそ矛盾であるこれでは是非の弁別はつかない、と言われても仕方がない

よい政治とは

斉《せい》の景公《けいこう》、政《まつりごと》を孔子《こうし》に問《と》う。孔子《こうし》対《こた》えて曰《いわ》く、君君《きみきみ》たり。臣臣《しんしん》たり。父父《ちちちち》たり。子子《ここ》たり。公曰《こういわ》く、善《よ》いかな。信《まこと》に如《も》し君君《きみきみ》たらず、臣《しん》臣《しん》たらず、父父《ちちちち》たらず、子子《ここ》たらずば、粟有《こめあ》りと雖《いえど》も、吾《わ》れ得《え》て諸《こ》れを食《くら》わんや。

「上がダメなら下もダメ」では最悪

註・〈斉〉＝いまの山東省の大部分を領地とした東方の大国。景公はその君主。

斉の景公が「よい政治」について
孔子にたずねた――
君主は君主として
臣下は臣下として
父は父として
子は子として
それぞれの本分を
つくすことです

まったく
その通りだ
君主が君主らしく
臣下が臣下らしく
父が父らしく
子が子らしく
なければ
どんなに財政が
豊かでも
安心できない

孔子の言葉に
感心したはずの
景公でしたが
平凡で私欲だけに
敏感だった景公は
孔子の言葉が
よく理解できず
斉の国の政局は
安定しなかったと
いいます

子路を評す

子《し》曰《いわ》く、片言《へんげん》以《もつ》て獄《うった》えを折《さだ》むべき者《もの》は、其《そ》れ由《ゆう》なるか。子路《しろ》宿諾《しゅくだく》無《な》し。

子路を評して孔子は言った——
ほんのひとことを聞いただけで裁判の判決ができるのは子路ぐらいだろう子路は引きうけたことはすぐ実行した
子路

裁判のいらない政治

子《し》曰《いわ》く、訟《しょう》を聴《き》くは吾《わ》れ猶《な》お人《ひと》のごときなり。必《かなら》ずや訟無《しょうな》からしめんか。

孔子自身の裁判に対する考えは——
法廷の訴えをきくということでは、わたしも他の人と同じだろうだが、わたしとしてはもっと根本的なことに努力したいつまり、裁判などをおこさせないような政治、それをやりたい
犯罪

政治のあり方

子張《しちょう》、政《まつりごと》を問《と》う。子曰《しいわ》く、之《これ》に居《お》りて倦《う》むこと無《な》く、之《これ》を行《おこな》うに忠《ちゅう》を以《もっ》てす。

子張が政治のあり方について孔子にたずねた
孔子――
飽きることなく誠心誠意をつくすことだ

他人の善行と非行

子曰《しいわ》く、君子《くんし》は人《ひと》の美《び》を成《な》し、人《ひと》の悪《あく》を成《な》さず。小人《しょうじん》は是《こ》れに反《はん》す。

君子は他人の善行には援助するが他人の悪事や非行には援助しない小人はこの逆である
收賄
贈賄

政とは正なり

季康子《きこうし》、政《まつりごと》を孔子《こうし》に問《と》う。孔子《こうし》対《こた》えて曰《いわ》く、政《せい》は正《せい》なり。子《し》、帥《ひき》いるに正《ただ》しきを以《もっ》てせば、孰《たれ》か敢《あえ》て正《ただ》しからざらん。

魯《ろ》の国の家老
季康子《きこうし》が
孔子にたずねた――
政治とは
何でしょうか
「政」とは
「正」なり
です
あなたが
率先して
正しい道を
歩まれたら
不正をはたらく
者は
いなくなる
でしょう

政とは不正なり
不信渦巻く日本

泥棒対策

季康子《きこうし》、盗《とう》を患《うれ》えて、孔子《こうし》に問《と》う。孔子《こうし》対《こた》えて曰《いわ》く、苟《いやし》くも子《し》の欲《ほっ》せざれば、之《これ》を賞《しょう》すと雖《いえど》も窃《ぬす》まず。

もとを正しく

季康子が
泥棒が横行する
国情を憂えて
その対策を
孔子にたずねた——
まず
あなた自身の
欲望を
おさえる
ことです

孔子——
支配者である
あなたが
私利私欲を
もたなければ
人民もそれに
感化され
賞金をやる
といったって
だれも泥棒は
しませんよ

季《き》康《こう》子《し》、政《まつりごと》を孔《こう》子《し》に問《と》うて曰《いわ》く、如《も》し無《む》道《どう》を殺《ころ》して、以《もっ》て有《ゆう》道《どう》を就《な》さば、如何《いかん》。

孔《こう》子《し》対《こた》えて曰《いわ》く、子《し》、政《まつりごと》を為《な》すに、焉《いず》くんぞ殺すを用《もち》いん。子《し》、善《ぜん》を欲《ほっ》して民《たみ》善《ぜん》なり、君《くん》子《し》の徳《とく》は風《かぜ》、小《しょう》人《じん》の徳《とく》は草《くさ》。草《くさ》、之《これ》に風《かぜ》を上《くわ》うれば、必《かなら》ず偃《ふ》す。

風と草

風にもいろいろ
そよ風、
つむじ風——

季康子がたずねた——
不道徳な者を
死刑にして
道徳のある者を
たすけ導く、という
政治の方法を
どう思いますか

孔子――
あなたは
政治を行っている
そのために人を殺す
必要はありますまい
あなたが善を行えば
人民も善に同化
します

孔子――
支配者と人民の
関係は、風と草の
ようなものです
支配者が風で
人民は草です
風が吹けば
草はなびき
ます
●強権政治では、世の中はよくならない。そのことを孔子
は伝えたかった。

達人とは何か

子張《しちょう》問《と》う。士《し》、如何《いか》なれば斯《すなわ》ち之《これ》を達《たつ》と謂《い》うべき。子《し》曰《いわ》く、何《なん》ぞや、爾《なんじ》の所謂《いわゆる》達《たつ》なる者《もの》は。子張《しちょう》対《こた》えて曰《いわ》く、邦《くに》に在《あ》りても必《かなら》ず聞《き》こえ、家《いえ》に在《あ》りても必《かなら》ず聞《き》こゆ。子《し》曰《いわ》く、是《こ》れ聞《ぶん》なり。達《たつ》に非《あら》ざるなり。夫《そ》れ達《たつ》なる者《もの》は、質直《しっちょく》にして義《ぎ》を好《この》み、言《げん》を察《さっ》して色《いろ》を観《み》、慮《おもん》ぱかって以《もっ》て人《ひと》に下《くだ》る。邦《くに》に在《あ》りても必《かなら》ず達《たっ》し、家《いえ》に在《あ》りても必《かなら》ず達《たっ》す。夫《そ》れ聞《ぶん》なる者《もの》は、色《いろ》に仁《じん》を取《と》りて、行《おこな》い違《たが》い、之《これ》に居《い》て疑《うたが》わず。邦《くに》に在《あ》りても必《かなら》ず聞《き》こえ、家《いえ》に在《あ》りても必《かなら》ず聞《き》こゆ。

「達人」と「有名人」とのちがい

註・〈達人〉＝学芸や技術など社会人としてすぐれている人。

子張が孔子にたずねた
わたしたち知識人はどうしたら世間から達人と評価されるでしょうか
その達人とはどのようなものを言うのかね

子張——
集団の中は
もちろん
国中にその名が
知られている
人物のことです
孔子——
それは
有名人というだけで
達人ではない
達人とは実直で
正義を好み
人の意見をよく聞き
謙虚で、人にへりくだる
人物だ、だから国中から
達人と認められるのだ
だが、有名人は
そうではない
表面は人道主義を
口にし
実際は自分の
売り込みばかりで
しかもその上に
あぐらをかいて
疑いももたない
だからまわりからも
国中からも
有名人あつかいされる
だけである
有名人

三つの教え
孔子のお供をして散歩していた
樊遅《はんち》は、三つの徳目である
「道徳意識の向上」
「欠点の克服」
「是非の弁別法」について
教えを請うた
いい質問だ

まず、自分の果たすべき
社会的責務は何か
それを決めてから生活の
手段を選ぶことが
道徳意識の向上に
なる
自分の欠点にはきびしく
人の欠点には寛容で
あることで、欠点が克服
される

ささいなことで
理性を失って
他人にやつあたり
するようでは
是非の弁別が
あるとは言えない

仁と知について

樊遅《はんち》——
先生
仁とは
どのような
ものですか

孔子——
人を愛する
こと、それが
仁だ

樊遅——
それでは
知とはどの
ようなもの
ですか

孔子——
人を見抜く
ことだ

樊遅——
それだけで
知といえる
のですか?

孔子——
まっすぐな
人間を
抜擢《ばってき》して
まがった人間の
上にのせれば
まがった人間を
まっすぐにする
ことができるよ

何だか
よく意味が
わからんな
子夏に
聞いてみよう
知について先生に
おたずねしたところ
まっすぐな人間を
抜擢して
まがった人間の上に
のせれば
まがった人間を
まっすぐにできる
と言われましたが
どういうことですか？
子夏——
さすがにがんちくの
あるお答えだ
歴史をふりかえって
みよう
昔、舜《しゅん》が
帝になったとき
多くの中から皐陶《こうよう》を
司法長官に抜擢した
それで不仁な者が
影をひそめた、また
湯《とう》が王になり
賢人伊尹《いいん》を登用したら
不仁な者はいなくなった
このように、人間を見抜く
ことこそ、最高の知だと
先生は言われたのだ

註・〈皐陶〉＝舜の国を補佐した五人の賢臣のひとり。〈伊尹〉＝賢人宰相として有名。

友だちづき合いについて

子貢《しこう》、友《とも》を問《と》う。子曰《しいわ》く、忠告《ちゅうこく》して之《これ》を善道《ぜんどう》し、不可《ふか》なれば則《すなわ》ち止《や》む。自《みずか》ら辱《はずかし》めらるること無《な》かれ。

いやな思いを
してまで
つき合わない

子貢が
孔子にたずねた――
交友の道に
ついて教えて
ください
相手が
あやまちを
おかしたら
忠告して
よい方向に
導いて
やることだ
相手が
聞き入れ
なかったら
しばらく
やめて
様子を
見る
しつこく
忠告して
自分が
いやな思いを
することは
ない

子路篇《しろへん》

この篇は、「政治」と「個人の道徳」がテーマとなっている。

政治家の心がまえ

子路《しろ》、政《まつりごと》を問《と》う。子曰《しいわ》く、之《これ》に先《さき》んじ、之《これ》を労《ねぎら》う。益《えき》を請《こ》う。曰《いわ》く、倦《う》むこと無《な》かれ。

子路が孔子に政治家とその心がまえをたずねた――
人民の先頭に立つことだ
そして人民に対するいたわりを忘れないことだナ
はじめだけ意気ごんでやるのではなくたゆまず精進をつづけることが大切である
センセイどうしました!?
耳がイタイ
ます!

政治家は
たゆまず
精進を

人材抜擢

仲弓《ちゅうきゅう》、季氏《きし》の宰《さい》と為《な》りて、政《まつりごと》を問《と》う。子曰《しいわ》く、有司《ゆうし》を先《さき》にし、小過《しょうか》を赦《ゆる》し、賢才《けんさい》を挙《あ》げよ。曰《いわ》く、焉《いずく》んぞ賢才《けんさい》を知《し》りて之《これ》を挙《あ》げん。曰《いわ》く、爾《なんじ》の知《し》る所《ところ》を挙《あ》げよ。爾《なんじ》の知《し》らざる所《ところ》を、人其《ひとそ》れ諸《こ》れを舎《す》てんや。

人材を埋もれさせないために

魯の家老季氏《きし》の領地の奉行《ぶぎょう》になった弟子の仲弓《ちゅうきゅう》が奉行としての心がまえを孔子にたずねた
部下を適材適所に配置して小さな失敗をとがめず才能ある人材を抜擢することだ
どう人材を見出したらいいでしょうか
まず君の知っている者を抜擢しなさい
そうすれば君の知らない人物でもまわりが放っておかなくなるよ

教養とは何か

子《し》曰《いわ》く、詩《し》三百《さんびゃく》を誦《しょう》するも、之《これ》に授《さず》くるに政《まつりごと》を以《もっ》てして、達《たっ》せず。四方《しほう》に使《つか》いして、専《ひと》り対《こた》うること能《あた》わず。多《おお》しと雖《いえど》も、亦奚《またなに》を以《もっ》て為《な》さん。

実践してこそ教養

詩経三百篇を
すべて暗誦《あんしょう》できるほど
教養があっても
行政官となって
満足に仕事もできず
外国へ派遣されても
一人で対応できない
ようでは
いくら教養があっても
何の役にも立たないよ
こちら
役に立たない
かざりものの教養
教養
教養
教養

註・昔は、詩経に通じていることが、すぐれた官僚の基本的な教養の一つとされていた。

自分の行い

子《し》曰《いわ》く、其《そ》の身《み》正《ただ》しければ、令《れい》せずして行《おこな》わる。其《そ》の身《み》正《ただ》しからざれば、令《れい》すと雖《いえど》も従《したが》わず。

非は我にあり

自分の行いが
正しければ
命令しなくても
実行される

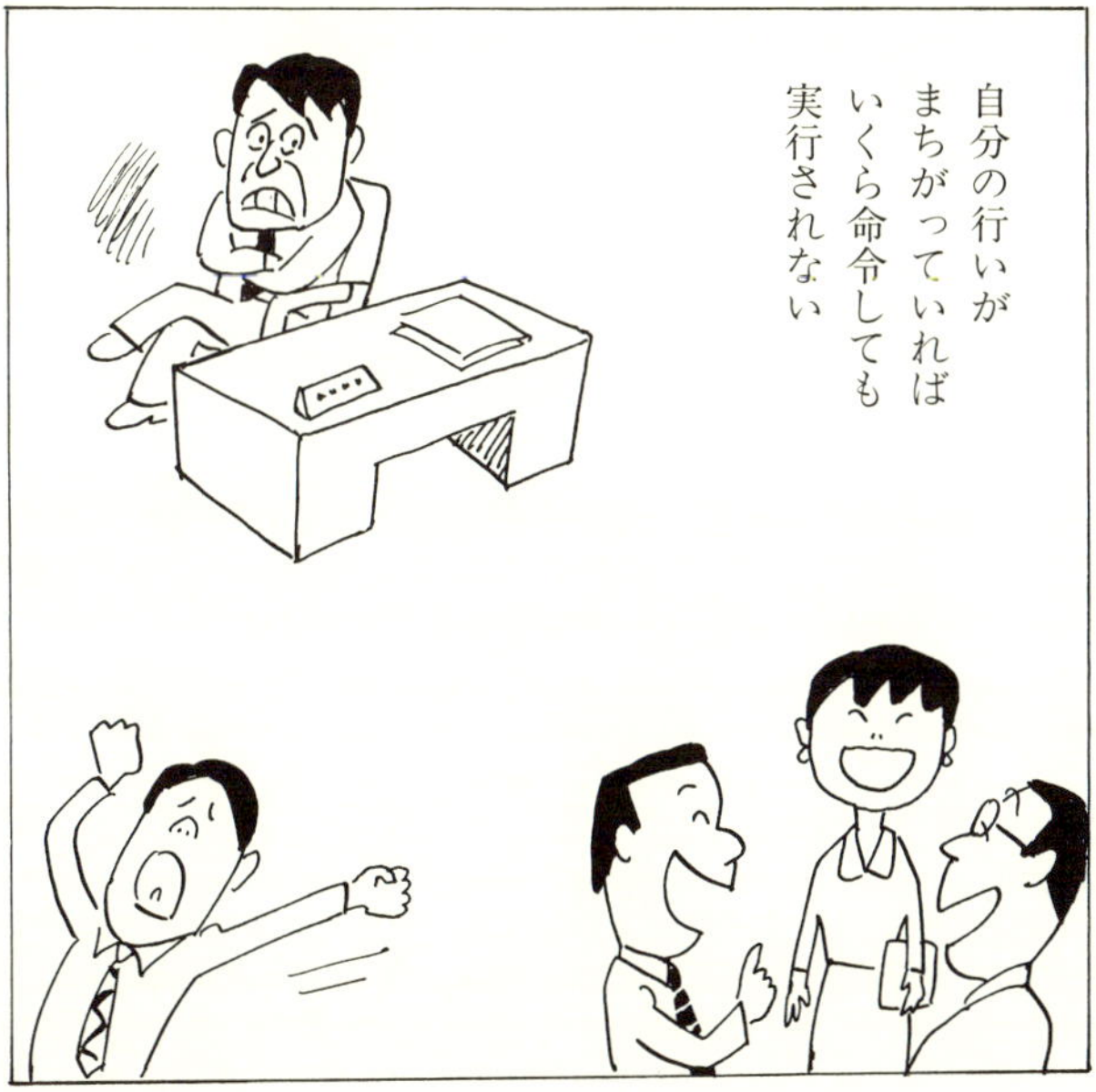
自分の行いが
まちがっていれば
いくら命令しても
実行されない

ある蓄財法

子《し》、衛《えい》の公子荊《こうしけい》を、善《よ》く室《しつ》に居《お》ると謂《い》う。始《はじ》め有《あ》るに曰《いわ》く、苟《いささ》か合《あつま》る。少《すこ》しく有《あ》るに曰《いわ》く、苟《いささ》か完《まった》し。富《さか》んに有《あ》るに曰《いわ》く、苟《いささ》か美《よ》し。

人生に処する態度について

衛の国の貴族だった
公子荊《こうしけい》の蓄財に
対する態度の
孔子評
彼は、財産が
いくらかでき
かかったとき
どうにかよせ
あつめましたと
言った
さらに少し
かっこうがつく
程度になって
どうにか一人前に
なりました
と言った
そして
財産がたっぷり
できて
どうにかりっぱに
なりました
と言った
孔子は公子荊の
謙遜でありながら
身分に応じた生活
に従った蓄財法を
ほめたのです

豊かさと教育

子《し》、衛《えい》に適《ゆ》く。冉有《ぜんゆう》、僕《ぼく》たり。子曰《しいわ》く、庶《おお》きかな。冉有曰《ぜんゆういわ》く、既《すで》に庶《おお》し。又《また》何《なに》をか加《くわ》えん。曰《いわ》く、之《これ》を富《と》まさん。曰《いわ》く、既《すで》に富《と》めり。又何《またなに》をか加《くわ》えん。曰《いわ》く、之《これ》を教《おし》えん。

生活文化を高めること

衛の国に入った孔子は
馬車の馭者《ぎょしゃ》をつとめた
弟子の冉有に言った
孔子――
たいへんな
人口だね
冉有――
これだけの人に
あと何を
与え
ますか
孔子――
みんなを
豊かに
することだね
冉有――
豊かに
なったら
つぎに何を……
教育だね

百年の計

子曰《しいわ》く、善人邦《ぜんにんくに》を為《おさ》むること百年《ひゃくねん》、亦以《またもっ》て残《ざん》に勝《か》ち殺《さつ》を去《さ》るべし。
誠《まこと》なるかな是《こ》の言《げん》や。

「心も行いもよい人」を善人という

善人が百年
一つの国の政治を
行ったら
暴力や凶悪な犯罪は
なくなるだろう
しかし
ひとりで
百年の
政治なんて
ムリでしょ
何人かの善人が
引きつづいて
政治を行って
百年という
ことだ
まァこの国じゃ
何年たっても
ムリよ
善人の政治家
なんて居そうに
ないもんネ

註・〈善人〉＝善意ある人。

わが身を正す

子《し》曰《いわ》く、苟《いや》しくも其《そ》の身《み》を正《ただ》しくす。政《まつりごと》に従《したが》うに於《お》いて何《なに》か有《あ》らん。其《そ》の身《み》を正《ただ》しくすること能《あた》わずば、人《ひと》を正《ただ》すことを如何《いかん》せん。

わが身を正しくさえすれば政治をやるぐらい何のむずかしいことがあろう
わが身さえ正しくすることができないとすれば人を正しく導くことなどできるはずがない
政治改革
わが身を正ーしていては政治家はつとまらん
まっまっ

人間の資質の問題

公私の別

冉子《ぜんし》、朝《ちょう》より退《しりぞ》く。子曰《しいわ》く、何《なん》ぞ晏《おそ》きや。対《こた》えて曰《いわ》く、政《まつりごと》有《あ》り。子曰《しいわ》く、其《そ》れ事《こと》なり。如《も》し政《まつりごと》有《あ》らば、吾《わ》れを以《もち》いずと雖《いえど》も、吾《わ》れ其《そ》れ之《これ》を与《あず》かり聞《き》かん。

日本人に多い「公私混同」

ある日 弟子の冉有が政府の会議からの退出がおそかったので孔子がたずねた――
おそかったじゃないか
政務が忙しくて……
それは政務じゃなくて私事だろう
もし忙しいほどの政務なら名前だけの重臣である私の耳にだって入るはずだ
これは公私の別をわきまえた孔子のエピソードです

繁栄と滅亡

魯《ろ》の国の君主
定公《ていこう》が孔子にたずねた——
ただひとことで
国家を栄えさせる
言葉はあるだろうか

孔子——
言葉はありませんが
ことわざに
「君主になることは
むずかしい
臣下になることは容易
ではない」
というのがありますが
「君主になることは
むずかしい」の
意味をよく
理解されたら
この国を栄えさせる
言葉になりましょう

定公はまたたずねた――
ただひとことで
国をほろぼしてしまう
言葉があるだろうか
孔子――
やはりことわざに
「われは君主として
何も楽しみはない
ただ一つ
何か言っても
われに逆らう
者がいないことが
楽しい」というのが
ありますが
よいことを言って
逆らわれないのは
いいのですが
悪いことを言っても
君主であるため
人民が逆らわない
となれば、これは国を
ほろぼす言葉に
なりましょう

身近な人がよろこぶ政治

葉公《しょうこう》、政《まつりごと》を問《と》う。子曰《しいわ》く、近《ちか》き者《もの》は説《よろこ》び、遠《とお》き者《もの》は来《き》たる。

政治にとって身近な人とは？

葉公から政治の大切な点について質問をうけて孔子は答えた
領民からはしたわれるその評判を聞いて他国からも移住してくるそのような政治が望ましい
——つまり、まず身近な人がよろこぶような政治をするそうすれば、海外からも徳政をしたって集まってくる
こちらは身近な人が去っていく

註・〈葉公〉＝楚の国の重臣で名は沈諸梁といい、葉の地方長官であった。

小利《しょうり》にまどわされるな

子夏《しか》、莒父《きょほ》の宰《さい》と為《な》りて、政《まつりごと》を問《と》う。子曰《しいわ》く、速《すみや》かなるを欲《ほっ》する無《な》かれ。小利《しょうり》を見《み》る無《な》かれ。速《すみや》かならんと欲《ほっ》すれば、則《すなわ》ち達《たっ》せず。小利《しょうり》を見《み》れば、則《すなわ》ち大事《だいじ》成《な》らず。

子夏が魯《ろ》の国の
莒父《きょほ》の地方長官に
なったとき、政治の
大切な点について
孔子にたずねた
子夏
まず
あせっては
いけない
あせれば
うまくいくことも
うまくいかない
小さな利益
ばかりを追っかけ
てはいけない
つまり小利に
まどわされるな
それでは
大事業が
完成しない

正直者とは

葉公《しょうこう》、孔子《こうし》に語《つ》げて曰《いわ》く、吾《わ》が党《とう》に躬《み》を直《なお》くする者有《ものあ》り。其《そ》の父羊《ちちひつじ》を攘《ぬす》む。子之《これ》を証《しょう》す。孔子曰《こうしいわ》く、吾《わ》が党《とう》の直《なお》き者《もの》は、是《これ》に異《こと》なり。父《ちち》は子《こ》の為《ため》に隠《かく》し、子《こ》は父《ちち》の為《ため》に隠《かく》す。直《なお》きこと其《そ》の中《うち》に在《あ》り。

葉公が孔子に
ほこらしげに言った——
わたしの領民に
正直一途の者が
いましてその父親が
羊を盗んだことを
訴え出たほどです

わたしの村の
正直者は
それとちがいます
父は子をかばい
子は父をかばいます
正義はおのずから
その中に存在します

つつしみ、仕事、誠意

樊遅《はんち》、仁《じん》を問《と》う。子《し》曰《いわ》く、居処《きょしょ》は恭《きょう》、事《こと》を執《と》りて敬《けい》、人《ひと》と与《まじ》わりて忠《ちゅう》なれ。夷狄《いてき》に之《ゆ》くと雖《いえど》も、棄《す》つるべからざるなり。

好意をもたれる人

樊遅《はんち》が仁について質問した
孔子は答えた
日常の暮らしはつつしみ深くすること
仕事を大切にすること
他人に対してはどこまでも誠意をつくすこと
この三つのことを守るなら野蛮な人々の中にいても心配はない

すぐれた人物とは

子貢が孔子にたずねた――
どのような資格を
もった者が士と言える
のですか

孔子は答えた――
自分の言動について
恥をわきまえていて
外交使節として
海外に派遣されても
充分に使命を果たし
君主の名をはずかしめ
ない、こういう人物なら
士と言ってもよい

註・ここでいう「士」とは、すぐれた官吏をいう。

子貢――
よくわかりました
それを一位として
そのつぎに位置する
士は？

孔子――
一族の者から
親思いとほめられ
村中から兄弟仲が
よいと評判になる
人物なら
士と言えるだろう

子貢――
そのもう一段
下のところは？
孔子――
言動にウソがなく
いったんやるときめたら
終わるまでやりとげる
融通のきかない
小人物ではあるが
士のうちに入れても
いいだろう
子貢――
されば
今日の
政治家の
中に士を
求めると
したら？
孔子――
みんな
十把《じっぱ》ひとからげ
話にならんよ
いまの日本の
政治家も
同じだネ

行動を共にする人

子《し》曰《いわ》く、中行《ちゅうこう》を得《え》て之《これ》と与《とも》にせずんば、必《かなら》ず狂狷《きょうけん》か。狂者《きょうしゃ》は進《すす》みて取《と》り、狷者《けんしゃ》は為《な》さざる所有《ところあ》るなり。

主体性のある人物をえらぶ

行動を共にする
人間を選ぶなら
中道をいく人がよい
そのような人物が
いなかったら
〝狂〟の人か〝狷《けん》〟の人と
行動を共にしよう

〝狂〟の人は
果敢に行動し
進取の気性に富む
人間である
〝狷〟の人は
意地っ張りで
かたくなだが
悪いことだと思えば
けっしてやらない
狂《きょう》の人
狷《けん》の人
●〝狂〟も〝狷〟も中道を得ていないが、まわりに左右されないはっきりした主体性をもっている。

信念をもて

子曰《しいわ》く、南人《なんじん》言《い》えること有《あ》りて曰《いわ》く、人《ひと》にして恒《つね》無《な》ければ、以《もっ》て巫医《ふい》を作《な》すべからずと。善《よ》いかな。其《そ》の徳《とく》を恒《つね》にせざれば、或《あるい》は之《これ》が羞《はじ》を承《う》く。子曰《しいわ》く。占《うら》なわざるのみ。

自分の行動に確信をもてない人は哀れ

南国のことわざに
しっかりした信念を
もたない人間には
祈禱師《きとうし》も医師も
手のほどこしようがない
というのがある
まさに金言だ

自分の行動に
確信をもてない者は
占いの対象にもならないし
やがて他人から
恥辱をうけるだろう

和して同ぜず

子《し》曰《いわ》く、君子《くんし》は和《わ》して同《どう》ぜず。小人《しょうじん》は同《どう》じて和《わ》せず。

同志と同僚
どうちがう

君子は協調性に富み、人びとと調和するがむやみに妥協はしない
調和
妥協
小人はその逆で考えもしないですぐ他人に同調するが、協調性に欠けている
妥協
協調
つまり和して同ぜずの和には主体性があるが、同には主体性がないということ
和
主体性
同
バラバラ

八方美人はダメ

子貢《しこう》、問《と》うて曰《いわ》く、郷人皆之《きょうじんみなこれ》を好《この》まば、如何《いかん》。子曰《しいわ》く、未《いま》だ可《か》ならざるなり。郷人皆之《きょうじんみなこれ》を悪《にく》まば、如何《いかん》。子曰《しいわ》く、未《いま》だ可《か》ならざるなり。郷人《きょうじん》の善《よ》き者之《ものこれ》を好《この》み、其《そ》の善《よ》からざる者之《ものこれ》を悪《にく》むに如《し》かず。

何もしない人は
いつも〝いい人〟

子貢が孔子にたずねた——
村中の人から好かれる人物はどうですか？
さァね……
それじゃ村中の人からにくまれる人物はどうですか？
村中の善良な人からは好かれ悪いやつらからはにくまれる人物には及ばないだろう
この人 国中の善良な人からにくまれ悪いやつから好かれる人物……
大蔵省

大蔵省＝現財務省

小人に取り入るのはやさしい

子《し》曰《いわ》く、君子《くんし》は事《つか》え易《やす》くして、説《よろこ》ばせ難《がた》きなり。之《これ》を説《よろこ》ばすに道《みち》を以《もっ》てせざれば、説《よろこ》ばざるなり。其《そ》の人《ひと》を使《つか》うに及《およ》びてや、之《これ》を器《うつわ》とす。小人《しょうじん》は事《つか》え難《がた》くして説《よろこ》ばせ易《やす》きなり。之《これ》を説《よろこ》ばすに道《みち》を以《もっ》てせずと雖《いえど》も、説《よろこ》ぶなり。其《そ》の人《ひと》を使《つか》うに及《およ》びてや、備《そな》わるを求《もと》む。

小物は
ゴマカしやすい
ということ

君子のもとで
働くのはたやすい
君子は長所を
生かして使うからだ

しかし
君子に認められる
のはかんたんではない
なぜかというと
君子のもとでは
道をはずれていては
認められないからだ

小人のもとでは
働きにくい
小人は相手の長所を
みようとしないし
責任の追及には
忙しいからだ

しかし
小人に取り入るのは
やさしい
なぜなら道をはずれて
いても、うまく
立ちまわれば
それですむからだ

自意識のもち方

子曰《しいわ》く、君子《くんし》は泰《たい》にして驕《おご》らず。小人《しょうじん》は驕《おご》りて泰《たい》ならず。

世の中
小物が多い

ゆったりとして
落ち着いていて
人を見下さないのが
君子である

●君子は、自分の内容が豊かで信念も厚いので、泰然としておおらかな態度である。

おごり高ぶり
人を見下しながら
その実こせこせ
しているのが
小人である

●小人は、中身も信念も薄っぺらで、おおらかに落ち着いてなどいられない、だから威張りたがる。

剛毅木訥《ごうきぼくとつ》

子曰《しいわ》く、剛毅木訥《ごうきぼくとつ》、仁《じん》に近《ちか》し。

剛直《ごうちょく》で無欲《むよく》
かざりけがなく
無口な人間は
仁者に近い
孔子のいう人物はわが社にゃおらんよ
みんなかるくて口ばかり達者だ
いやひとりいますよ!
社長のお父さん

人間には
いろいろな
タイプがある

すぐれた人間とは

子路《しろ》問《と》うて曰《いわ》く、如何《いか》なれば斯《すなわ》ち之《これ》を士《し》と謂《い》うべき。子《し》曰《いわ》く、切切偲偲怡怡如《せっせつしいいいじょ》たり、士《し》と謂《い》うべし。朋友《ほうゆう》には切切偲偲《せっせつしし》、兄弟《きょうだい》には怡怡《いい》たり。

友情と兄弟愛——

子路が
孔子にたずねた——
どういう人物が
士でしょうか
孔子は答えた——
友だちに対しては
批判し
はげまし合う
ことができる
兄弟や家族には
やわらかく
おだやかな
愛情で接する人
ならば士である
しかし現代は——
友だちに対しては
いじめたり
足を引っ張る
兄弟や家族には
ウソ八百で丸め
こむ

註・〈士〉＝当時は、世に出るのは官吏になることであった。「士」とは官吏、またはその資格のあるものが「士」と呼ばれた。

教えざる民をもって戦う

子《し》曰《いわ》く、教《おし》えざる民《たみ》を以《もっ》て戦《たたか》う。是《こ》れ之《これ》を棄《す》つと謂《い》う。

訓練をしないで
人民を戦争に
かりたてる……
それは人民を
根絶やしにする
行為である
（そういえば
軍国日本の時代
こんな役に立たない
訓練ばかりで
国民は根絶やしに
されそうだった）
大切なことは
国民への愛である
そのための教育や
訓練であらねばなら
ない

人間は
兵器ではない

憲問篇《けんもんへん》

この篇は、弟子の原憲が記録したという説がある。古人を批評した章や、難解な章がしばしばある。

恥について

憲《けん》、恥《はじ》を問《と》う。子曰《しいわ》く、邦道有《くにみちあ》れば穀《こく》す。邦道無《くにみちな》きに穀《こく》するは、恥《はじ》なり。

弟子の原憲《げんけん》が君子の恥について孔子にたずねた——
恥とは何でしょうか？

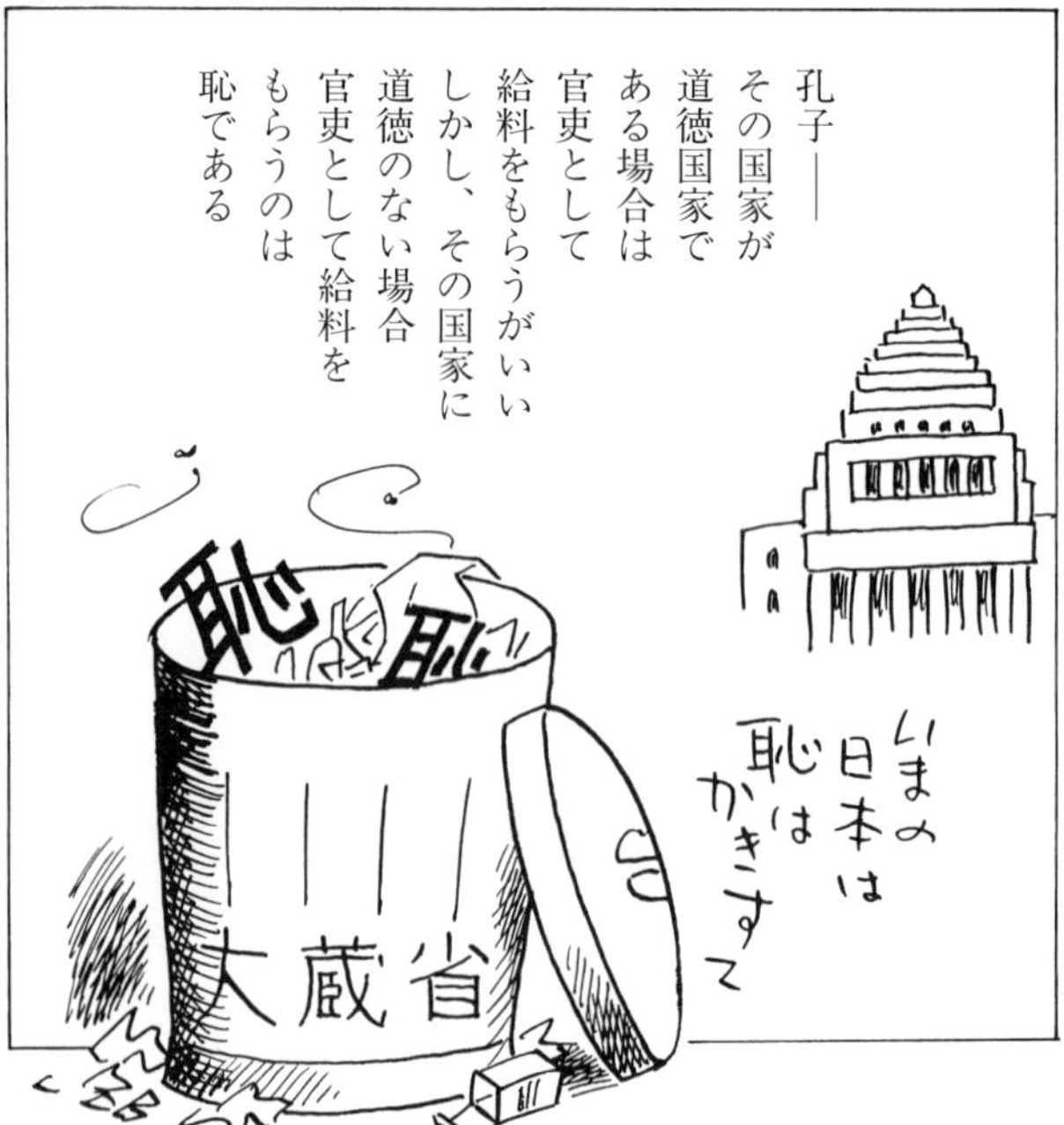

孔子——その国家が道徳国家である場合は官吏として給料をもらうがいい
しかし、その国家に道徳のない場合官吏として給料をもらうのは恥である
恥
恥
大蔵省
いまの日本は恥はかきすて

国の恥はかき捨て

四つの不道徳

克《こく》、伐《ばつ》、怨《えん》、欲《よく》、行《おこな》われず、以《もっ》て仁《じん》と為《な》すべし。子曰《しいわ》く、以《もっ》て難《かた》しと為《な》すべし。仁《じん》は則《すなわ》ち吾《わ》れ知《し》らざるなり。

自分の欠点が抑制できなくてどうする

原憲が孔子にたずねた――
克《こく》（強引）
伐《ばつ》（自慢）
怨《えん》（ひねくれ）
欲《よく》（貪欲）
この四つがその人の行為にない場合は仁であると言ってよろしいでしょうか

孔子――
その四つの不道徳が抑制できたらたいしたものだがしかし、それだけで仁と言えるかどうか……

リーダー失格

子《し》曰《いわ》く、士《し》にして居《きょ》を懐《おも》うは、以《もっ》て士《し》と為《な》すに足《た》らず。

困難に向かって
先頭に立つのが
リーダー

士たる者
私生活の面で
安楽を追い求めて
いるようでは、士と
呼ぶことはできない
マイホーム
蓄財
当時、士というのは
すぐれた官吏のこと
であり
今なら社会的な
リーダー格のこと
つまり、そういう
リーダーが
私生活で安楽という
座ぶとんの上にあぐら
をかいているようでは
リーダー失格だと
孔子は言っている
安楽

仁徳について

子《し》曰《いわ》く、徳《とく》有《あ》る者《もの》は必《かなら》ず言《げん》有《あ》り。言《げん》有《あ》る者《もの》は必《かなら》ずしも徳《とく》有《あ》らず。仁者《じんしゃ》は必《かなら》ず勇《ゆう》有《あ》り。勇者《ゆうしゃ》は必《かなら》ずしも仁《じん》有《あ》らず。

金持ちが
えらい人とは
限らない

徳のある人は
りっぱなことを
言う
しかし
りっぱなことを
言う人が必ずしも
徳のある人とは
限らない
仁徳のある人は
勇気がある
しかし
勇気のある人が
必ずしも仁徳を
そなえているとは
限らない
勇気
仁徳

君子とは人格者

子《し》曰《いわ》く、君子《くんし》にして仁《じん》ならざる者《もの》有《あ》り。未《いま》だ小人《しょうじん》にして仁《じん》なる者《もの》有《あ》らざるなり。

小物は
しょせん
小物である

君子とは
道徳のある紳士
の呼称である
そして「仁」とは
道徳の最高の
形態である
小人とは君子の逆で
道徳のない人物を言う
道徳
道徳

君子であっても
仁の境地に達して
いない人もいるだ
ろう
しかし
小人には決して
仁ある者はいない
仁

本当の愛

子曰《しいわ》く、之《これ》を愛《あい》す、能《よ》く労《ねぎら》うこと勿《な》からんや。忠《ちゅう》なり、能《よ》く誨《おし》うること勿《な》からんや。

真意が
どこにあるかを
考えるべき

本当に愛しているなら
ねぎらい
いたわらずには
いられない

本当に人に対して誠実でありたい
のなら、相手に逆らったり
忠告をせずにいられようか
忠告

金持ちでもいばらない

子曰《しいわ》く、貧《まず》しくて怨《うら》む無《な》きは難《かた》く、富《と》みて驕《おご》る無《な》きは易《やす》し。

逆境にあるとき
人間は試される

貧乏でもひがまない
これはむずかしい
ひがみ

金持ちでもいばらない
これはやさしい

完成された人間とは
子路が孔子にたずねた——
完成した人間とはどういう人間ですか？

臧《ぞう》武仲《ぶちゅう》ほどの知恵
公綽《こうしゃく》ほどの無欲さ
卞荘《べんそう》子《し》ほどの勇気
冉求《ぜんきゅう》ほどの多芸さ
それらを合わせたうえ
さらに礼楽で磨きをかける
まずこれなら
完成された人間と
いえるだろう
知恵
無欲
勇気
多芸

しかし今ではそこまで望めまい
利益を見て義を思い
危険を前にして一命をささげ
自分が言った言葉は忘れないで
古い約束も果たすことのできる人物なら
完成された人間といえるだろう
オレはとても完成にほど遠い人間だ
●利を見たらすぐ飛びつく
金
●危険を前にしたら逃げ出す
●自分の言った言葉や約束はすぐ忘れてしまう

しゃべらず、笑わず、
受け取らず
孔子が衛の国に滞在中
公明賈《こうめいか》という人にたずねた——
公叔文子《こうしゅくぶんし》という方は
しゃべらない
笑わない
贈り物を受け取らない
という噂ですが
本当ですか？
それはちょっと
大げさな
言い方です

あの人は
言うべきときにしか
言わないから
だれもおしゃべり
だと思わない
笑いも本当に心から
楽しいときにだけ
笑うから自然です
贈り物も
スジの通らないものは
受け取らない
だからとやかく
言われないのです

註：〈公叔文子〉＝衛の国の献公の孫で家老職であった。

よいとりまき
孔子が衛の君主である霊公《れいこう》を評して
「為政《いせい》者として失格だ」と言った
季康子《きこうし》がそれを聞きとがめて孔子に
言った──
もしあなたの
おっしゃるように
霊公が無茶苦茶な人なら
国は亡びている
はずですよ
いやそれは
短見に
すぎます

衛の国王は
無道な人物だったが
よい補佐官がいました
外務に仲 叔圉《ちゅうしゅくぎょ》
内務には祝鮀《しゅくだ》
軍事には王孫《おうそん》賈《か》
という有能な人物を
得ていたから
衛の国は安泰です

自分の言葉に責任をもて

子《し》曰《いわ》く、其《そ》の之《これ》を言《い》いて怍《は》じざれば、則《すなわ》ち之《これ》を為《な》すや難《かた》し。

行政改革
景気回復
自分の言葉に
責任をもてない
ようでは
実行するのは
むずかしい

景気悪化
行革失望
ホラを吹いたりして
恥じないのは
発言に責任を
もたないからだ
だから言葉通り
実行できる
わけがない

責任回避しか
頭にない

孔子の正義感
斉《せい》の国の家老陳成子《ちんせいし》が
主君の簡公《かんこう》を殺害したということが
魯《ろ》の国に伝わると、孔子は
主君哀公の前に出て進言した
「陳成子討伐の兵を
挙《あ》げていただきたい」
しかし、哀公の返事は
「三人の重臣に相談せよ」
であった
討伐
魯

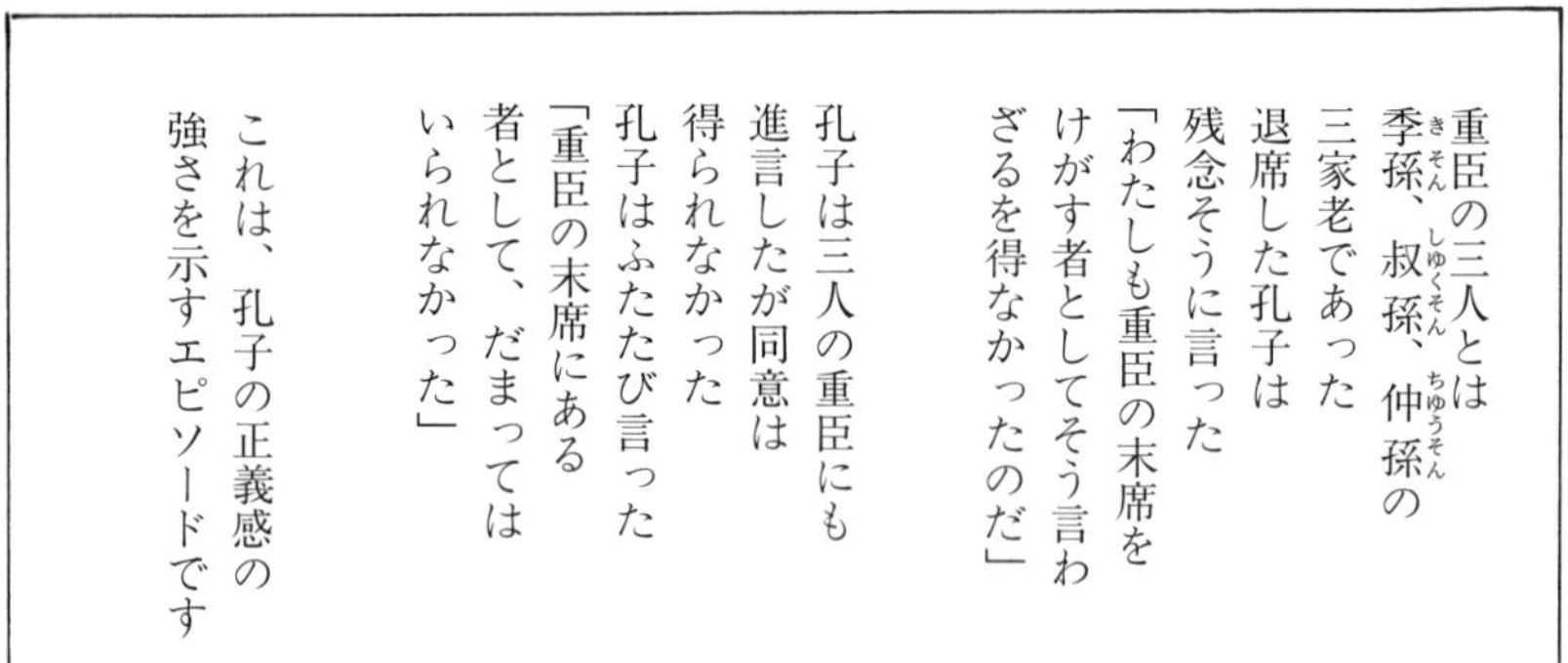
重臣の三人とは
季孫《きそん》、叔孫《しゅくそん》、仲孫《ちゅうそん》の
三家老であった
退席した孔子は
残念そうに言った
「わたしも重臣の末席を
けがす者としてそう言わ
ざるを得なかったのだ」
孔子は三人の重臣にも
進言したが同意は
得られなかった
孔子はふたたび言った
「重臣の末席にある
者として、だまっては
いられなかった」
これは、孔子の正義感の
強さを示すエピソードです

部下のつとめ

子路《しろ》、君《きみ》に事《つか》うることを問《と》う。子曰《しいわ》く、欺《あざむ》くこと勿《な》かれ、而《しこう》して之《これ》を犯《おか》す。

よい上司
よい部下で
ありたい

子路が孔子に主君に仕えるにはどうしたらいいかとたずねた——
主君にまちがっていることがあったらそれを正すのは臣下のつとめである
そのためにはウソを言ってはならない主君とぶつかってもいさめねばならない
諸君！課長のわたしに正すべきことがあったら言ってくれ
人づかいが荒い！
女をバカにすんな！
早くやめろ！
ハナシにならん
たまには部下におごれ！

学問する心がけ

子《し》曰《いわ》く、古《いにし》えの学《まな》ぶ者《もの》は己《おのれ》の為《ため》にし、今《いま》の学《まな》ぶ者《もの》は人《ひと》の為《ため》にす。

昔の人は
自分自身の
向上のために
学問をした
学
問

今の人は
売名が目的で
学問をしている
売名
学
問

●はじめから地位や名声のために学問するのは、本末転倒だと言っているのです。

売名大学
売名学部卒業

分相応ということ

曾子《そうし》曰《いわ》く、君子《くんし》は思《おも》うこと、其《そ》の位《くらい》を出《い》でず。

曾子が言った――
君子は
自分の職分以上の
ことは考えない
ものだ
●自分の分相応を考えよ、といういましめである。

有言不実行

子《し》曰《いわ》く、君子《くんし》は其《そ》の言《い》いて其《そ》の行《おこな》いに過《す》ぐるを恥《は》ず。

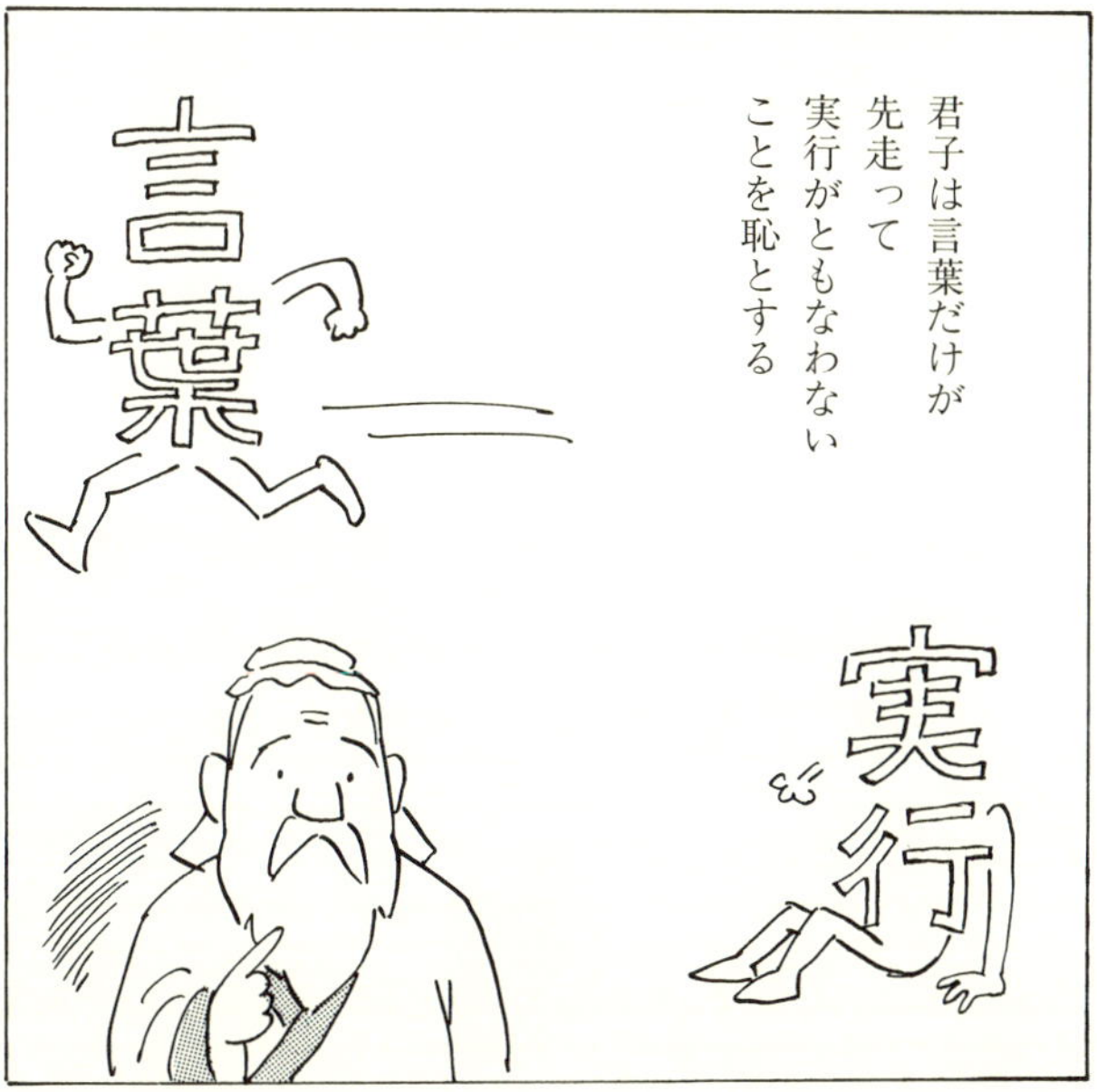
君子は言葉だけが
先走って
実行がともなわない
ことを恥とする
言葉
実行

謙遜する孔子

子《し》曰《いわ》く、君子《くんし》の道《みち》なる者《もの》三《みつ》つ。我《わ》れ能《よ》くすること無《な》し。仁者《じんしや》は憂《うれ》えず。知者《ちしや》は惑《まど》わず。勇者《ゆうしや》は懼《おそ》れず。子貢《しこういわ》曰く、夫子《ふうし》自《みずか》ら道《い》うなり。

不憂
不惑
不懼
仁者は憂《うれ》えず
知者は惑《まど》わず
勇者は懼《おそ》れない
君子はこの三つを
兼ねそなえているが
わたしはまだ
それに至っていない

孔子の言葉を
耳にして子貢が言った――
あれは
先生の謙遜《けんそん》の
言葉だよ
先生は
だれが見ても
君子だ

謙遜は美徳

〝謙虚〟のいましめ

子貢《しこう》、人《ひと》を方《たくら》ぶ。子曰《しいわ》く、賜《し》や賢《けん》なるかな。夫《そ》れ我《わ》れ則《すなわ》ち暇《いとま》あらず。

子貢が
いろいろ人を
批判しているのを
聞いて孔子は
言った——
子貢は
偉いんだね
わたしには
そんなひまは
ないよ

自分のために努力する

子曰《しいわ》く、人《ひと》の己《おのれ》を知《し》らざるを患《うれ》えず。其《そ》の能《よ》くせざるを患《うれ》う。

人が自分を
認めてくれない
ことを気に病む
より
自分に才能が
ないことを
気にかけること
である

人に接する態度

子《し》曰《いわ》く、詐《いつわり》を逆《むか》えず、不信《ふしん》を憶《おもんぱか》らずして、抑《そもそ》も亦《また》先《さき》に覚《さと》る者《もの》は、是《これ》賢《けん》なるか。

まず
すなおで
ありたい

だまされないかという
警戒心
信用されないのでは
ないかという猜疑心《さいぎしん》
そういうものに
こだわらず
すなおに相手の
話を聞いて
その意図を
読み取れる人こそ
賢人である
人と接する
には
相手を
かんぐるより
すなおに
相手の言葉を
聞くことが
大切だと
孔子は
説いて
います

孔子、批判に答える

微生畝《びせいほ》、孔子《こうし》に謂《い》いて曰《いわ》く、丘《きゅう》、何《なん》ぞ是《こ》の栖栖《せいせい》たる者《もの》を為《な》すや。乃《すなわ》ち佞《ねい》を為《な》す無《な》からんや。孔子《こうし》曰《いわ》く、敢《あえ》て佞《ねい》を為《な》すに非《あら》ざるなり。固《こ》を疾《にく》むなり。

ときには
批判に答える
ことも必要

微生畝《びせいほ》という隠者が
孔子を批判した――
孔子のやつ
諸国をうろつき、弁舌を
ひけらかすのは
やめたらどうか

それを伝え聞いた
孔子は言った――
弁舌をひけらかすのが
目的ではない
政治家たちの
独善性を
ときほぐしてやりたい
のだよ

名馬とは

子《し》曰《いわ》く、驥《き》は其《そ》の力《ちから》を称《しょう》せず。其《そ》の徳《とく》を称《しょう》するなり。

名馬は脚力があるから
称賛されるのではない

名馬としてたたえられるのは
その徳性（よい調教によって得られる）
のためである
徳
●これは、馬に例えた比喩《ひゆ》であり、実際は人間のことを言っている。人間も、才能や力量よりも根本は仁徳を備えることだというわけ。

外見より
中身

以直《いちょく》 報怨《ほうえん》

或《あ》る人曰《ひといわ》く、徳《とく》を以《もっ》て怨《うら》みに報《むく》ゆるは、如何《いかん》。子曰《しいわ》く、何《なに》を以《もっ》てか徳《とく》に報《むく》いん。直《なお》きを以《もっ》て怨《うら》みに報《むく》い、徳《とく》を以《もっ》て徳《とく》に報《むく》ゆ。

善と悪にいかに報いるか

ある人が孔子にたずねた――
相手の悪意に対しても善意で報いよという説をどう思いますか？
それでは善意にはどう報いるかね
理性
悪意
悪意には理性で報いる
善意
善意
善意には善意で報いるのがよいだろう

註・「老子」の第六十三章に「報怨以徳」（怨みに報ゆるに徳をもってす）という言葉がある。

孔子は常に前向きだった

子《し》曰《いわ》く、我《わ》れを知《し》る莫《な》きかな。子貢《しこう》曰《いわ》く、何為《なんす》れぞ其《そ》れ子《し》を知《し》る莫《な》きや。子《し》曰《いわ》く、天《てん》を怨《うら》まず、人《ひと》を尤《とが》めず、下学《かがく》して上達《じょうたつ》す。我《わ》れを知《し》る者《もの》は其《そ》れ天《てん》か。

運を天にまかせる

孔子―― ああ わたしを 理解して くれる人は いない
子貢―― なぜ そんなことを おっしゃる のですか？
わたしが 不遇なのは 天意でもあろう しかし天を怨み 人をとがめる 気もない
ただわたしは 身近な ことから学び 向上したい だけである こんなわたしを 理解して くれるのは 天だけだろう
孔子は 晩年の不遇にも めげず、常に 前向きだった と言います

逃避の教え

子《し》曰《いわ》く、賢者《けんじゃ》は世《よ》を辟《さ》く。其《そ》の次《つぎ》は地《ち》を辟《さ》く。其《そ》の次《つぎ》は色《いろ》を辟《さ》く。其《そ》の次《つぎ》は言《げん》を辟《さ》く。

逃げ方のコツ

もっとも
すぐれた人間は
時代そのものから
逃避する
こんな
世の中は
いやだ
そのつぎの人物は
別の土地へ
逃避する
こんな
都会は
いやだ
そのまたつぎの
人物は
相手の
顔色を見て
逃避する
こんな社長の
いる会社はいやだ
またそのつぎの
人物は
相手の言葉を
聞いただけで
逃避する
こんな
課長は
いやだ

臨機応変に生きられたら世話はない

子《し》、磬《けい》を衛《えい》に撃《う》つ。蕢《き》を荷《にな》いて孔氏《こうし》の門《もん》を過《す》ぐる者《もの》有《あ》り。曰《いわ》く、心有《こころあ》るかな、磬《けい》を撃《う》つや。既《すで》にして曰《いわ》く、鄙《いや》しいかな、硜硜乎《こうこうこ》として、己《おのれ》を知《し》る莫《な》きなり、斯《こ》れ己《おのれ》のみ。深《ふか》ければ則《すなわ》ち厲《れい》し、浅《あさ》ければ則《すなわ》ち掲《けい》せよ。子《し》曰《いわ》く、果《か》なるかな、之《これ》を難《かた》しとする末《な》し。

その場その時に合わせる生活はできない

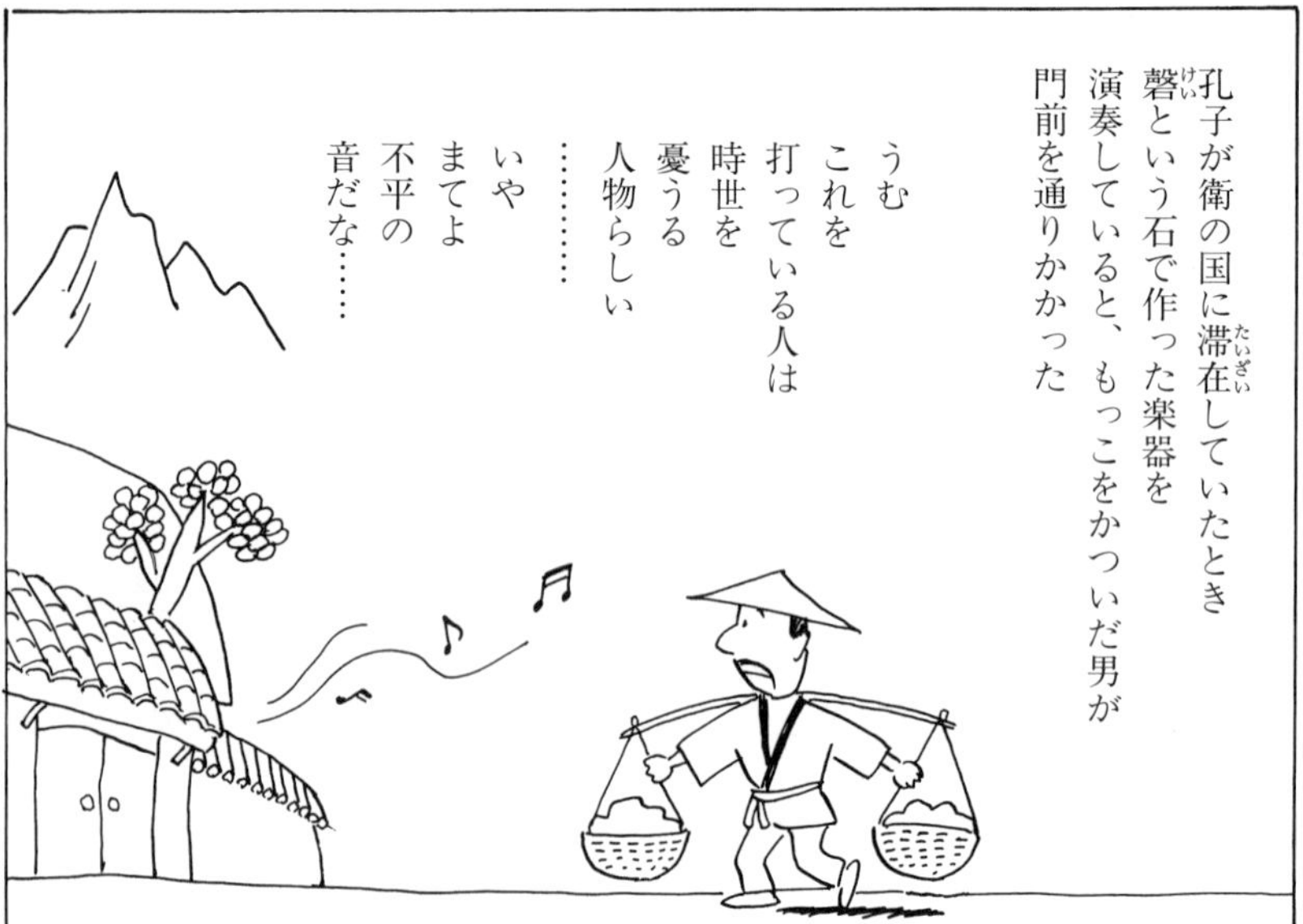

孔子が衛の国に滞在《たいざい》していたとき
磬《けい》という石で作った楽器を
演奏していると、もっこをかついだ男が
門前を通りかかった
うむ
これを
打っている人は
時世を
憂うる
人物らしい
………
いや
まてよ
不平の
音だな……

世間が自分を
認めてくれない
という
不平の音だな……
うたの文句にも
あるじゃないか
深い川なら
ざんぶりと
浅い川なら
裾をつまめ
もうすこし
臨機応変に
生きたら
どうだね

そのことを伝え聞いた
孔子は言った——
そう思い切れたら
世話はない
それならこの世で
何のむずかしい
こともなかろう

上に立つ者は礼儀を正せ

子曰《しいわ》く、上《かみ》、礼《れい》を好《この》めば、則《すなわ》ち民使《たみつか》い易《やす》きなり。

上に立つ者が
礼儀をわきまえて
いれば
人民もつつましくなり
使いやすくなる
礼儀

会社で言えば
上司が礼を
わきまえていれば
部下もつつましくなり
使いやすくなる
つまり、社員を
思いどおりに
使いたいなら
上に立つ者が
礼儀を正しく
すべてにけじめを
つけなさいという
教えである
礼

万事
礼儀正しく

己を修めて人を安んず

子路《しろ》、君子《くんし》を問《と》う。

子《し》曰《いわ》く、己《おのれ》を脩《おさ》めて以《もっ》て敬《けい》す。

曰《いわ》く、斯《か》くの如《ごと》きのみか。

曰《いわ》く、己《おのれ》を脩《おさ》めて以《もっ》て人《ひと》を安《やす》んず。

曰《いわ》く、斯《か》くの如《ごと》きのみか。

曰《いわ》く、己《おのれ》を脩《おさ》めて以《もっ》て百姓《ひゃくせい》を安《やす》んず。己《おのれ》を脩《おさ》めて以《もっ》て百姓《ひゃくせい》を安《やす》んずるは、尭舜《ぎょうしゅん》も其《そ》れ猶《な》お諸《こ》れを病《や》めるか。

みんなに
奉仕する
しあわせ

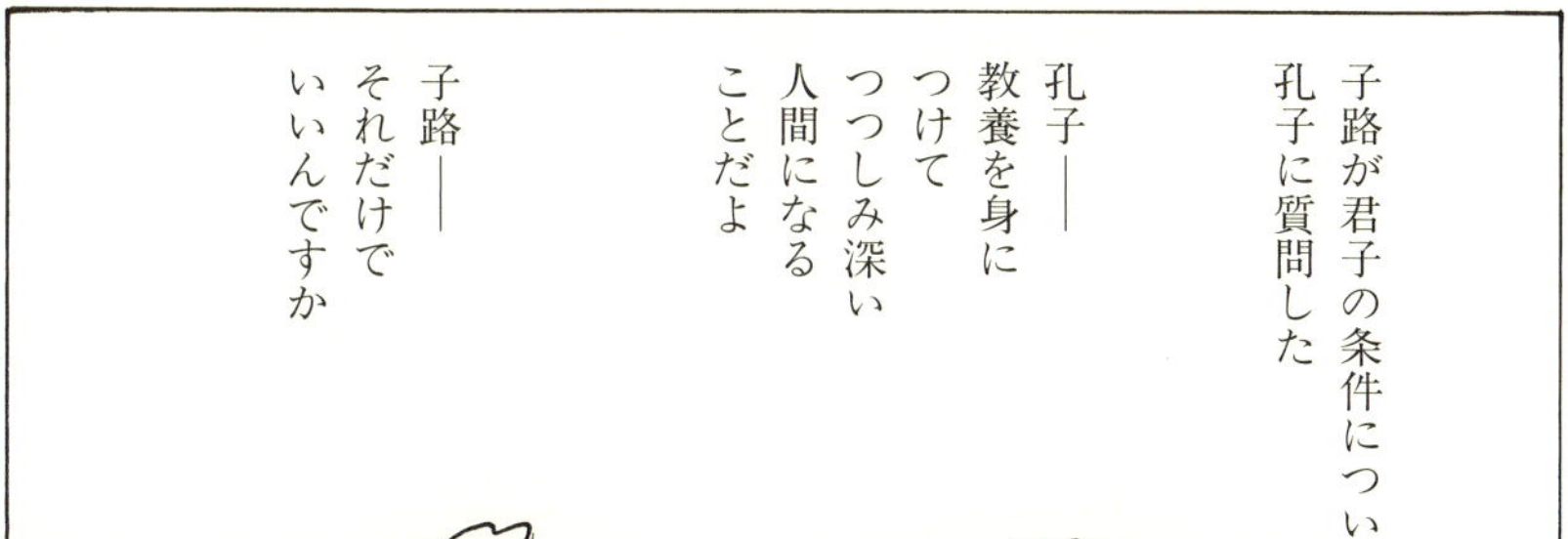
子路が君子の条件について
孔子に質問した
孔子――
教養を身に
つけて
つつしみ深い
人間になる
ことだよ
子路――
それだけで
いいんですか

孔子――
教養を
身につけたうえで
ふだん接する
人たちのために
奉仕することだ
子路は
さらにたずねた――
それだけで
いいのですか

孔子――
それができたら
人民全体の幸福の
ためにつくすのだ
口で言うのは
やさしいが
これを実行するのは
聖天子といわれた
尭《ぎょう》や舜《しゅん》でさえ
さんざん悩んだのだ

註・〈尭・舜〉＝ともに上代の最もすぐれた君主として孔子は仰ぎしたっていた。

不作法を叱る

原壌《げんじょう》、夷《い》して俟《ま》つ。子曰《しいわ》く、幼《よう》にして孫弟《そんてい》ならず。長《ちょう》じて述《の》べらるる無《な》く、老《お》いて死《し》せざる、是《こ》れを賊《ぞく》と為《な》す。杖《つえ》を以《もっ》て其《そ》の脛《けい》を叩《たた》く。

不作法な人間が多い

孔子の幼なじみの原壌《げんじょう》が
膝を立てた不作法な姿勢で
孔子を迎えた——

それを見て
孔子は言った——
おまえは
子供の頃から
ひねくれ者で
大人になっても
きらわれ者だ
それで長生き
だけは人一倍
おまえのような
やつこそ
ならず者と
いうのだ!
孔子は杖《つえ》で
原壌のひざを
打った

背伸びしているだけ

闕党《けっとう》の童子《どうじ》、命《めい》を将《おこな》う。或《あ》るひと之《これ》を問《と》いて曰《いわ》く、益《えき》するものか。子曰《しいわ》く、吾《わ》れ其《そ》の位《くらい》に居《い》るを見《み》る。其《そ》の先生《せんせい》と並《なら》び行《ゆ》くを見《み》る。益《えき》を求《もと》むる者《もの》に非《あら》ざるなり。速成《そくせい》を欲《ほっ》する者《もの》なり。

闕党《けっとう》という村から来た一人の少年が孔子の家の玄関番みたいなことをやっていた
いらっしゃいませ
それを見たある人が孔子にたずねた――
あの少年は向学心があるのですか?
孔子――
いやいや あれは子供のくせに大人と同席したり年長者とも肩をならべて歩きたがっているだけ
向学心なんかじゃなくて大人のマネをしてはやく大人に見られたいだけの子供だよ

衛霊公篇《えいれいこうへん》

君子はどうあるべきか、人間としての生き方など、現代に通じる孔子の教えの数々を収める。

君子でも窮する

陳《ちん》に在《あ》りて糧《りょう》を絶《た》つ。従者《じゅうしゃ》病《や》んで能《よ》く興《た》つこと莫《な》し。子路《しろ》慍《いか》って見《まみ》えて曰《いわ》く、君子《くんし》も亦《また》窮《きゅう》すること有《あ》るか。子《し》曰《いわ》く、君子《くんし》固《もと》より窮《きゅう》す。小人《しょうじん》窮《きゅう》すれば、斯《ここ》に濫《らん》す。

窮しても
動ぜず

孔子の一行が陳の国（河南省陳州一帯の小国）で食糧に窮したとき、弟子たちも病気で倒れる者が相ついだ——

一行の窮状を見かねて
腹を立てた子路が
孔子に食ってかかった
君子でも
窮することが
あるのですか！

孔子——
もちろん
君子でも
困窮する
だが、窮して
道をはずれた
行為をするのは
小人ばかりだ

一つのことだけ考える

子《し》曰《いわ》く、賜《し》や、女《なんじ》は予《わ》れを以《もっ》て多《おお》く学《まな》びて之《これ》を識《しる》す者《もの》と為《な》すか。対《こた》えて曰《いわ》く、然《しか》り。非《ひ》なるか。曰《いわ》く、非《ひ》なり。予《わ》れは一以《いつもっ》て之《これ》を貫《つらぬ》く。

孔子が子貢に言った――
私が博学多識の人間だと思うかね
はい
そうでないとおっしゃるのですか？
ちがうな
え？
私は一つの道を貫いてきただけだよ

わが道を
たゆまず
歩きつづける

意思伝達の方法

子張《しちょう》、行《おこな》われんことを問《と》う。

子《し》曰《いわ》く、言忠信《げんちゅうしん》、行篤敬《こうとくけい》なれば、蛮貊《ばんぱく》の邦《くに》と雖《いえど》も行《おこな》われん。言忠信《げんちゅうしん》ならず、行篤敬《こうとくけい》ならずば、州里《しゅうり》と雖《いえど》も行《おこな》われんや。立《た》てば則《すなわ》ち其《そ》の前《まえ》に参《まじ》わるを見《み》るなり。輿《よ》に在《あ》れば則《すなわ》ち其《そ》の衡《こう》に倚《よ》るを見《み》るなり。夫《そ》れ然《しか》る後《のち》に行《おこな》われん。

子張《しちょう》、諸《こ》れを紳《しん》に書《しょ》す。

「公約」は
選挙の方便

子張が〝意思伝達〟の方法についてたずねた――
ウソを言わない言ったことは必ず実行することだね

これなら
どんな野蛮な
国でも意思の
伝達はできる
その逆の場合には
自分の住んでる
地域でも
意思伝達は
不可能だよ
伝達

いついかなる
ときも
この二つを
心がけていること
これが
意思伝達の
秘訣だよ
ウソは
言わない
言ったことは
必ず実行
する
●子張はすぐさまその文字を自分の帯に書きとめ、肌身からはなさなかったという。

君子の生き方

子《し》曰《いわ》く、直《ちょく》なるかな史魚《しぎょ》。邦《くに》道《みち》有《あ》れば矢《や》の如《ごと》く、邦《くに》道《みち》無《な》きも矢《や》の如《ごと》し。君子《くんし》なるかな蘧伯玉《きょはくぎょく》。邦《くに》に道《みち》有《あ》れば則《すなわ》ち仕《つか》え、邦《くに》に道《みち》無《な》ければ、則《すなわ》ち巻《ま》いて之《これ》を懐《ふところ》にすべし。

史魚《しぎょ》はまっ正直な
人間だ、国家に道義が
守られているときも
守られていないときも
一本の矢のように
まっすぐに生きた

蘧伯玉《きょはくぎょく》の生き方は
これとちがう
国家に道義が
守られているときは
才能を発揮したが
道義が失われて
いるときは身を引いて
才能を隠した
これこそ君子の
生き方である
道
徳

註・〈史魚・蘧伯玉〉＝どちらも衛の国の家老。

知者は友も言葉も失わない

子曰《しいわ》く、与《とも》に言《い》うべくして、之《これ》と言《い》わざれば、人《ひと》を失《うしな》う。与《とも》に言《い》うべからずして、之《これ》と言《い》えば、言《ことば》を失《うしな》う。知者《ちしゃ》は人《ひと》を失《うしな》わず。亦《また》言《ことば》を失《うしな》わず。

言葉の
ムダづかいを
やめる

共に語り合える
人物と出会いながら
語り合わないのは
友を失うことである
語りたくない人と
語り合うのは
言葉の浪費である
浪費

知者は
友を失うことも
しないし
また言葉も
失わない

仁徳を守るためには一命を

子《し》曰《いわ》く、志士《しし》仁人《じんじん》は、生《せい》を求《もと》めて以《もっ》て仁《じん》を害《がい》すること無《な》く、身《み》を殺《ころ》して以《もっ》て仁《じん》を成《な》すこと有《あ》り。

仁徳は命

志のある人や
仁徳をそなえた人は
命惜しさに仁徳に
反するようなことは
しない
仁
徳

むしろ
仁徳を守るため
自分の命を
投げ出すことも
辞さない
仁徳

仁徳を身につけるために

子貢《しこう》、仁《じん》を為《な》すことを問《と》う。子《し》曰《いわ》く、工《こう》、其《そ》の事《こと》を善《よ》くせんと欲《ほっ》すれば、必《かなら》ず先《ま》ず其《そ》の器《うつわ》を利《するど》くす。是《こ》の邦《くに》に居《お》るや、其《そ》の大夫《たいふ》の賢《けん》なる者《もの》に事《つか》え、其《そ》の士《し》の仁《じん》なる者《もの》を友《とも》とせよ。

子貢が
孔子にたずねた――
仁徳を
身につける
ための
心がまえ
を……
大工は
いい仕事を
するために
まずノミを
研《と》ぐ
それと同じように
仁徳を身につけよう
と思うなら
どこにいてもそこの
すぐれた人物に
仕えることだ
そして仁徳のある
友を選び
それによって
自分を磨き
あげることである
自己研磨

排斥すべきもの

顔淵《がんえん》、邦《くに》を為《おさ》むることを問《と》う。子曰《しいわ》く、夏《か》の時《とき》を行《おこな》い、殷《いん》の輅《ろ》に乗《の》り、周《しゅう》の冕《べん》を服《ふく》し、楽《がく》は則《すなわ》ち韶舞《しょうぶ》。鄭声《ていせい》を放《はな》ち、佞人《ねいじん》を遠《とお》ざく。鄭声《ていせい》は淫《いん》し、佞人《ねいじん》は殆《あやう》し。

排斥とは押しのけること

顔淵が国政の根本方針について質問したのに対して孔子は答えた――
暦法《れきほう》は夏《か》王朝のものを使え
車は殷《いん》代のもの
冠《かんむり》は周代のもの
音楽は舜《しゅん》代の舞楽を用いよ

そして排斥《はいせき》すべきは鄭声《ていせい》と口達者な男だ
ペラペラ
ペラペラ

註・〈鄭声〉＝鄭の国の音楽できわめて官能的なものだった。

足元を固めよ

子《し》曰《いわ》く、人《ひと》、遠《とお》き慮《おもんぱか》り無《な》ければ、必《かなら》ず近《ちか》き憂《うれい》有《あ》り。

先ばかり見て
走ると
つまずく

計画は
遠い先のことまで
対策を立てて
かからないと
足元から
くずれてしまう
事業
もっと
足元を
固めたほうが
いいよ
対策
長期的
視野

禄盗人《ろくぬすびと》

子曰《しいわ》く、臧文仲《ぞうぶんちゅう》は其《そ》れ位《くらい》を窃《ぬす》む者《もの》か。柳下恵《りゅうかけい》の賢《けん》を知《し》りて、而《しか》も与《とも》に立《た》たざればなり。

才能ある人を
任用しない
愚かさ

臧文仲《ぞうぶんちゅう》のような人間を禄盗人《ろくぬすびと》というのだろう
なぜですか?

柳下恵《りゅうかけい》という賢人の才能をよく知っていながら大臣に抜擢しようとしなかったからだよ

註・〈臧文仲〉＝孔子より二世紀前の魯の国の名宰相。〈柳下恵〉＝魯の国の賢人。

自分にきびしく

子《し》曰《いわ》く、躬《み》自《みずか》ら厚《あつ》くして、薄《うす》く人《ひと》を責《せ》むれば、則《すなわ》ち怨《うら》みに遠《とお》ざかる。

自分についてはきびしく反省する
反省
他人には寛容な態度でのぞむ
寛容
そうすれば人に恨みを買うことも少なくなると孔子は言っている
リーダーたるもの他人に寛大で自分にきびしくありたいものです

自分をきびしく律してもだれも文句は言わない

学ぶ者の心得

子《し》曰《いわ》く、之《これ》を如何《いかん》、之《これ》を如何《いかん》と曰《い》わざる者《もの》は、吾《わ》れ之《これ》を如何《いかん》ともする末《な》きのみ。

熱意と意欲が
かんじん

うーん
う〜ん
どうしたらよいか
どうしたらよいか
自分から
苦しみ
考える者
でなければ
わたしだって
どうにも
してやれ
ないよ
学ぶ者に
熱意と意欲
があって
向学心や
知識欲が
ない限り
教える者が
いかに張り切っても
教育効果は
あがらない
ということである
向学心
知

群居終日《ぐんきょしゅうじつ》

子《し》曰《いわ》く、羣居終日《ぐんきょしゅうじつ》、言《げん》、義《ぎ》に及《およ》ばず、好《この》みて小慧《しょうけい》を行《おこな》う。難《かた》いかな。

一日中の雑談は時間の浪費

ワイ
ワイ
ガヤ
ガヤ
ワイ
ワイ
ガヤ
ガヤ
一日中
おおぜいが集まって
道義についての話も
なく
小才ばかりひけらか
している
困ったものだ
これは
まじめに
「世のため
人のためを
論じないで
雑談ばかりで
時間の浪費を
している」
弟子たちを
たし
なめた
言葉
です

信義を貫く

子曰《しいわ》く、君子《くんし》は義以《ぎもっ》て質《しつ》と為《な》し、礼以《れいもっ》て之《これ》を行《おこな》い、孫以《そんもっ》て之《これ》を出《い》だし、信以《しんもっ》て之《これ》を成《な》す。君子《くんし》なるかな。

これぞ堂々たる人間

義が心の奥にあり
正義
その行為は礼をつくし
礼
その表現は謙虚な態度
万事ひかえめ
そして信義を貫き通す
信義
これが本当の君子である

自分を知る

子《し》曰《いわ》く、君子《くんし》は能《のう》無《な》きを病《うれ》う。人《ひと》の己《おのれ》を知《し》らざるを病《うれ》えず。

君子は自分に
実力のないことを
気にかけるべきだ

自分を認めて
くれる者がいないと
不平不満をかこつのは
すじ違いである
オレを認めろ!
バーカ

「実力不足」
「実力過信」
どれもダメ

死んでから評価がきまる

子《し》曰《いわ》く、君子《くんし》は世《よ》を没《ぼっ》して名《な》の称《しょう》せられざるを疾《にく》む。

君子というのは
一生のあいだに
何か一つぐらいは
人から称賛される
ような仕事をしたいと
願っている
業績

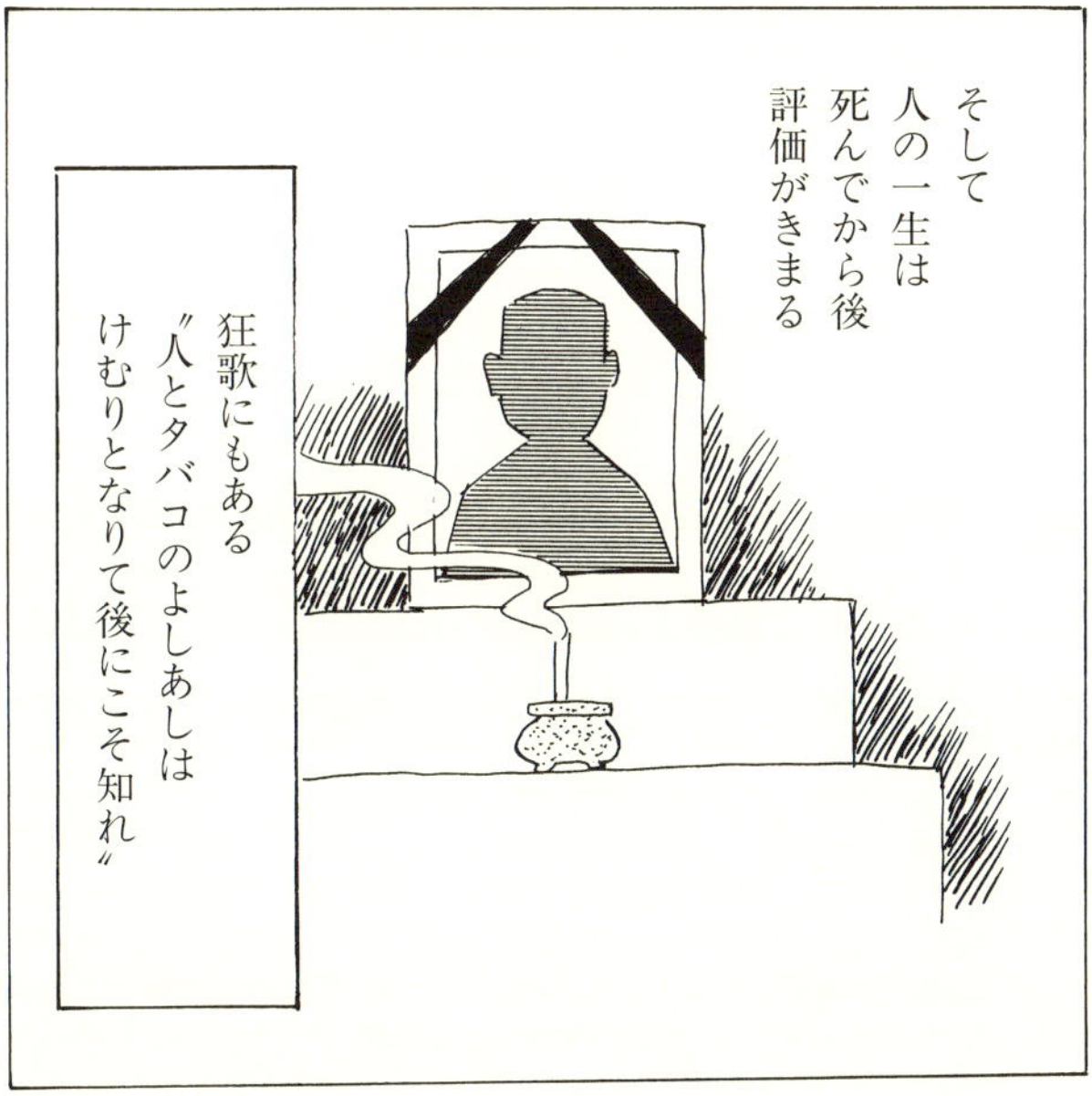
そして
人の一生は
死んでから後
評価がきまる
狂歌にもある
〝人とタバコのよしあしは
けむりとなりて後にこそ知れ〟

晩節を汚して
評価を下げる
えらい人も

自らが行う

子曰《しいわ》く、君子《くんし》は諸《こ》れを己《おのれ》に求《もと》む。小人《しょうじん》は諸《こ》れを人《ひと》に求《もと》む。

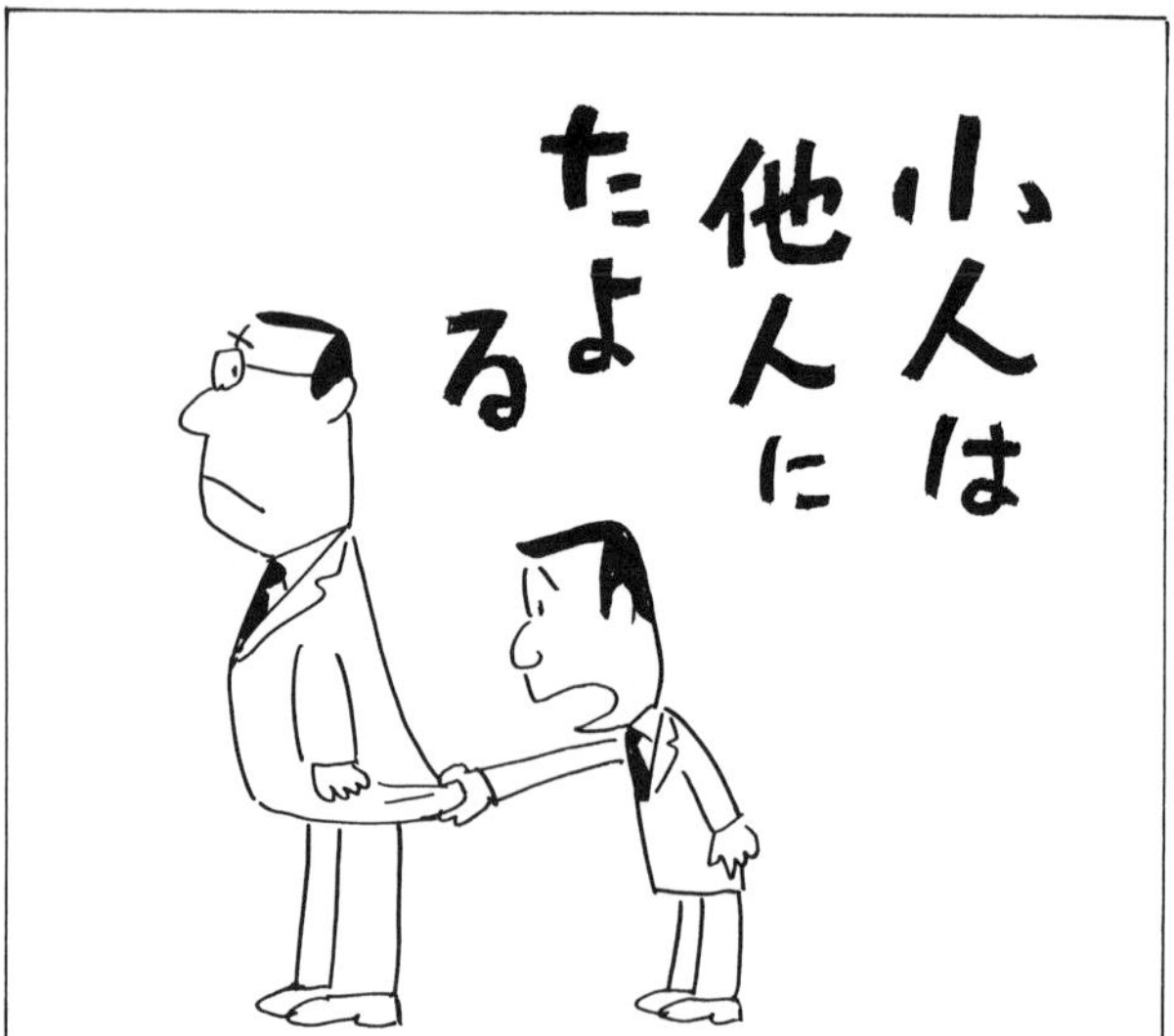

あなたは
どちら？

ムダな争いはしない

子曰《しいわ》く、君子《くんし》は矜《きよう》にして争《あらそ》わず。羣《ぐん》して党《とう》せず。

君子は自信に
満《み》ちているが
むやみに他人と
争ったりしない

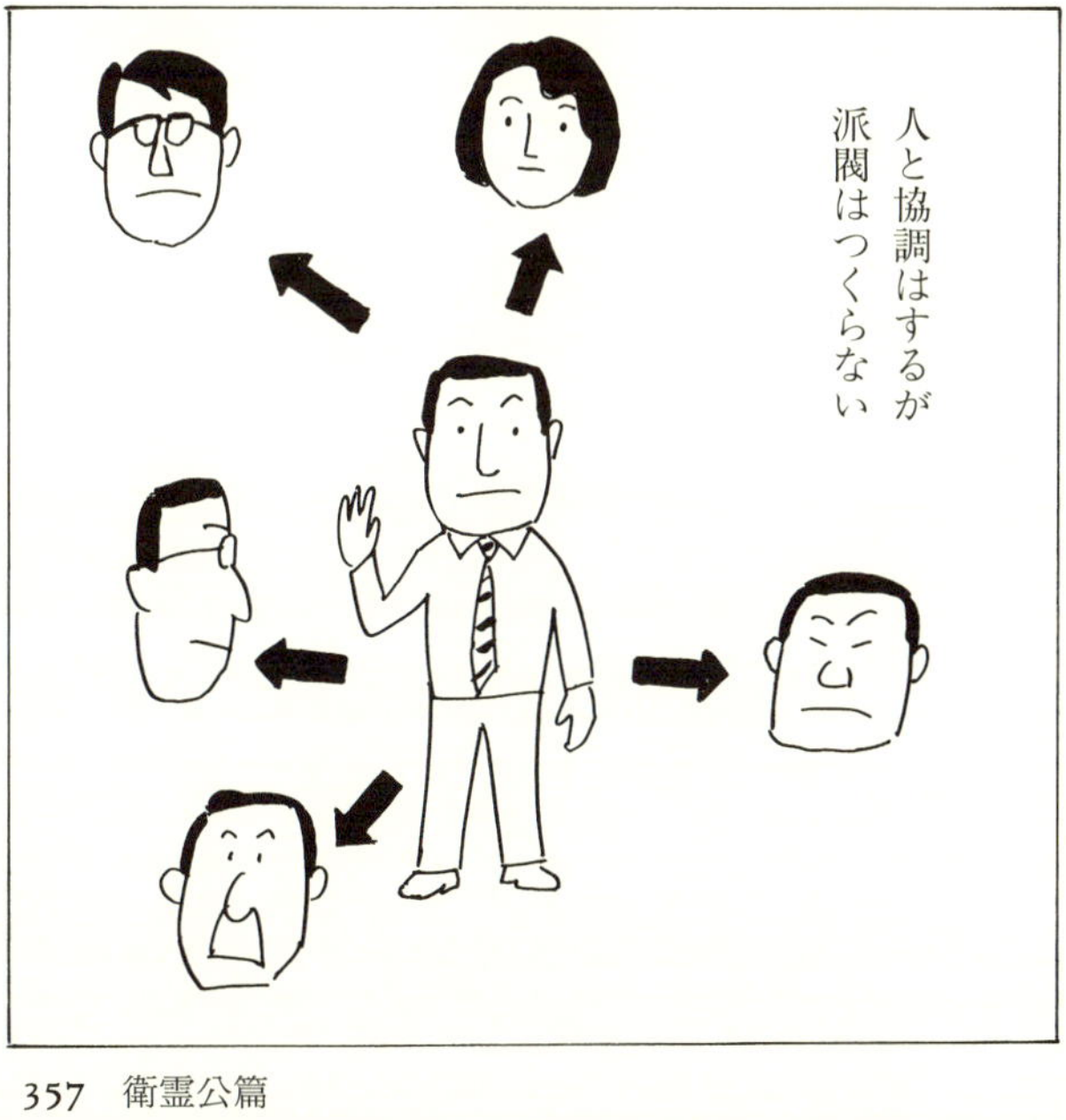
人と協調はするが
派閥はつくらない

派閥づくりは
まかせなさい
——政党

公平であること

子《し》曰《いわ》く、君子《くんし》は言《げん》を以《もっ》て人《ひと》を挙《あ》げず。人《ひと》を以《もっ》て言《げん》を廃《はい》せず。

公平さは
リーダーの条件

君子は
発言を
聞いただけで――
相手を
買いかぶるような
ことはしない
また相手によって
その発言を
無視するような
ことはしない
リーダーたる者
ちょっといいことを
言ったからと
その人を
抜擢したり
下っ端《ぱ》の発言
だからといって
その意見を
拒否したり
しない
ということです

生涯の信条

子貢《しこう》問《と》いて曰《いわ》く、一言《いちげん》にして以《もっ》て終身之《しゅうしんこれ》を行《おこな》うべき者有《ものあ》りや。子曰《しいわ》く、其《そ》れ恕《じょ》か。己《おのれ》の欲《ほっ》せざる所《ところ》は、人《ひと》に施《ほどこ》す勿《な》かれ。

相手を思いやる
心をもちたい

子貢が孔子にたずねた――
このひとことなら
生涯の信条に
できるという
言葉が
あるでしょうか？

孔子は答えた――
恕《じょ》であろうか
つまり自分が
人から
されたくない
ことは
自分も人に
しないことだ

註・〈恕〉＝思いやりのこと。

巧言乱徳《こうげんらんとく》

子《し》曰《いわ》く、巧言《こうげん》は徳《とく》を乱《みだ》る。小《しょう》を忍《しの》ばざれば、則《すなわ》ち大謀《たいぼう》を乱《みだ》る。

きれいごと
より
中身が問題

巧《たく》みにかざった実のない言葉は
徳を損《そこ》なうだけ
おせじ
おべんちゃら
徳

小さなことが辛抱できないようでは
大きな仕事を成しとげることができない
事業

自分の眼で確かめる

子《し》曰《いわ》く、衆之《しゅうこれ》を悪《にく》むも必《かなら》ず察《さつ》し、衆之《しゅうこれ》を好《この》むも必《かなら》ず察《さつ》す。

みんながきらっている人間でも
自分の眼で確かめてみる

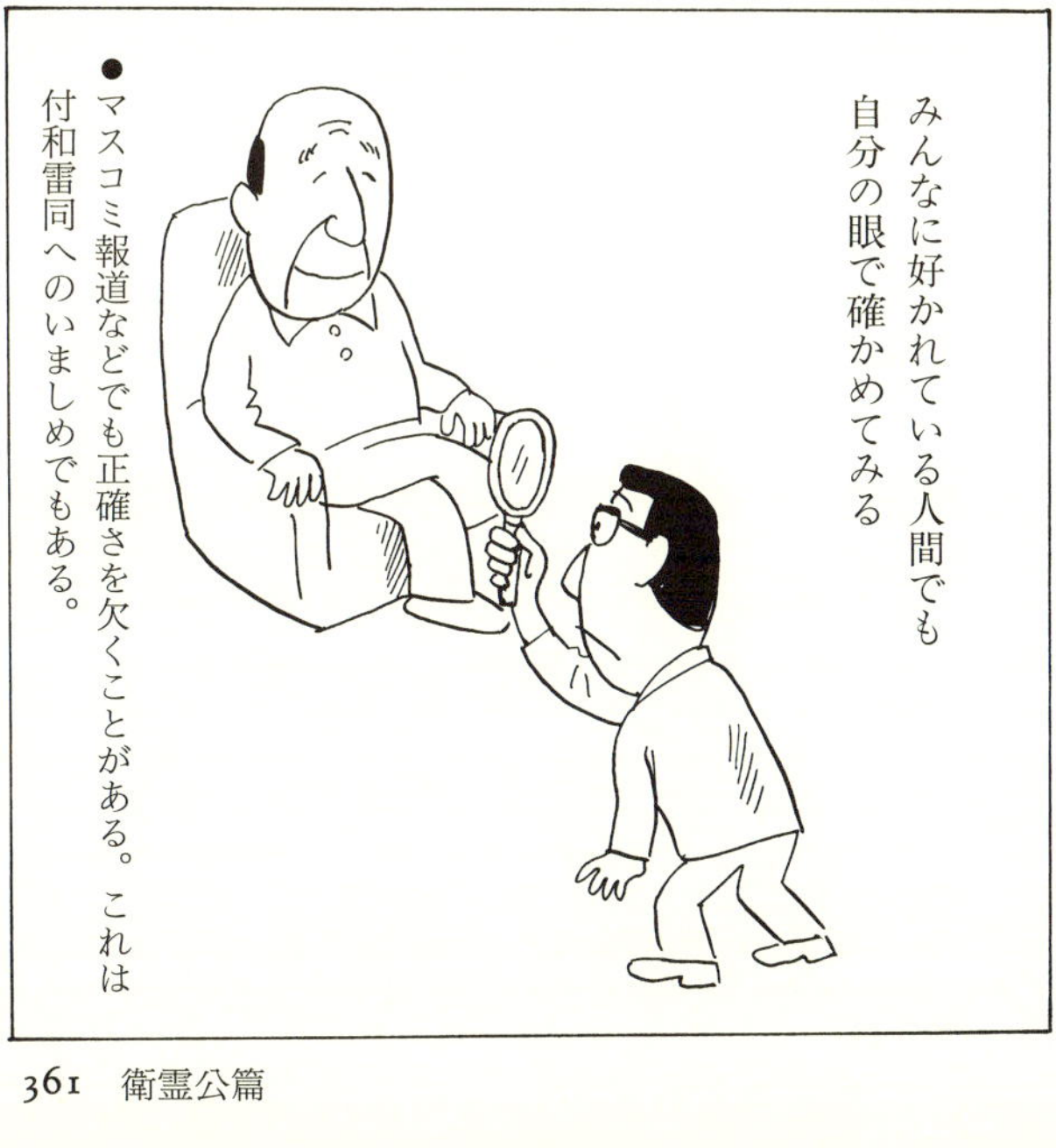
みんなに好かれている人間でも
自分の眼で確かめてみる
●マスコミ報道などでも正確さを欠くことがある。これは付和雷同へのいましめでもある。

人の話は鵜呑《うの》みにしない

人間が道義を広める

子《し》曰《いわ》く、人《ひと》能《よ》く道《みち》を弘《ひろ》む。道《みち》人《ひと》を弘《ひろ》むるに非《あら》ず。

人間こそ道義を
広めることができるのだ
道

道義が人間を
広めるのではない
道義

人間の主体性の問題

本当の過ち

子曰《しいわ》く、過《あやま》ちて改《あらた》めざる、是《こ》れを過《あやま》ちと謂《い》う。

過ちに
気づいても
改めない
失
政

それが
本当の
過ちだ
わかったか!

「無自覚」
「無意識」
「無反省」

先人に学ぶべし

子《し》曰《いわ》く、吾《わ》れ嘗《かつ》て終日《しゅうじつ》食《くら》わず、終夜《しゅうや》寝《い》ねず、以《もっ》て思《おも》う。益《えき》無《な》し。学《まな》ぶに如《し》かざるなり。

ときには古典を読む

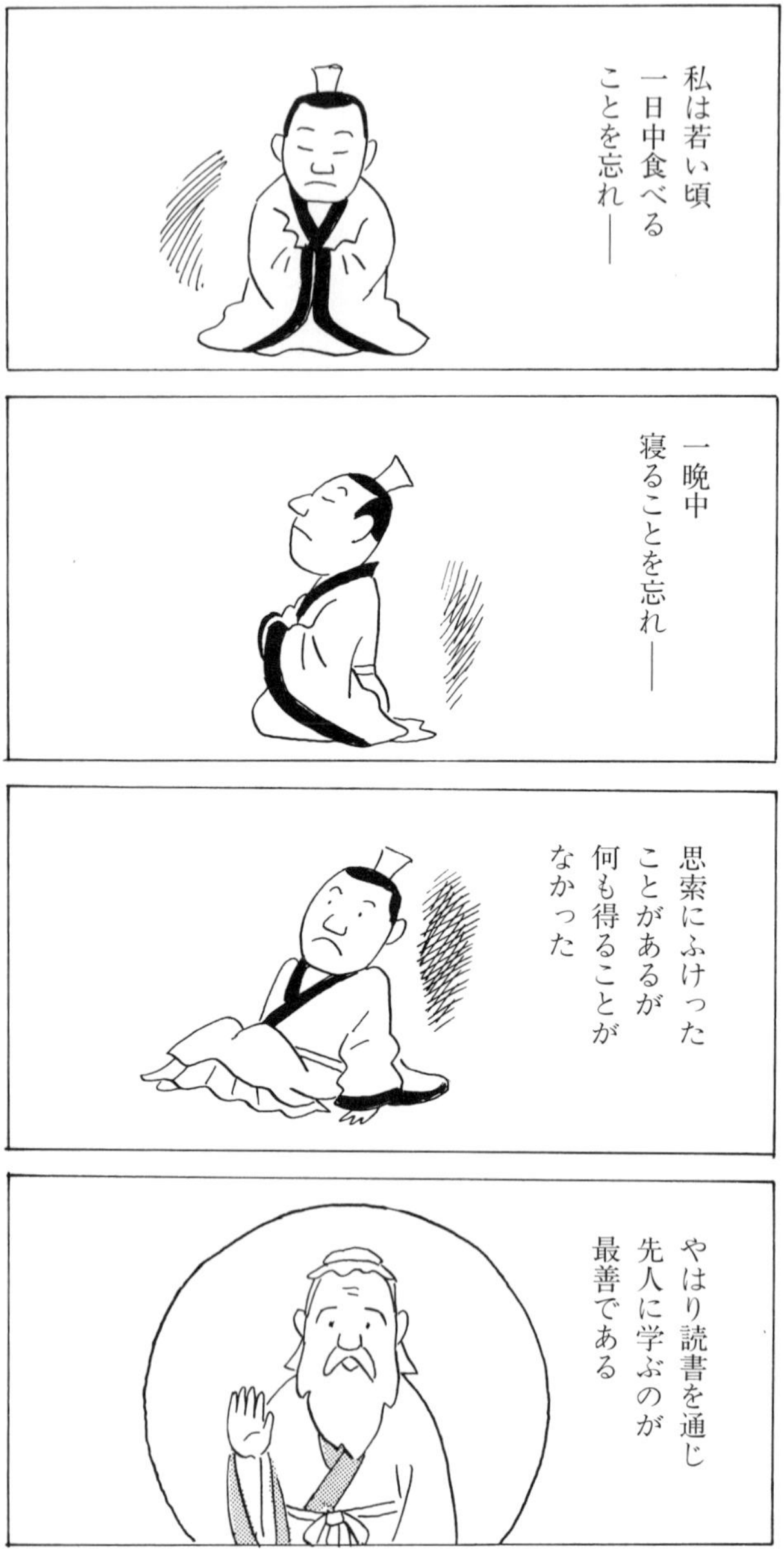
私は若い頃
一日中食べる
ことを忘れ──
一晩中
寝ることを忘れ──
思索にふけった
ことがあるが
何も得ることが
なかった
やはり読書を通じ
先人に学ぶのが
最善である

君子は貧しさを憂えず

子《し》曰《いわ》く、君子《くんし》道《みち》を謀《はか》りて食《しょく》を謀《はか》らず。耕《たがや》して餒《う》え其《そ》の中《うち》に在《あ》り。学《まな》ぶや、禄其《ろくそ》の中《うち》に在《あ》り。君子《くんし》は道《みち》を憂《うれ》えて貧《まず》しきを憂《うれ》えず。

君子は
道徳を第一とする
道徳
生活については
第二である
貧
飢
苦
餓
生活のために
農耕にはげんでも
飢えることはある
学問にはげめば
衣食は自然に
備わるものである
衣
食
学問

要は
「心がけ」
である

子《し》曰《いわ》く、知之《ちこれ》に及《およ》べども、仁之《じんこれ》を守《まも》ること能《あた》わざれば、之《これ》を得《え》ると雖《いえど》も、必《かなら》ず之《これ》を失《うしな》う。知之《ちこれ》に及《およ》び、仁能《じんよ》く之《これ》を守《まも》れども、荘以《そうもつ》て之《これ》に涖《のぞ》まざれば、則《すなわ》ち民敬《たみけい》せず。知之《ちこれ》に及《およ》び、仁能《じんよ》く之《これ》を守《まも》り、荘以《そうもつ》て之《これ》に涖《のぞ》めども、之《これ》を動《うご》かすに礼《れい》を以《もっ》てせざれば、未《いま》だ善《よ》からざるなり。

知識・仁徳・威厳・礼儀

バランスを
とることが
大切

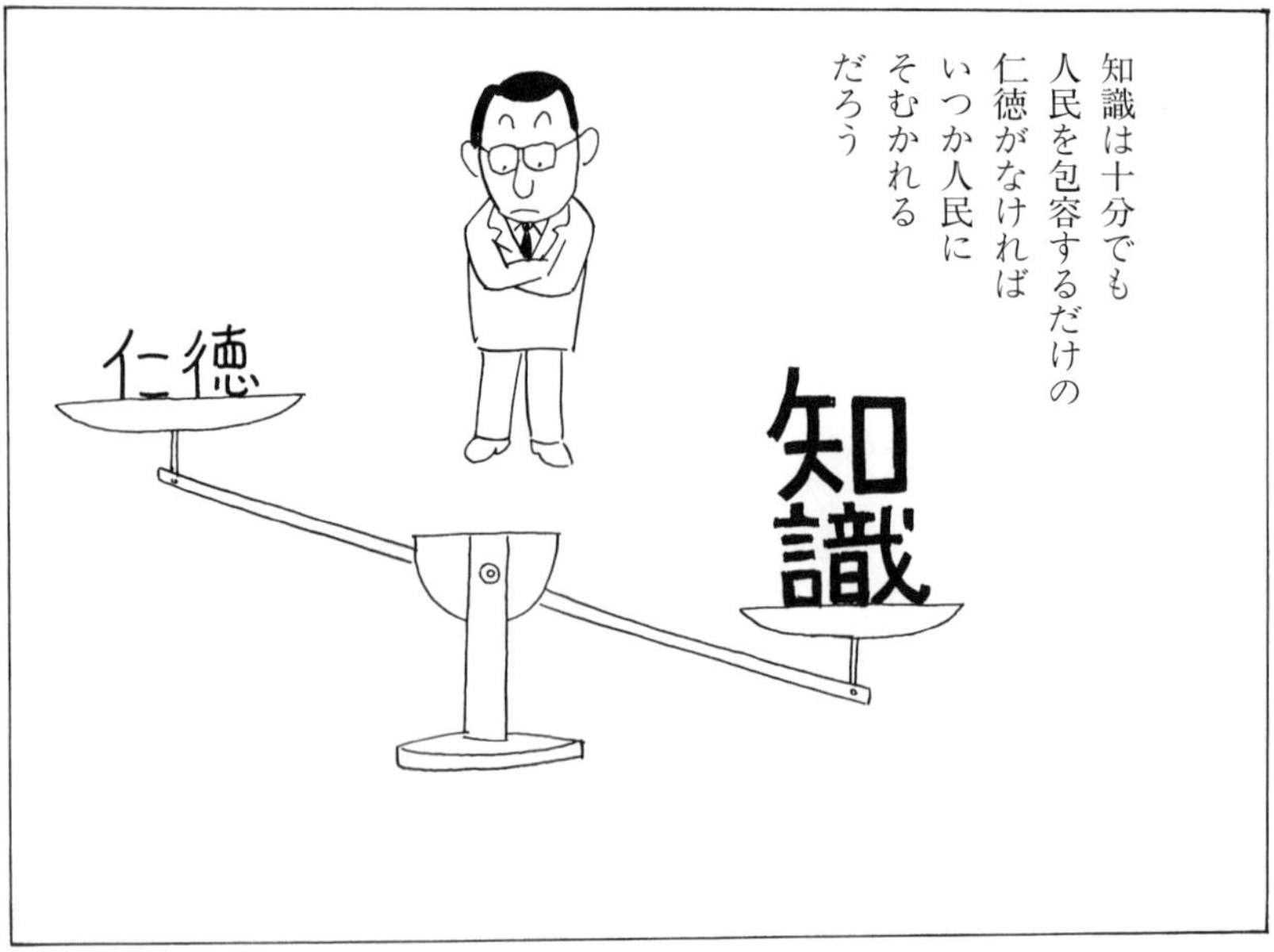
知識は十分でも
人民を包容するだけの
仁徳がなければ
いつか人民に
そむかれる
だろう
仁徳
知識

知識も仁徳も
ともに十分であっても
威厳をもって
ことにあたらなければ
人民の尊敬を
得られない
仁徳
威厳
知識

知識、仁徳、威厳を
そなえていても
人民を動かすとき
礼儀を欠いていたら
完全とは言えない
知識
仁徳
威厳
命令

大仕事・小仕事

子《し》曰《いわ》く、君子《くんし》は小知《しょうち》せしむべからずして、大受《たいじゅ》せしむべきなり。
小人《しょうじん》は大受《たいじゅ》せしむべからずして、小知《しょうち》せしむべきなり。

「適材適所」

君子には
小さな仕事は
向かないが
大きな仕事を
まかせられる
大仕事

小人には
大きな仕事は
まかせられないが
小さい仕事なら
やりこなす
仕事
●人は器量に応じて使うことである。

人間生活でいちばん大切なものは〝仁徳〟

子曰《しいわ》く、民《たみ》の仁《じん》に於《おけ》るや、水火《すいか》よりも甚《はなは》だし。水火《すいか》は、吾《わ》れ蹈《ふ》みて死《し》する者《もの》を見《み》る。未《いま》だ仁《じん》を蹈《ふ》みて死《し》する者《もの》を見《み》ざるなり。

人間を愛し
よい行いをする

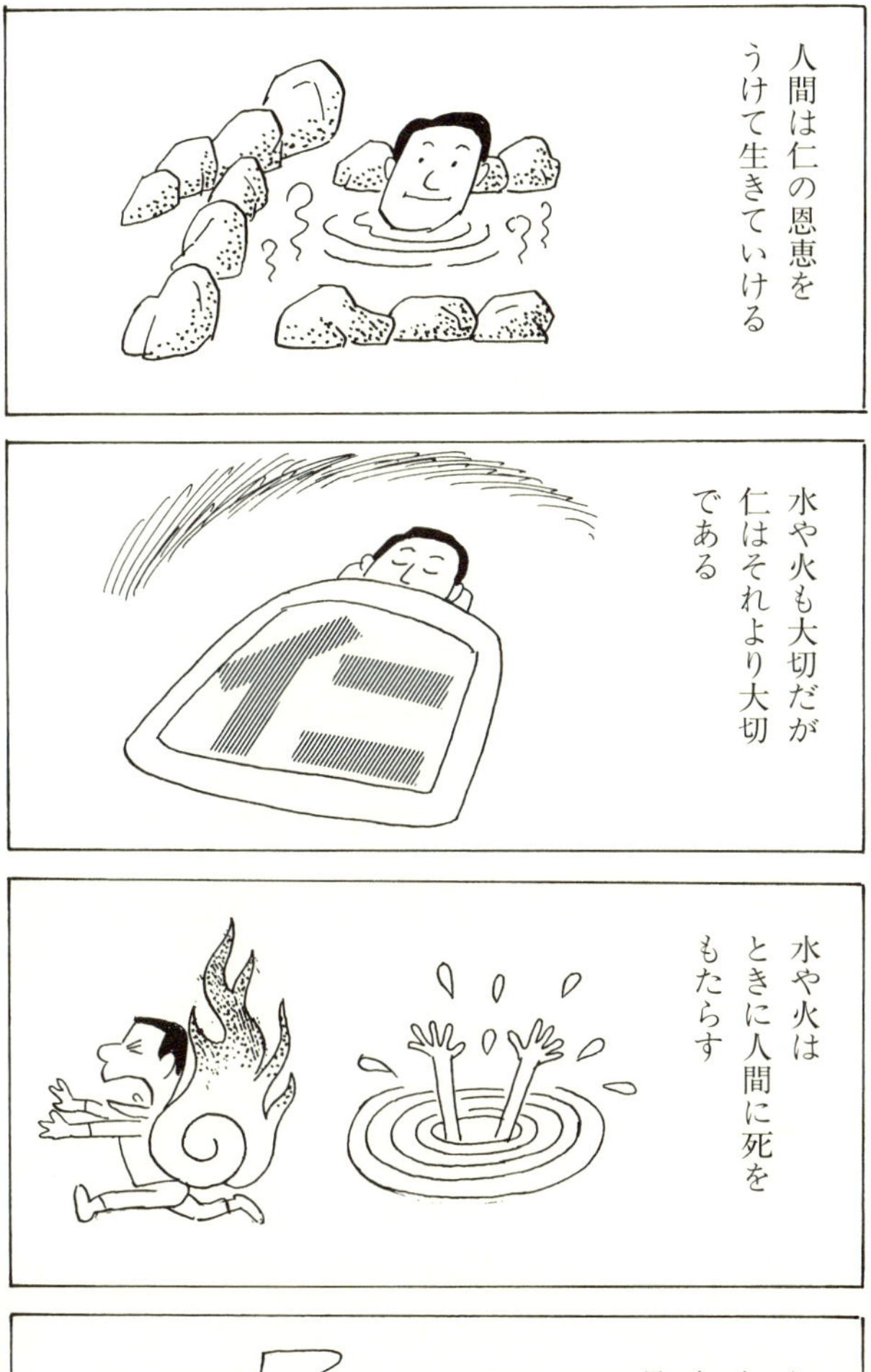
人間は仁の恩恵をうけて生きていける
水や火も大切だが仁はそれより大切である
水や火はときに人間に死をもたらす
しかし仁が人間を殺したなどということは見たこともない

師にもゆずらず

子曰《しいわ》く、仁《じん》に当《あた》りては、師《し》にも譲《ゆず》らず。

仁徳を行うにあたって
先生や先輩に
遠慮することはない
仁徳コース

君子は柔軟である

子曰《しいわ》く、君子《くんし》は貞《てい》にして諒《りょう》ならず。

原則には忠実であり
それでいて柔軟性を
失わないのが君子である
君子には無用
頑固
愚直

仕事第一

子曰《しいわ》く、君《きみ》に事《つか》えては、其《そ》の事《こと》を敬《けい》して其《そ》の食《しょく》を後《のち》にす。

むかし
まず仕事をみて下さい給料はあとまわし
いま
給料が安い待遇が悪い

まず仕事を第一とし
給料や待遇はあとまわし

教育第一

子曰《しいわ》く、教《おし》え有《あ》りて類《るい》無《な》し。

教育

人間はだれでも
教育によって
進歩することが
できる

道不同

子曰《しいわ》く、道同《みちおな》じからざれば、相為《あいため》に謀《はか》らず。

東
西
道が同じでなければ
スケジュールなど
相談してもいたし方ない

言葉について

子曰《しいわ》く、辞《じ》は達《たつ》するのみ。

言葉は、意思を正確に
伝えるものであればよい
美辞
麗句

師冕見《しべんまみ》ゆ。階《かい》に及《およ》ぶ。
子曰《しいわ》く、階《かい》なり。席《せき》に及《およ》ぶ。
子曰《しいわ》く、席《せき》なり。皆坐《みなざ》す。
子《し》、之《これ》に告《つ》げて曰《いわ》く、某《ぼう》は斯《ここ》に在《あ》り、某《ぼう》は斯《ここ》に在《あ》り。師冕《しべん》出《い》ず。
子張《しちょうと》問いて曰《いわ》く、師《し》と言《い》うの道《みち》か。
子曰《しいわ》く、然《しか》り、固《もと》より師《し》を相《たす》くる道《みち》なり。

障害者への接し方

思いやりと
気くばりが
大切

冕《べん》という盲目の楽師が孔子を
たずねてきた
出迎えた孔子は、階段にさしかかると
「階段ですよ」と声をかけ
部屋に入り座席にくると
「お席ですよ」と教えてやった――

全員が着席すると孔子は
だれそれはあちら、だれそれはこちら
と、一人ひとりを紹介した

冕が帰ってから、子張がたずねた
「あれほどまでにするものですか」
「そうだよ、目の不自由な人には
あそこまでしてあげなくてはね」

季《き》氏《し》篇《へん》

この篇が他の篇と違うのは「子曰く」ではなく「孔子曰く」としるされていることである。

季氏の憂い
季氏《きし》（魯《ろ》国の家老）が
顓臾《せんゆ》（山東省の城）を
討伐《とうばつ》しようとした
季氏に仕えていた
子路《しろ》と冉有《ぜんゆう》がそのことを
孔子に知らせにきた
季氏が顓臾を討とうとしています
孔子は冉有に向かって言った
おまえはどんな仕え方をしているんだ 顓臾は先王の時代に東蒙山《とうもうざん》の祭主を命じられた国だ しかもわが魯の領内にある直属の国だ その国に季氏が攻め込むなどとんでもないことだ
これは季氏の考えでわれわれ二人は反対しているのです

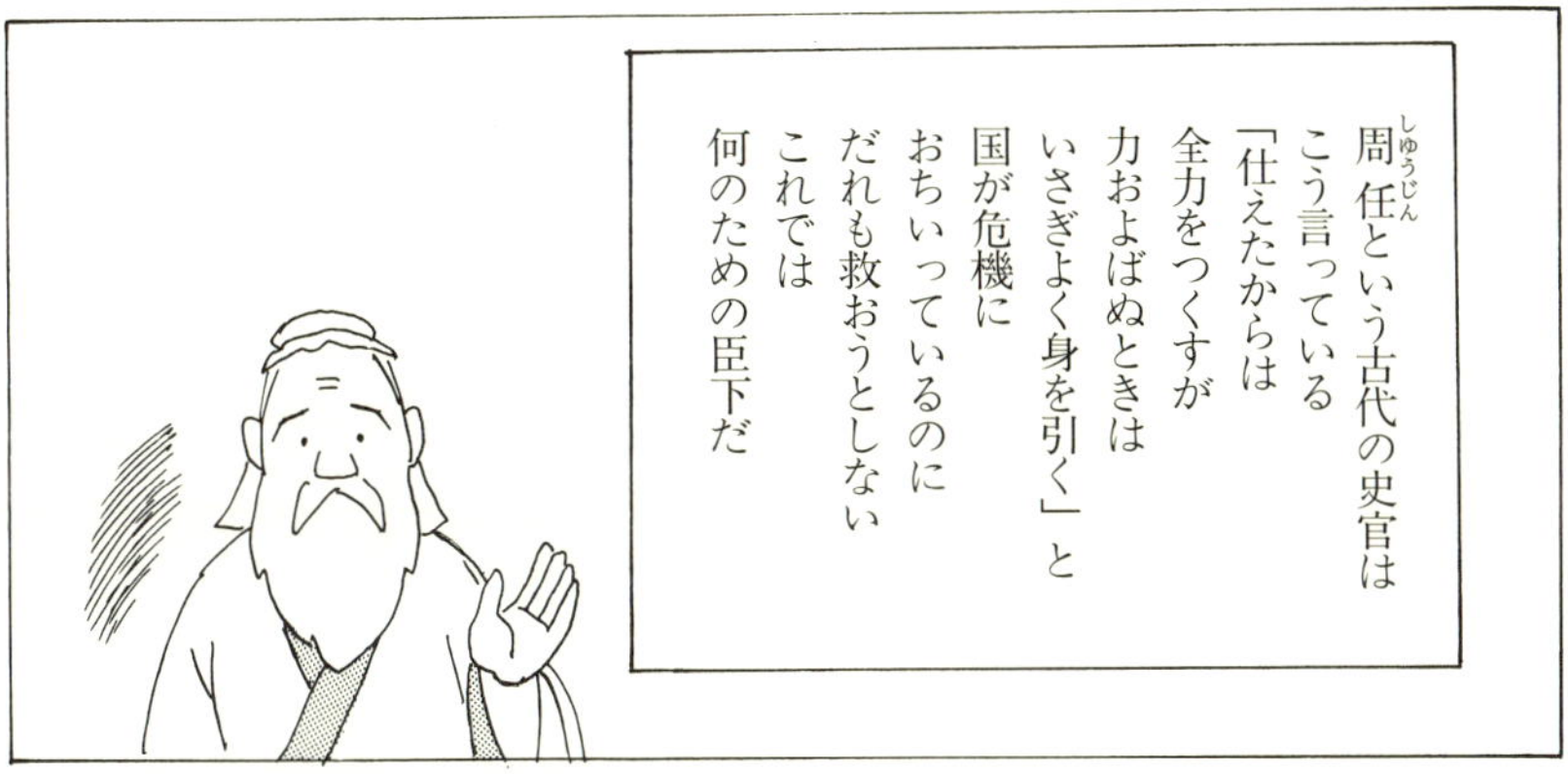
周任《しゅうじん》という古代の史官は
こう言っている
「仕えたからは
全力をつくすが
力およばぬときは
いさぎよく身を引く」と
国が危機に
おちいっているのに
だれも救おうとしない
これでは
何のための臣下だ

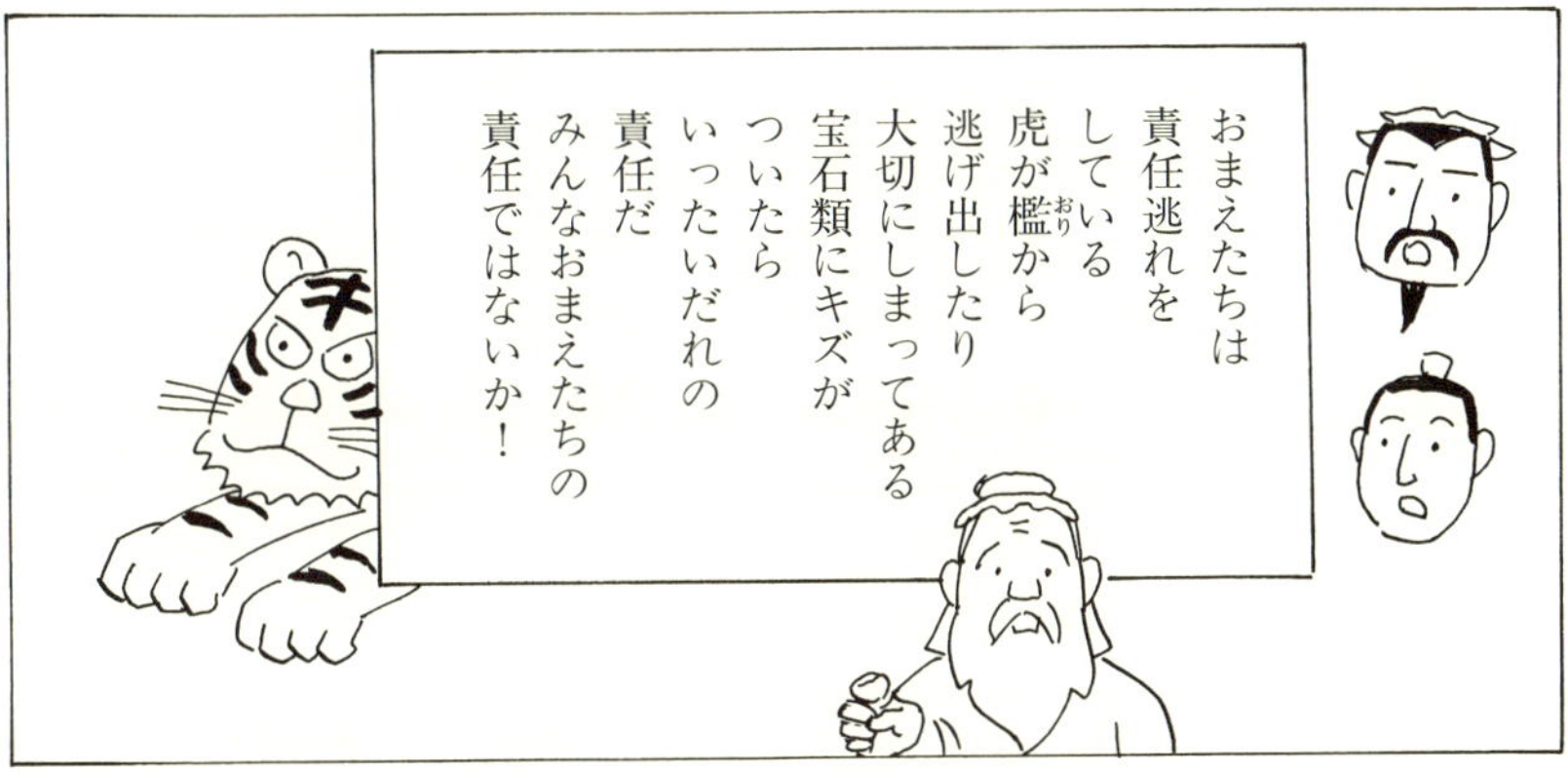
おまえたちは
責任逃れを
している
虎が檻《おり》から
逃げ出したり
大切にしまってある
宝石類にキズが
ついたら
いったいだれの
責任だ
みんなおまえたちの
責任ではないか！

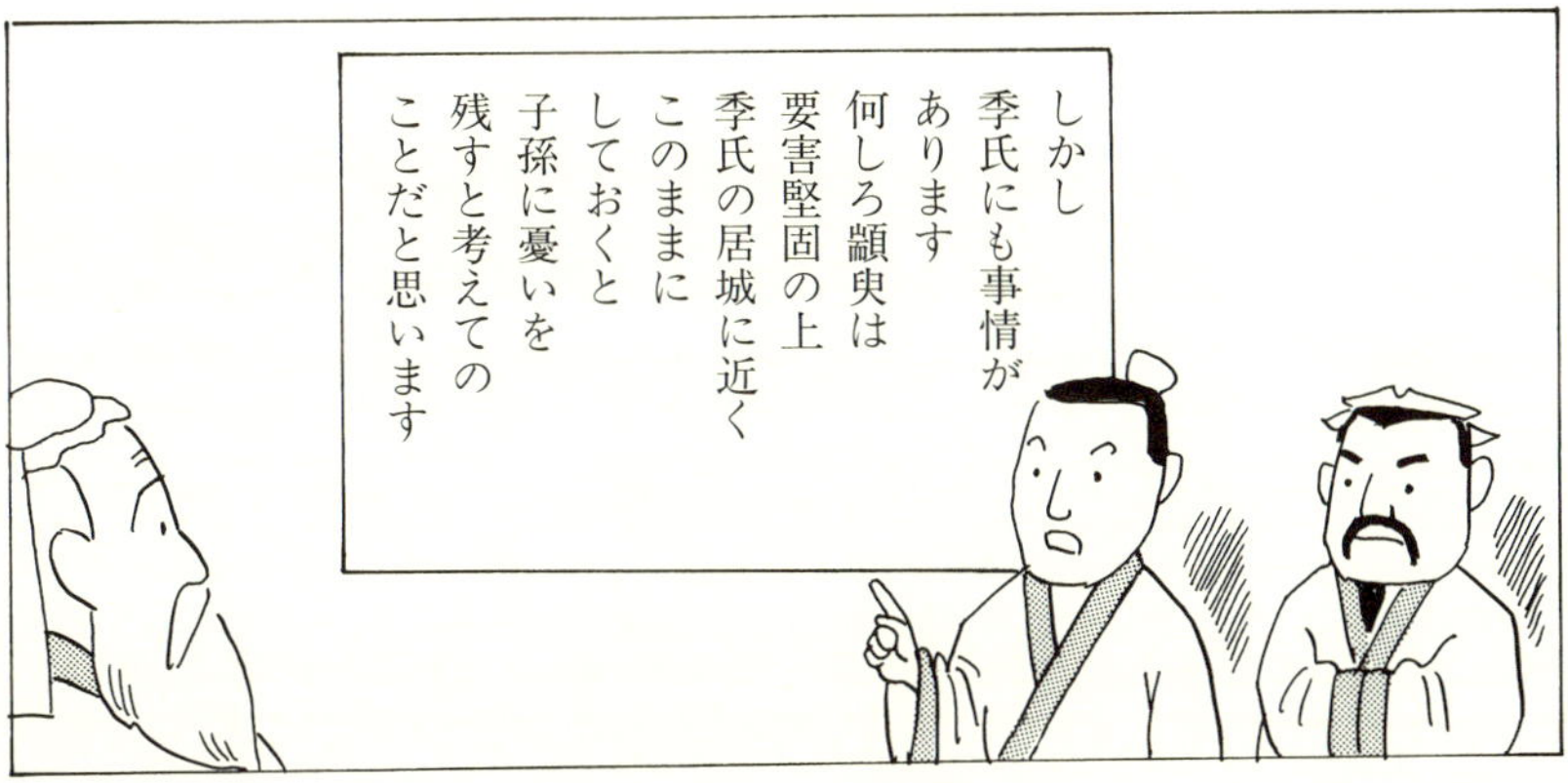
しかし
季氏にも事情が
あります
何しろ顓臾は
要害堅固の上
季氏の居城に近く
このままに
しておくと
子孫に憂いを
残すと考えての
ことだと思います

それは口実だ
自分の野心を
かくしているんだよ
そんな言葉に
まどわされては
ならん
政治を行う者
としてのつとめは
人口を
ふやすことより
人民の生活を
安定させることだ
不平等をなくせば
国は自然に豊かに
なる
人民が安心して
暮らせるならば
人口が
へることもない
この民生の安定が
国を安泰にするのだ
他国を従えたい
ならば
武力にたよらず
文化の力にたよる
べきだ
文化的優越によって
他国の人から
慕われるようにし
慕ってきた人には
その生活を保証
してやることである

それなのに
おまえたちは
季氏を補佐する
立場にありながら
自分の国が
崩壊しかけているのに
それを救うことも
できない
ガーン
それどころか
顓臾に軍を
さし向け
国内戦争さえ
起こそうとして
いたではないか！
季氏が
心配すべ
きことは
顓臾では
なく
自分の
家の中で
ある！

つき合ってためになる友

孔子《こうし》曰《いわ》く、益者三友《えきしゃさんゆう》、損者三友《そんしゃさんゆう》。直《ちょく》を友《とも》とし、諒《りょう》を友《とも》とし、多聞《たぶん》を友《とも》とするは、益《えき》なり。便辟《べんぺき》を友《とも》とし、善柔《ぜんじゅう》を友《とも》とし、便佞《べんねい》を友《とも》とするは、損《そん》なり。

あなたの友人は
ためになる?
ならない?

つき合ってためになる友　三種
剛直な人
誠実な人
博識な人
教養

つき合ってためにならない友　三種
やすきに
つきたがる人
人あたりの
よい人
口先だけ
の人

益者三楽、損者三楽

孔子《こうし》曰《いわ》く、益者三楽《えきしゃさんらく》、損者三楽《そんしゃさんらく》。礼楽《れいがく》を節《せっ》するを楽《たの》しみ、人《ひと》の善《ぜん》を道《い》うを楽《たの》しみ、賢友《けんゆう》多《おお》きを楽《たの》しむは、益《えき》なり。驕楽《きょうらく》を楽《たの》しみ、佚遊《いつゆう》を楽《たの》しみ、宴楽《えんらく》を楽《たの》しむは、損《そん》なり。

有益な楽しみ　三種
礼儀と雅楽を節度正しく行う楽しみ
人の美点をほめる楽しみ
多くの良友をもつ楽しみ

有害な楽しみ　三種
わがままにふるまう楽しみ
なまけて遊ぶ楽しみ
酒色にふける楽しみ

三つの過ち

孔子《こうし》曰《いわ》く、君子《くんし》に侍《はべ》るに、三愆有《さんけんあ》り。言未《げんいま》だ之《これ》に及《およ》ばずして言《い》う、之《これ》を躁《そう》と謂《い》う。言之《げんこれ》に及《およ》びて言《い》わざる、之《これ》を隠《いん》と謂《い》う。未《いま》だ顔色《がんしょく》を見《み》ずして言《い》う、之《これ》を瞽《こ》と謂《い》う。

年長者と話すときのマナー

孔子の言う〝三愆《さんけん》〟とは
三つの過ちのこと
これは年長者と
話をするときの
礼儀である

話題がまだそこまでいかないのに先取りして言い出す
これを「軽はずみ」という

相手に意見を求められているのに答えない
これを「隠しだて」という

相手の顔色も見ないで一方的にしゃべる
これを「目を閉じる」という

君子三戒

孔子《こうし》曰《いわ》く、君子《くんし》に三戒《さんかい》有《あ》り。少《わか》き時《とき》は、血気《けっき》未《いま》だ定《さだ》まらず。之《これ》を戒《いまし》むること色《いろ》に在《あ》り。其《そ》の壮《そう》なるに及《およ》びては、血気《けっき》方《まさ》に剛《ごう》なり、之《これ》を戒《いまし》むること闘《とう》に在《あ》り。其《そ》の老《お》ゆるに及《およ》びては、血気《けっき》既《すで》に衰《おとろ》う、之《これ》を戒《いまし》むること得《とく》に在《あ》り。

三つの欲望をおさえる

若いときは血の気《け》が安定していないので色欲を警戒しなさい

血気が盛んな壮年期には闘争欲を警戒しなさい

血気が衰えてくる老年期には名誉欲や物欲を警戒しなさい

三つのおそれ

孔子《こうし》曰《いわ》く、君子《くんし》に三畏《さんいあ》有り。天命《てんめい》を畏《おそ》れ、大人《たいじん》を畏《おそ》れ、聖人《せいじん》の言《げん》を畏《おそ》る。
小人《しょうじん》は天命《てんめい》を知《し》らずして畏《おそ》れざるなり。大人《たいじん》に狎《な》れ、聖人《せいじん》の言《げん》を侮《あなど》る。

〈君子の場合〉

一、天命に対して敬虔《けいけん》であること

二、大人《たいじん》（すぐれた道徳者）に対して敬虔であること

三、古代賢人《けんじん》の言葉に敬虔であること

〈小人の場合〉

一、天命の存在を意識していない

二、大人《たいじん》に対してもなれなれしくぞんざいな態度をとる

三、賢人の教えを軽蔑する

深くうやまいつつしむ態度を敬虔《けいけん》という

最高の人、最低の人

孔子《こうし》曰《いわ》く、生《うま》れながらにして之《これ》を知《し》る者《もの》は上《じょう》なり。学《まな》んで之《これ》を知《し》る者《もの》は次《つぎ》なり。困《くる》しみて之《これ》を学《まな》ぶは又其《またそ》の次《つぎ》なり。困《くる》しみて学《まな》ばざるは、民《たみ》にして斯《こ》れを下《げ》と為《な》す。

知性による人間ランク

知性
生まれながらに知性にめぐまれている者は最高である
知性
勉強して知性を身につけた者はそのつぎのクラス
知性
必要にせまられて勉強した者はさらにそのつぎである
必要にせまられても勉強しようとしない者は最低である

君子に九思あり

孔子《こうし》曰《いわ》く、君子《くんし》に九思《きゅうし》有《あ》り。視《み》るには明《めい》を思《おも》い、聴《き》くには聡《そう》を思《おも》い、色《いろ》は温《おん》を思《おも》い、貌《かたち》は恭《きょう》を思《おも》い、言《げん》は忠《ちゅう》を思《おも》い、事《こと》は敬《けい》を思《おも》い、疑《うたが》いには問《と》うを思《おも》い、忿《いか》りには難《なん》を思《おも》い、得《う》るを見《み》ては義《ぎ》を思《おも》う。

君子は、常に九つのことを念頭におくべきである

1、視覚において明敏であること

2、聴覚において鋭敏であること

3、表情はおだやかであること

4、態度において
つつしみ深く

5、発言において
誠実に

6、行動において
慎重であること

7、疑問を感じたら
相手にたずねる

8、腹が立ったとき
まわりに迷惑をかけない

9、利益を前にして
正義を忘れないこと

人間の意志

孔子《こうし》曰《いわ》く、善《ぜん》を見《み》ては及《およ》ばざるが如《ごと》くし、不善《ふぜん》を見《み》ては湯《ゆ》を探《さぐ》るが如《ごと》くす。吾《わ》れ其《そ》の人《ひと》を見《み》る、吾《わ》れ其《そ》の語《ご》を聞《き》く。隠居《いんきょ》して以《もっ》て其《そ》の志《こころざし》を求《もと》め、義《ぎ》を行《おこな》いて以《もっ》て其《そ》の道《みち》を達《たっ》す。吾《わ》れ其《そ》の語《ご》を聞《き》く、未《いま》だ其《そ》の人《ひと》を見《み》ざるなり。

意志の強い
人物とは——

よいことと見たら
急いで追いかける
悪いと見たら
あわててその手を
ひっこめ、悪から
遠ざかる
わたしは
そんな人物を
見たことがある
善
悪

しかし、隠居しても
志を変えず
正義を貫こう
とする意志の強い
人物には
まだ会ったことがない
正義

亡き人を惜しむ

斉の景公《けいこう》は、馬だけでも四千頭
莫大な財産を持っていた
けれども景公が死んだとき
惜しい人を亡くしたと悼んだ人は
一人もいなかった

しかし、伯夷《はくい》と叔斉《しゅくせい》は
首陽山《しゅようざん》のふもとで餓死《がし》する運命
をたどったが、人びとは、今でも
二人を讃えてやまない

●人間の価値は富ではなく、何を成したかという
その行為が標準になるということである。

孔子の教え方

孔子の弟子陳亢《ちんこう》が
孔子の長男である伯魚《はくぎょ》に
たずねた――
あなたなら
先生から特別な
教えを受けた
でしょう

いいえ、ただ父の前を
通りかかったとき
「詩を勉強したかね」と
声をかけられ
「いいえまだです」と
答えますと、父は
「詩を勉強しないと
表現力が養われんよ」
と言われ
それから詩を勉強
しました

そのつぎ、また父が
庭先に一人でいるとき
わたしが通りかかりますと
「礼を勉強したかね」と
聞かれました
「いいえ、まだです」と
答えますと、父は
「礼を勉強しないと
まともな社会人には
なれんよ」と言われ
それで礼を勉強
しました

特別な教えと
いえば
この二つ
でしょうか

陳亢は伯魚と別れてから
感激して言った――
一つの質問で
三つの収穫が
あったぞ！
なぜ詩が大切か
なぜ礼が大切か
そして
三つめは
君子は
わが子だからと
特別扱いは
しないということだ

●家庭の教えという意味の「庭訓《ていきん》」という言葉は、ここから生まれました。

陽貨篇《ようかへん》

この篇の特徴は、活発な言葉と興味ある話題に富んでいることである。

境遇と教育によって差がつく

子《し》曰《いわ》く、性《せい》相《あい》近《ちか》し。習《ならい》相《あい》遠《とお》し。

人間、生まれつきの素質は
似かよっている
その後の習慣や教育で
大きな差がついてくる
教育

教育の限界

子《し》曰《いわ》く、唯《た》だ上知《じょうち》と下愚《かぐ》とは移《うつ》らず。

だれでも境遇と教育によって
よくも悪くもなるが
最上の天才と
最低の愚か者だけは
変わりようがない

五つの徳

子張が、どのような行為が仁《じん》なのか、と
孔子にたずねた
孔子は言った——
五つの徳を政治に
生かすことができれば
まず仁といってもいい

謙虚、寛容、誠実、勤勉、慈愛
の五つだよ
謙虚であれば、人から軽視されることはない
寛容であれば、人が集まってくる
誠実であれば、人の信頼を得ることができる
勤勉であれば、仕事を成功させることができる
慈愛をもって接すれば、
人はよろこんでついてくる

苦瓜《にがうり》はいやだ
孔子が晋《しん》の国の陪臣胇肸《ひっきつ》から招かれ
それに応じようとしたとき
子路が反対して言った——
〃君子は、自分から
進んで悪事を
はたらく者には
手を貸さない〃と
そう教えてくださった
のは先生です
胇肸は、中牟《ちゅうぼう》を
占拠して反乱を
起こした謀叛《むほん》人です
そんな相手に手を貸す
なんて納得がいきません

孔子は答えた——
たしかにそう言った
しかしこんな
ことわざがある
〃本当に堅ければ
砥石《といし》にかけても
薄くはならぬ
本当に白ければ
いくら染めても
黒くはならぬ〃
まして私は
苦瓜《にがうり》ではない
いつまでも
見向きもされず
ぶらさがっては
いたくないのだ

美徳と弊害

一、仁にたよって
学問を
おろそかに
したら
情におぼれて
愚かになる

二、知識をたよって
学問をおろそか
にしたら
思考がまとまらず
収拾がつかない

三、信をたよって
学問を
おろそかにしたら
かえって人を
傷つけることも
ある

四、直についても
学問を
おろそかにしたら
杓子定規に
なるだけ

五、勇や剛にしても
学問を忘れたら
乱れたり
狂気の沙汰と
なる

学問を通じてこそ
みんな血となり
肉となるのである

塀の前で立っている

子《し》、伯魚《はくぎょ》に謂《い》いて曰《いわ》く、女《なんじ》周南《しゅうなん》・召南《しょうなん》を為《まな》びたるか。人《ひと》にして周南《しゅうなん》・召南《しょうなん》を為《まな》ばざれば、其《そ》れ猶《な》お正《まさ》しく牆《かき》に面《めん》して立《た》つがごときか。

壁をのり越える

孔子が、わが子伯魚《はくぎょ》に向かって言った――
お前は詩経の周南と召南の二篇をよく読んだかね
これを読まないうちは人間を理解したとはいえない

たとえてみれば塀の手前で突っ立っているようなものだ
(前にも進まないし家の中も見えない)

注・〈周南・召南〉―詩経「国風《こくふう》」の冒頭にある二地方の民謡。愛情をうたったものが大部分である。

礼儀と音楽

子《し》曰《いわ》く、礼《れい》と云《い》い礼《れい》と云《い》う、玉帛《ぎょくはく》を云《い》わんや。楽《がく》と云《い》い楽《がく》と云《い》う、鐘鼓《しょうこ》を云《い》わんや。

大切なのは
形式より心

礼儀、礼儀というけれど
道具をかざりたてるのが
礼儀じゃない
礼
礼儀
礼儀

音楽、音楽というけれど
鐘や太鼓だけが音楽ではない

●礼儀作法や音楽は形式よりもその精神が大切だということである。

見かけと中身

子《し》曰《いわ》く、色厲《いろれい》にして内荏《うちじん》なるは、諸《こ》れを小人《しょうじん》に譬《たと》うれば、其《そ》れ猶《な》お穿窬《せんゆ》の盗《とう》のごときか。

表裏一体の人間でありたい

見かけは威厳があって
たのもしそうだが、その中身は
臆病で主体性のない人間……
表
裏
ビク
ビク
そわ
そわ

それは、小人に例をとると
みみっちいコソ泥のようなものだ
●孔子は、見かけだおしや、こけおどしで人を威圧する
人間を嫌悪していた。

偽善者

子《し》曰《いわ》く、郷原《きょうげん》は徳《とく》の賊《ぞく》なり。

選挙区で俗人の
評判がよい候補者
はうわべだけの
偽善者が多い！

受け売り

子《し》曰《いわ》く、道《みち》に聴《き》きて塗《みち》に説《と》くは、徳《とく》を之《これ》棄《す》つるなり。

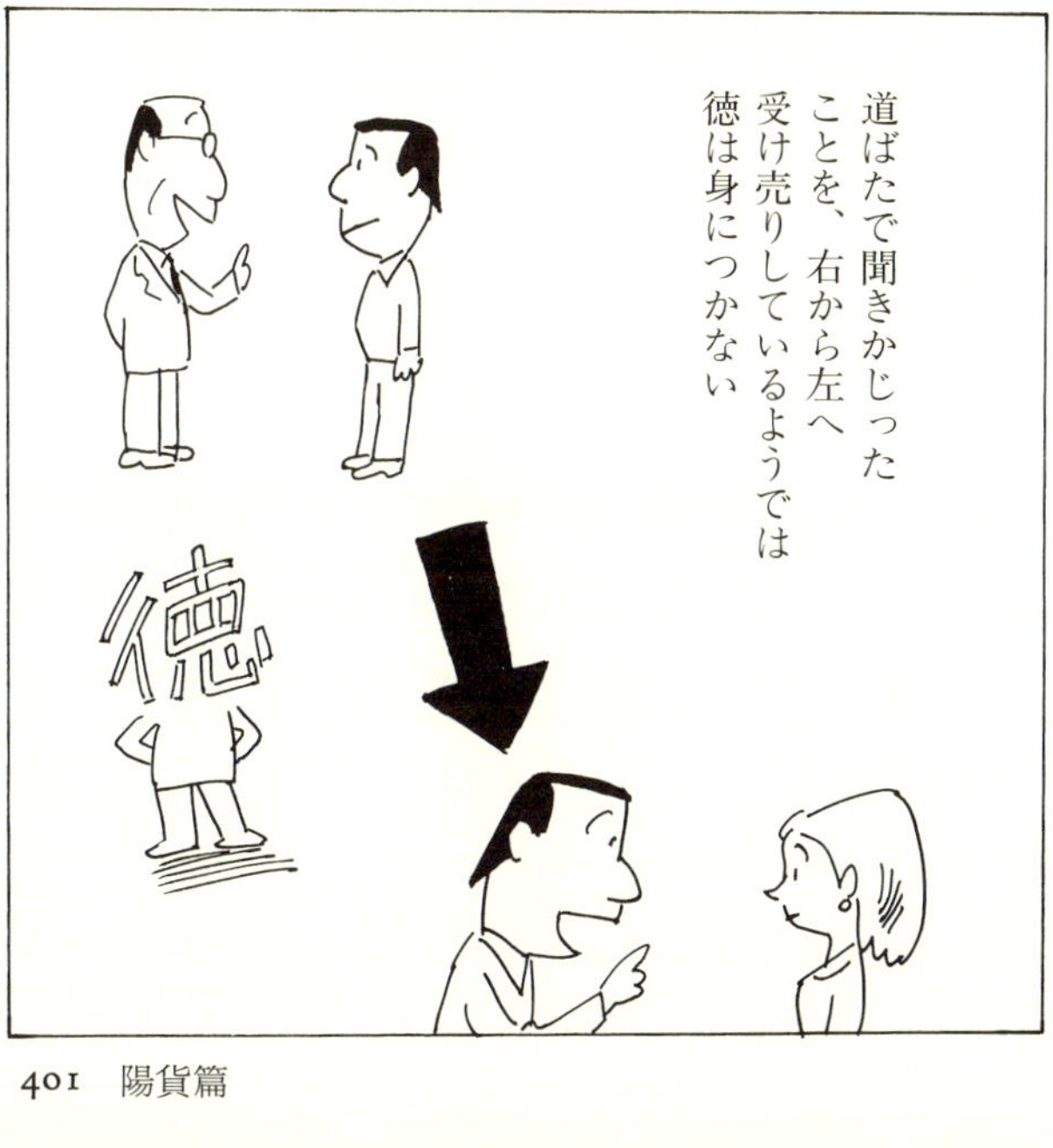
道ばたで聞きかじった
ことを、右から左へ
受け売りしているようでは
徳は身につかない
徳

職場を共にしたくない人

子《し》曰《いわ》く、鄙《ひ》夫《ふ》は与《とも》に君《きみ》に事《つか》う可《べ》けんや。其《そ》の未《いま》だ之《これ》を得《え》ざるや、之《これ》を得《え》んことを患《うれ》う。既《すで》に之《これ》を得《う》れば、之《これ》を失《うしな》わんことを患《うれ》う。苟《いやし》くも之《これ》を失《うしな》わんことを患《うれ》うれば、至《いた》らざる所無《ところな》し。

心根のいやしい男とは
職場を共にしたくない
その理由は
三つあるよ
急募
一つめは
就職する
までは
職を手に
入れようと
ジタバタする
二つめは
いったんその職に
ありつくや
こんどはクビの
心配ばかり
している
三つめは
こうなると
保身のために
どんな恥知らずの
ことでも
やりかねない
恥

昔のバカ・今のバカ

昔も三種のきらわれ者がいた
しかし、彼らには彼らなりのよさがあったが、今ではそのよさもない

昔の無法者は
太《ふと》っ腹だった

今の無法者は
ただの暴れん坊だ

昔の頑固者は
頑固の中にもスジを
通した

今の頑固者は
すぐ腹を立てて
ケンカするだけだ

昔のバカ者は
愚直なりのよさがあった

今のバカ者は
人をだますことばかり
考えている

二千五百年後の
現代も
まったく孔子の
おっしゃる通り

人間のにせもの

子《し》曰《いわ》く、紫《むらさき》の朱《しゅ》を奪《うば》うを悪《にく》む。鄭声《ていせい》の雅楽《ががく》を乱《みだ》るを悪《にく》む。利口《りこう》の邦家《ほうか》を覆《くつがえ》す者《もの》を悪《にく》む。

近ごろは
赤にかわって
まぎらわしい紫が
もてはやされている
伝統的な音楽が
忘れられ、低俗な
曲が横行している
口先ばかりの人間が
重用され国の前途が
危ぶまれている
ニセモノの横行
私はこれに腹が
立つのだ

見かけに
だまされるな

天何をか言うや

子曰《しいわ》く、予《わ》れ言《い》うこと無《な》からんと欲《ほっ》す。子貢曰《しこういわ》く、子《し》如《も》し言《い》わずんば、則《すなわ》ち小子《しょうし》何《なに》をか述《の》べん。子曰《しいわ》く、天何《てんなに》をか言《い》わんや、四時行《しじおこな》われ、百物生《ひゃくぶつしょう》ず。天何《てんなに》をか言《い》わんや。

あるとき、孔子は「もう何も話したくない」と言った
子貢が驚いて言った――
それでは私たちに先生の教えが伝わりません
孔子――
天は何も語らない
それでも四季はめぐり
万物は生長している
天は何も語らないよ

何も言わない“天の啓示”

会いたくない

孺悲《じゅひ》、孔子《こうし》に見《まみえ》んと欲《ほっ》す。孔子《こうし》辞《じ》するに疾《やまい》を以《もっ》てす。命《めい》を将《おこな》う者《もの》、戸《と》を出《い》ず。瑟《しっ》を取《と》りて歌《うた》い、之《これ》をして之《これ》を聞《き》かしむ。

言外の意思表示を読み取る

魯の国の有力者で孺悲《じゅひ》という男が孔子に会いに来た孔子は病気と言って面会をことわった
先生はあいにく・・・
取り次ぎの者がその旨を客に伝え客が帰りかけた頃を見はからい孔子は琴をひき歌をうたった
孔子は病気じゃない・・・
孔子は病気ではないことを知らせ客とは会いたくないという事情が別にあることを知らせ反省をうながしたのです

困った連中

子《し》曰《いわ》く、飽食終日《ほうしょくしゅうじつ》、心《こころ》を用《もち》うる所無《ところな》きは、難《かた》いかな、博弈《はくえき》なる者有《ものあ》らずや、之《これ》を為《な》すは猶《な》お已《や》むに賢《まさ》れり。

頭を使わないと退化する

一日中飲んで食べるだけで
頭も心も使おうとしない連中は
困りものだ

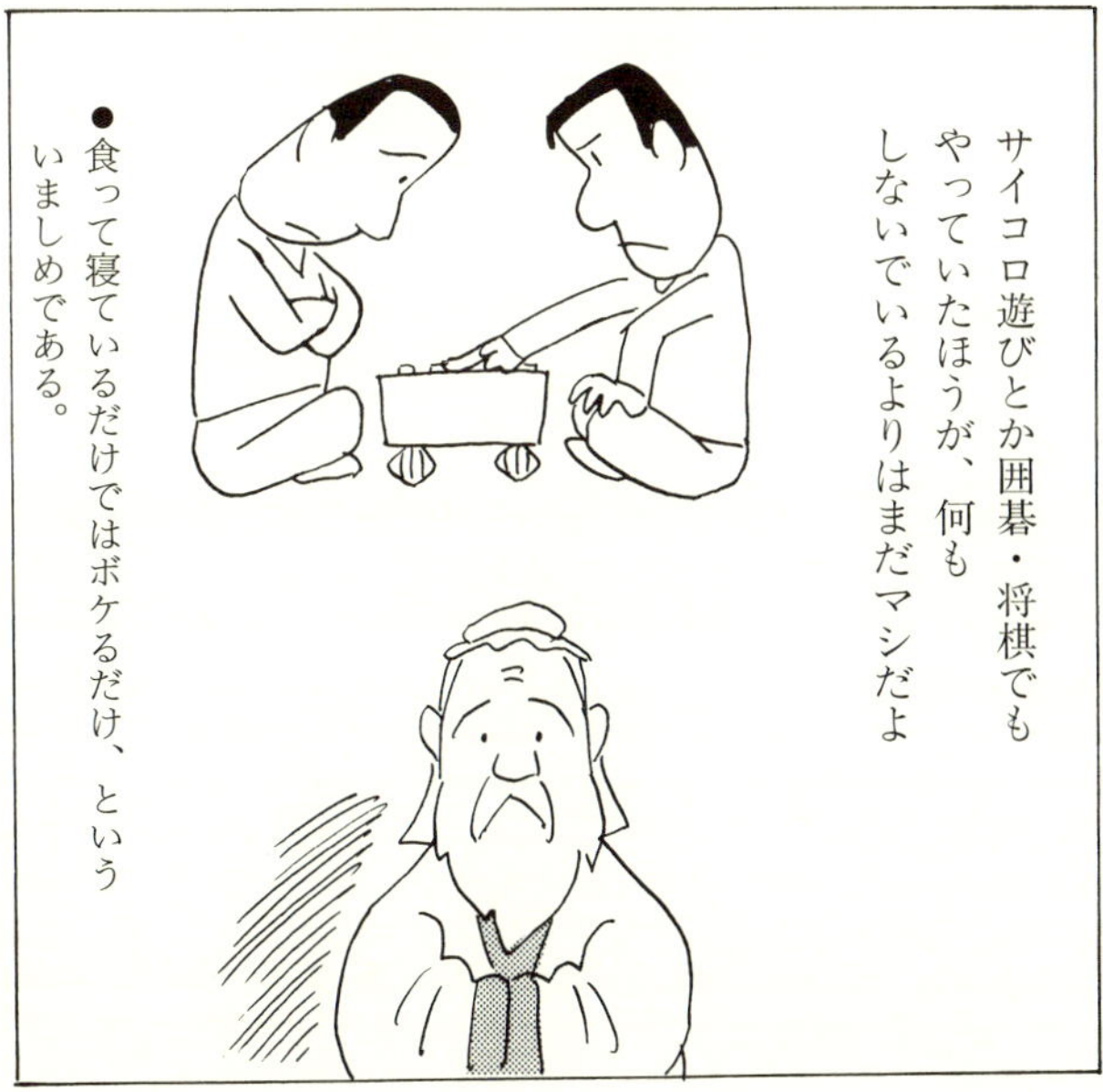
サイコロ遊びとか囲碁・将棋でも
やっていたほうが、何も
しないでいるよりはまだマシだよ
●食って寝ているだけではボケるだけ、という
いましめである。

勇気と正義

子路《しろ》曰《いわ》く、君子《くんし》は勇《ゆう》を尚《とうと》ぶか。子《し》曰《いわ》く、君子《くんし》は義《ぎ》以《もっ》て上《かみ》と為《な》す。君子《くんし》、勇有《ゆうあ》りて義《ぎ》無《な》ければ、乱《らん》を為《な》す。小人《しょうじん》、勇有《ゆうあ》りて義《ぎ》無《な》ければ、盗《とう》を為《な》す。

子路が孔子にたずねた――
君子にとって大切なものは
勇気だと思いますが
孔子は答えた――
勇気も大切だが
君子は正義が
何より大切だ
勇気があっても
正義に欠けていたら
乱をおこすことになる
勇
正義

小人の場合
勇気があっても
正義に欠けていたら
泥棒になりかねない
勇
気
正義

この世に正義が
なかったら
まっくらやみ

私が憎む連中
「先生でも人を憎むことが
ありますか」
と子貢が孔子にたずねた
孔子——
あるとも
他人の失敗を喜ぶ者
上司のかげ口を叩く者
ただの乱暴を勇気と
はきちがえている者
独断を決断と勘違いしている者
わたしは、こんな連中を
憎むが、おまえはどうかね

子貢——
わたしは
他人の知恵を盗んで
知恵者ぶってる者
出しゃばりが
勇敢だと思っている者
他人の秘密をあばいて
正直だと思っている者を
憎みます

女子と小人

子《し》曰《いわ》く、唯《た》だ女子《じょし》と小人《しょうじん》とは、養《やしな》い難《がた》しと為《な》す。之《これ》を近《ちか》づくれば則《すなわ》ち不孫《ふそん》なり。之《これ》を遠《とお》ざくれば則《すなわ》ち怨《うら》む。

女子と小人は扱いにくい
近づければつけあがり
遠ざければ逆恨みする
●女性を蔑視《べっし》していた封建《ほうけん》時代の中国ならともかく、現代では通用しない言葉です。

年四十にして憎まれる

子《し》曰《いわ》く、年《とし》四十《しじゅう》にして悪《にく》まるれば、其《そ》れ終《おわ》らんのみ。

四十歳になって
人からにくまれ
きらわれるようでは
もうおしまいだね
き
ら
い

微子篇《びしへん》

この篇から以下の子張篇、尭曰篇は、これまでの篇とは異なった内容であり、いわば付録のようなものである。

この篇は、「子曰く」で始まるものが一章もなく、孔子の周辺についての記述が多い。

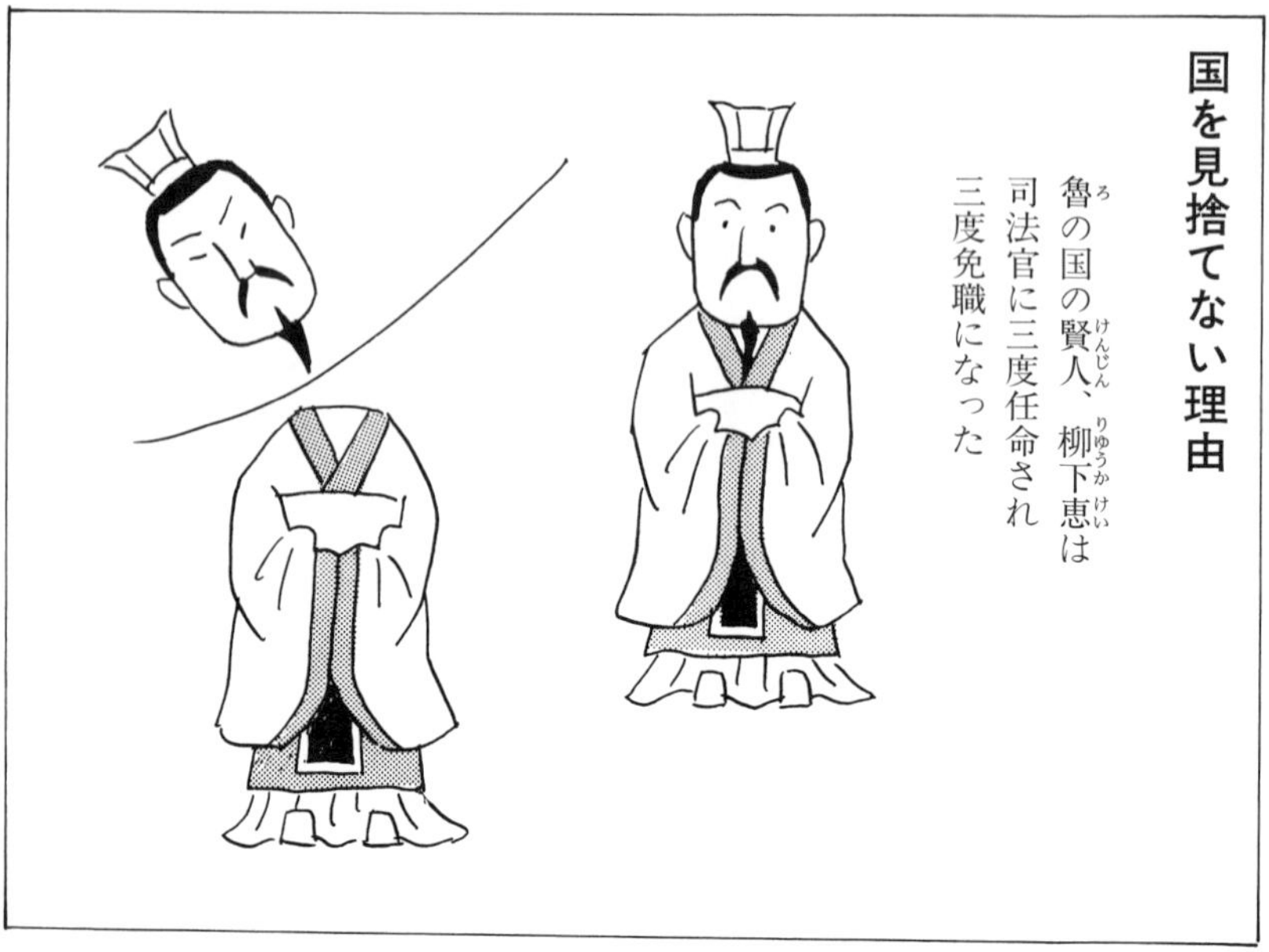
国を見捨てない理由
魯《ろ》の国の賢人《けんじん》、柳下恵《りゅうかけい》は
司法官に三度任命され
三度免職になった

ある人が柳下恵に言った——
あなたは
まだこの国を
見捨てないのですか
あなたほどの人なら
ほかの国へ行っても
重用されるでしょうに

正しい道をまげずにまっすぐ人に仕えるからはどこへ行っても三度くらいは免職になるよ
道をまげて人に仕えれば免職にはならないだろうそれもどこの国へ行っても同じだよだとすれば父母の国を立ち去る必要がどこにあるか

旅のエピソード①
孔子の一行が川にさしかかったとき近くで畑を耕していた長沮《ちょうそ》と桀溺《けつでき》という二人の男に、子路が渡し場をたずねに行った――

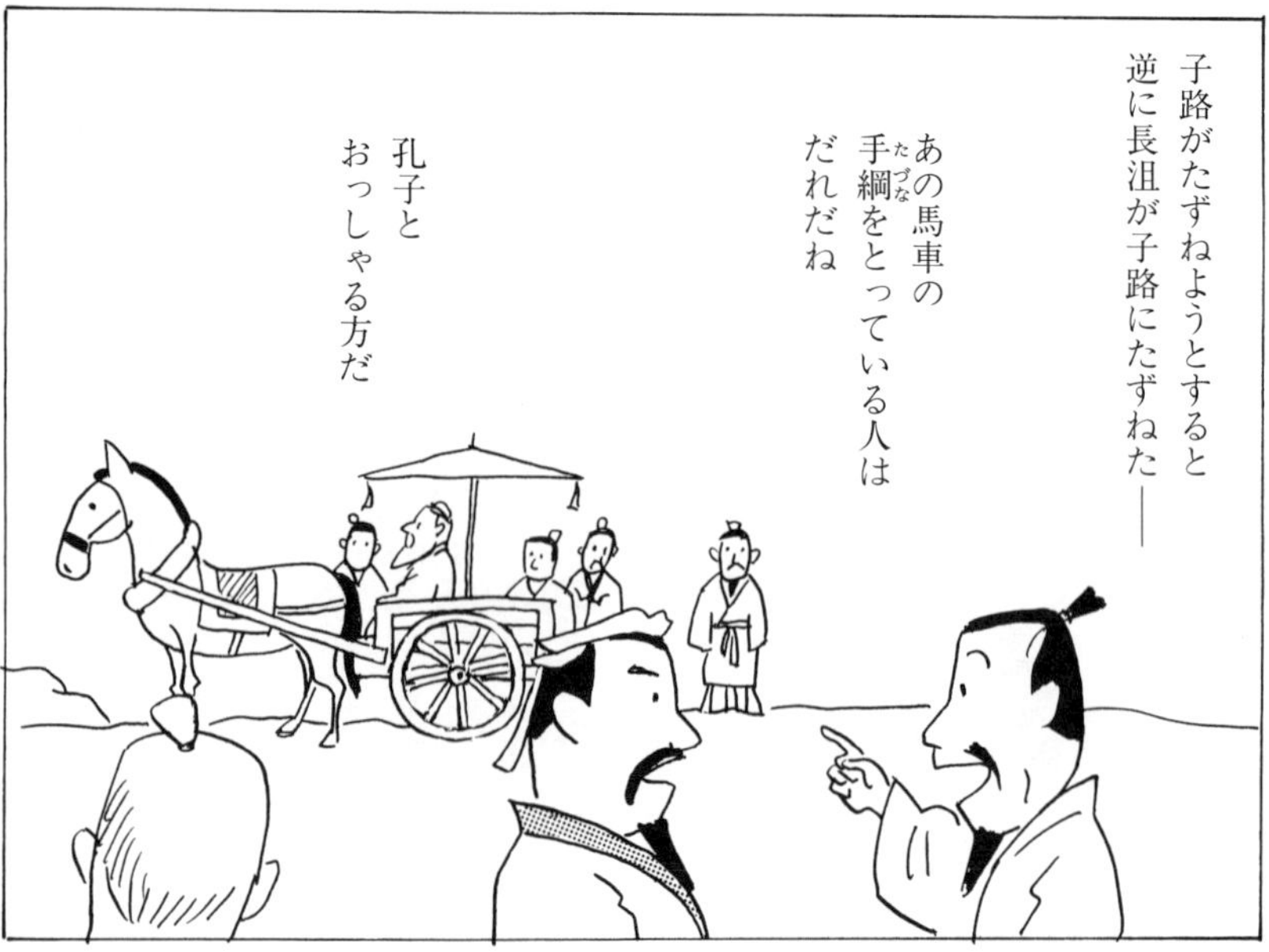
子路がたずねようとすると逆に長沮が子路にたずねた――
あの馬車の手綱《たづな》をとっている人はだれだね
孔子とおっしゃる方だ

魯《ろ》の国を出て
諸国を
まわっている男だな
そうです
それなら
渡し場は彼が
知っているよ
人生の
いろいろな
渡し場をな

長沮が答えて
くれないので、子路は
桀溺に向かって
たずねた――
そういう
あんたは
だれだね
わたしは
子路と
言います
孔子の弟子
だね
そうです

よいかな子路よ
世の中というのは
すべてこの河のように
滔々《とうとう》と流れ去っていく
だれもその流れを
押し止《とど》めることは
できない
天下の大勢だって
そうだ、人の力で
改革できると
思っているのかい
人間をよりごのみ
している孔子のような
男についてまわるより
世間を見捨てた
わたしたちの仲間に
なったほうがいいぞ

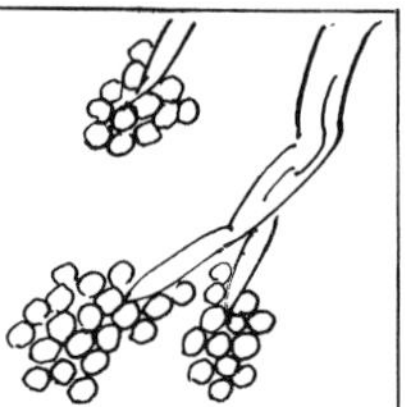

やむなく引き返した子路は
孔子に報告した
孔子は憮然《ぶぜん》として言った――
だからといって
鳥やけものと
暮らすわけには
いくまい
人間の可能性を信じて
人間社会にふみとどまって
いたいのさ
ちゃんとした世の中なら
わたしだってこんなに
動きまわったりする
必要はない

旅のエピソード②
子路が孔子の一行から
はぐれたとき、杖の先に
竹かごをつけて肩にかついだ
老人と出会った

私の先生を
見かけません
でしたか？
体を動かして
はたらくことも知らず
五穀《ごこく》の
見わけもつかんような
人間が
なぜ先生様
なのかね

老人は肩から荷をおろして
そのあたりの草を刈りはじめた
子路は、その場に立ちつくし
いつまでも老人を見守っていた
その夜、老人は子路を自宅に泊まらせ
ニワトリをつぶしキビめしを炊いて
ご馳走し、二人の息子を引き合わせた

翌朝、子路は一行に追いついて
孔子に昨日のことを報告した
「隠者にちがいない」と孔子は言った
そして子路をもう一度老人宅に行かせた
しかし、老人は出かけたあとだった。子路は
二人の息子に向かって言った――

仕官してしかるべき
責任を果たそうとしないのは
けっしてほめられた生き方では
ないでしょう
あなた方のお父上も
長幼の序は守っておられるが
君臣の義にしても
無視してよいはずが
ありません

あなた方のお父上は
自分一人の身を
汚すまいとして
大きな道理を
見あやまっています
私どもが仕官を
求めるのは
社会人としての責任を
果たそうとしてのこと
理想がすぐに実現
できないことぐらいは
百も承知しています
孔子の意を汲んで、子路は
このように隠者を批判した
のです

周公のいましめ

周公《しゅうこう》、魯公《ろこう》に謂《い》いて曰《いわ》く、君子《くんし》は其《そ》の親《しん》を施《す》てず。大臣《だいじん》をして以《もち》いざるに怨《うら》ましめず。故旧《こきゅう》、大故《たいこ》無《な》ければ、則《すなわ》ち棄《す》てず。備《そな》わらんことを一人《いちにん》に求《もと》むること無《な》かれ。

人それぞれの“いましめ”をもっている

周公旦が魯の国の君主になったわが子伯禽《はくきん》をいましめて言った
君主になったら第一に親族をおろそかにしてはならない
第二に重臣たちに自分が無視されているという不満をもたせてはならない
第三に昔なじみはよほどのことがない限り見捨ててはならない
第四はひとりに全部を期待してはならない

子張篇《しちようへん》

この篇は全部が弟子たちの言葉であり、孔子の言葉はない。

一命を投げ出す

子張《しちょう》曰《いわ》く、士《し》は危《あやう》きを見《み》ては命《めい》を致《いた》し、得《う》るを見《み》ては義《ぎ》を思《おも》い、祭《まつ》りには敬《けい》を思《おも》い、喪《も》には哀《あい》を思《おも》う。其《そ》れ可《か》なるのみ。

君子の
生き方を学ぶ

危機にさいしては
一命を投げ出す
利益を前にしても
正義をふみはずさ
ない
利
敬虔《けいけん》な態度で
先祖を祭り
喪にあたっては
哀悼の気持ちを
失わない
これが守れるなら
士として一人前だ

無意味な存在

子張《しちょう》曰《いわ》く、徳《とく》を執《と》ること弘《ひろ》からず、道《みち》を信《しん》ずること篤《あつ》からずんば、焉《いずく》んぞ能《よ》く有《あ》りと為《な》し、焉《いずく》んぞ能《よ》く亡《な》しと為《な》さん。

小さな徳では
職場で
無意味な存在に

小さな徳でこと足《た》れりとしている人間道に対する確信をもたない人間は世の中にあってだと、子張は言っている
無意味な存在
道徳
徳

足手まといを避ける

子《し》夏《か》曰《いわ》く、小道《しょうどう》と雖《いえど》も、必《かなら》ず観《み》る可《べ》き者有《ものあ》り。遠《とお》きを致《いた》すには恐《おそ》らく泥《なず》まん。是《ここ》を以《もっ》て君子《くんし》は為《な》さざるなり。

趣味も道楽も
ほどほどに

どんなつまらない技芸でも
それなりの取り柄はある

しかし
遠大な目標を達成
するためには、そういう
ものにとらわれると
かえって足手まといになる
だから、君子はあえて
深入りはしない

日々学習

子夏《しか》曰《いわ》く、日《ひ》に其《そ》の亡《な》き所《ところ》を知《し》り、月《つき》に其《そ》の能《よ》くする所《ところ》を忘《わす》るること無《な》きは、学《がく》を好《この》むと謂《い》うべきのみ。

日に月に
新知識を吸収し
復習を怠らない
姿勢は
学問を愛する者
といえるだろう
知識
復習

広く学び、志を固く

子夏《しか》曰《いわ》く、博《ひろ》く学《まな》びて篤《あつ》く志《こころざ》し、切《せつ》に問《と》いて近《ちか》く思《おも》う。仁《じん》其《そ》の中《うち》に在《あ》り。

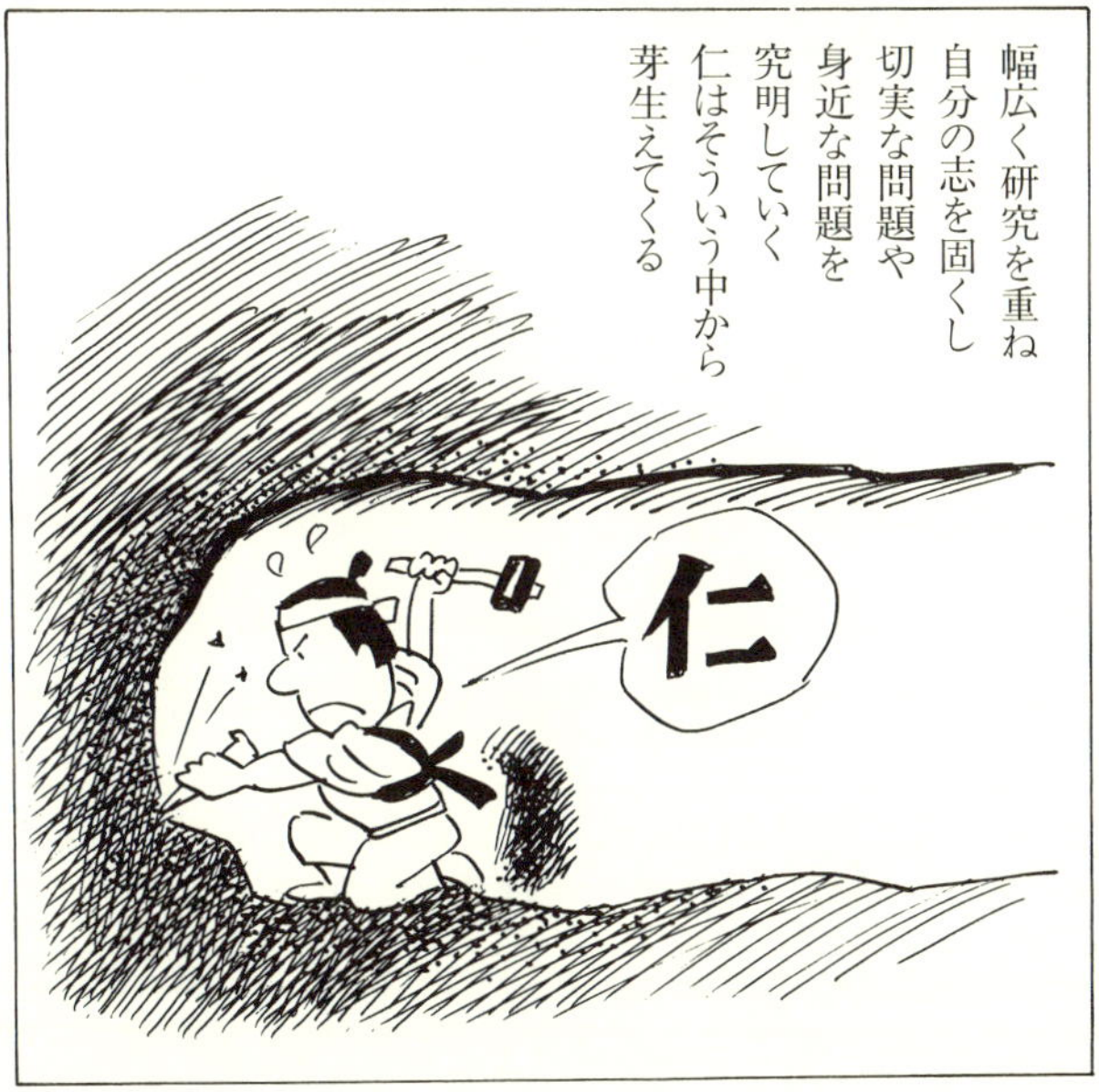
幅広く研究を重ね
自分の志を固くし
切実な問題や
身近な問題を
究明していく
仁はそういう中から
芽生えてくる
仁

職人は仕事場、君子は学問

子夏《しか》曰《いわ》く、百工《ひゃくこう》は肆《し》に居《い》て以《もっ》て其《そ》の事《こと》を成《な》す。君子《くんし》は学《まな》びて以《もっ》て其《そ》の道《みち》を致《いた》す。

職人は仕事場にいてこそ
自分の仕事ができる
君子は学問を通じてこそ
道を究《きわ》めることができる
学問

小人は言い訳をする

子夏《しか》曰《いわ》く、小人《しょうじん》の過《あやま》ちや、必《かなら》ず文《かざ》る。

小人は失敗をすると
必ず言い訳をする
ああだこうだ…

君子三変

子夏《しか》曰《いわ》く、君子《くんし》に三変《さんぺん》有《あ》り。之《これ》を望《のぞ》めば儼然《げんぜん》たり。之《これ》に即《つ》くや温《おん》なり。其《そ》の言《げん》を聴《き》くや厲《れい》なり。

君子は三たび
姿を変える
遠くから見ると
近寄りがたい
ような
きびしさがある
近寄って
みると
意外に
温かい
しかし
言葉を
聞くと
手きびしい
ピュー

人間としての
スケールの
大きさ

信頼について

君子は、人民に信頼されてから
人民を公役に使う
もし、信頼されていないうちに
使えば、人民はただ
しぼられているだけだと
考えるだろう

また、上司の信頼があってこそ
提案も採用される
信頼もないのに、いくら提案しても
アラさがしするヤツと思われる
だけだ

何をなすにも
まず相手の信頼を得る
ことが肝要だ、と子夏は
言っているのである

ゆとりができたら

子夏《しか》曰《いわ》く、仕《つか》えて優《ゆう》なれば即《すなわ》ち学《まな》ぶ。学《まな》びて優《ゆう》なれば即《すなわ》ち仕《つか》う。

仕官（就職）して
ゆとりができたら
勉強しなさい
（道を会得する
ためにはげむ）
勉強していて
ゆとりができたら
仕官しなさい
（学んだ道を
実践する）
学問
実践

哀悼の情

子游《しゆう》曰《いわ》く、喪《も》は哀《あい》を致《いた》して止《や》む。

「喪《も》にあたっては
ただひたすら
哀悼の情をつくせば
よい
その他のことを
考える必要はない」
と子游は言っている

仁の道

子游《しゆう》曰《いわ》く、吾《わ》が友張《ともちょう》や、能《よ》くし難《がた》きを為《な》す。
然《しか》れども未《いま》だ仁《じん》ならず。

私の友人の子張は
たいていのことは
やりとげる人間だ
だが、まだ仁の道に
到達していない
(これは非難ではなく
指摘であり
お互いの反省の
糧《かて》としている)

外見と内面

曽子《そうし》曰《いわ》く、堂々《どうどう》たるかな張《ちょう》や。
与《とも》に並《なら》びて仁《じん》を為《な》し難《がた》し。

子張は、態度は
堂々としていて
りっぱなものだ
だが、共に仁の道を
実践するのは
むずかしい
(外見はりっぱだが
内面の修養に
欠けているという
こと)
外見
修養不足

人がベストをつくすとき

曽子《そうし》曰《いわ》く、吾《わ》れ諸《こ》れを夫子《ふうし》に聞《き》けり。人《ひと》未《いま》だ自《みずか》ら致《いた》す者《もの》有《あ》らざるなり。必《かなら》ずや親《おや》の喪《も》か。

毎日ベストを
つくせば
疲れる

先生（孔子）から
お聞きしたのだが
人が自分のベストを
つくすということは
めったにない、と

もしあるとすれば
それは親の喪に
服しているときだけだと
おっしゃった
●儒教では親孝行を最高道徳の一つとしていた。

司法長官の心得
孟氏《もうし》（魯の家老）の意志で
司法長官の地位についた陽膚《ようふ》（曽子の
弟子）は、司法長官についての心得を
曽子にたずねた
曽子は言った――
為政者が打つべき
手を打たないから
人民は土地を失い
一家離散の
うきめにあっている
政治不信
だから
もしおまえが
罪情を明らかにできても
罪を犯した者に
同情すべきであって
得意になってはならぬ

汚名について

子貢《しこう》曰《いわ》く、紂《ちゅう》の不善《ふぜん》は、是《か》くの如《ごと》く之《これ》甚《はなは》だしからざるなり。是《ここ》を以《もっ》て君子《くんし》は下流《かりゅう》に居《お》ることを悪《にく》む。天下《てんか》の悪《あく》皆《みな》帰《き》すればなり。

汚名は
すぐ広がる

子貢は言った――
暴君と言われる
殷《いん》の紂王《ちゅうおう》も
実際はそれほど
ひどいことを
したわけではない
紂王
殷《いん》王朝三十代最後の王
その暴政によって周の武王に
亡ぼされる

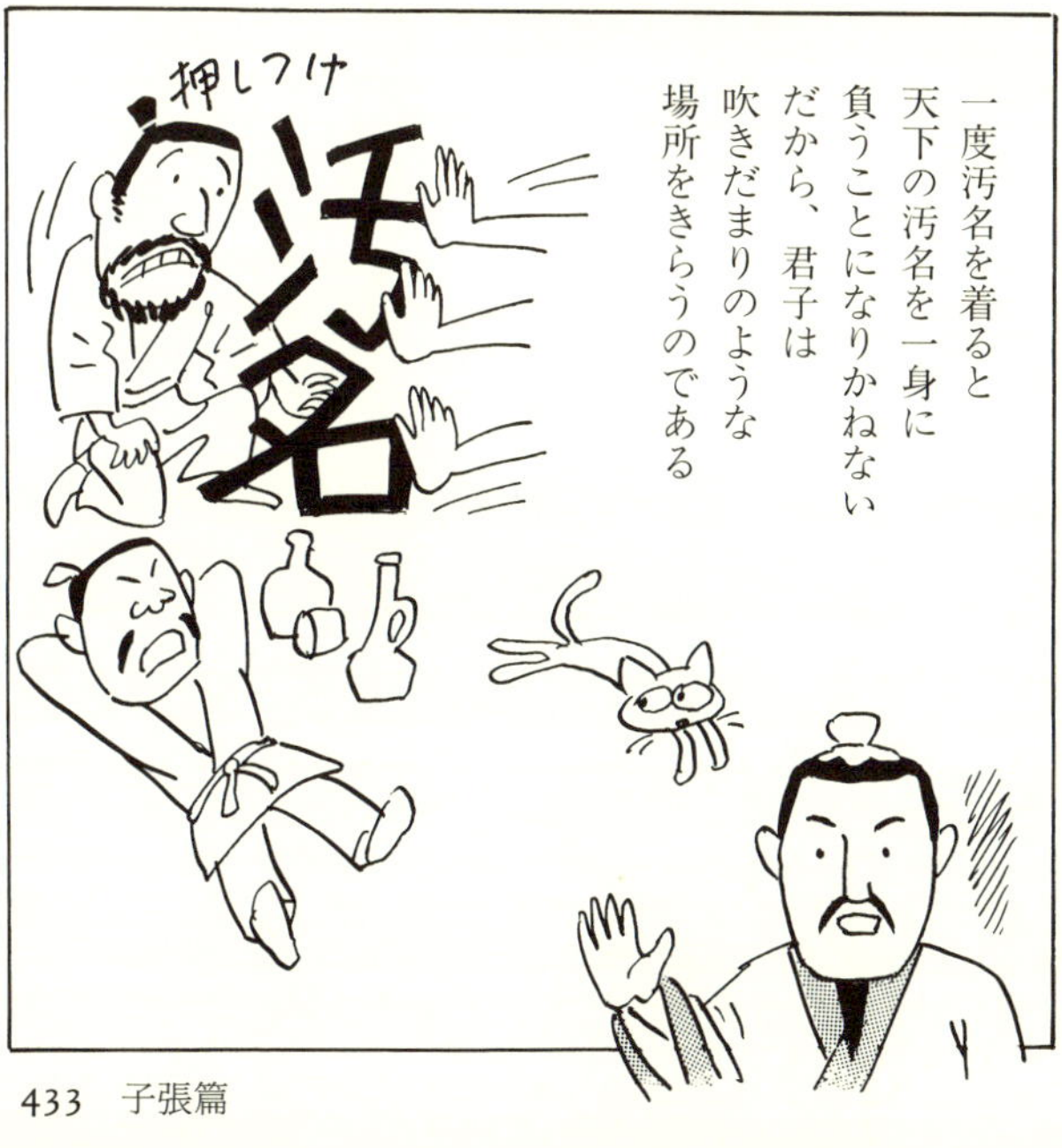
一度汚名を着ると
天下の汚名を一身に
負うことになりかねない
だから、君子は
吹きだまりのような
場所をきらうのである
押しつけ
汚名

君子の過ち

子貢《しこう》曰《いわ》く、君子《くんし》の過《あやま》ちや日月《にちげつ》の食《しょく》の如《ごと》し。
過《あやま》つや、人皆之《ひとみなこれ》を見《み》る。更《あらた》むるや、人皆之《ひとみなこれ》を仰《あお》ぐ。

君子の犯《おか》す過ちは
日食や月食に
たとえられよう
過ちを犯すと
隠しだてしないので
だれもがそれに眼を
向ける
だが過ちを
改めると
だれもがそれを
仰ぎ見る

過ちは
くり返さない

孔子の先生は誰?
衛《えい》の家老、公孫朝《こうそんちょう》が子貢に向かって
あなたの先生である孔子どのは
だれを師として学んだのか、と
たずねた——

子貢は答えた——
昔の周の文王や
武王の歩まれた道は
今でもまだ残されています
……
●周の文王、武王は、文明の創始者とされていた。

賢者でもそうでない人も
それなりの見識はもっています
どこに行っても
学ぶに値する人はいます

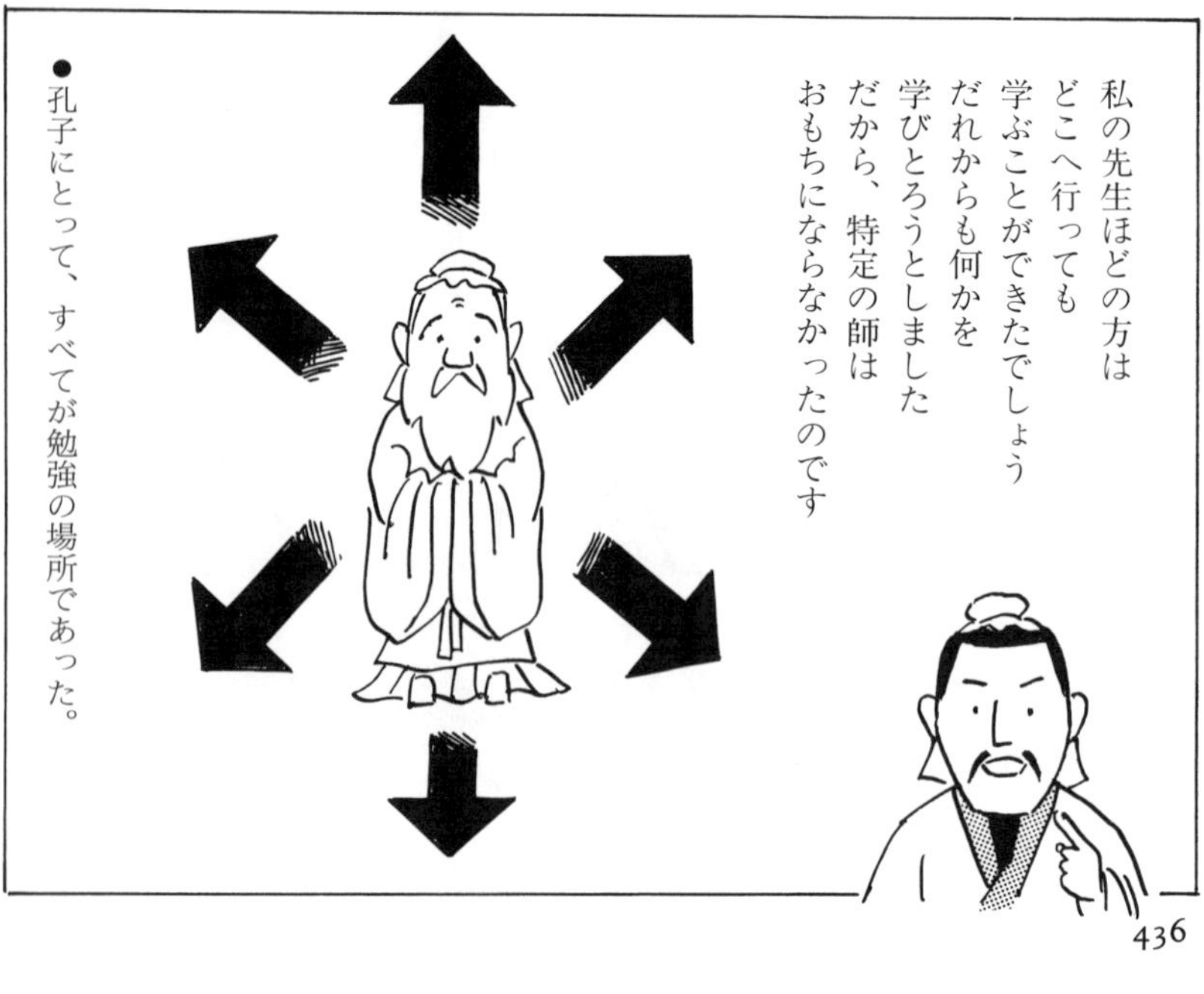
私の先生ほどの方は
どこへ行っても
学ぶことができたでしょう
だれからも何かを
学びとろうとしました
だから、特定の師は
おもちにならなかったのです
●孔子にとって、すべてが勉強の場所であった。

孔子と子貢の違い
魯の朝廷（政治を行う所）の事務室で
重臣たちが集まっているとき、家老の
叔孫《しゅくそん》武叔《ぶしゅく》が言った——
孔子より弟子の
子貢のほうが
人物が上だよ

同席していた子服景伯《しふくけいはく》という人が
それを子貢に伝えた
子貢は言った——
なるほど
先生と私の比較《ひかく》ですか
それを屋敷にたとえて
みましょう
私の場合、まわりの塀《へい》は
せいぜい肩の高さで
家のつくりが外から
まる見えです

先生のほうはりっぱな
宮殿づくりで
まわりの塀は数メートルも
あるから塀の中へ
入らなくては
その荘重なつくりは
知ることができません

ところが
中に入りたくても
門がどこにあるかさえ
わかりません
それを見つけるのも
容易じゃない
だからそういう批評が
あっても無理はないと
思いますよ

孔子は太陽か月
叔孫《しゅくそん》武叔《ぶしゅく》が子貢の前で
孔子の悪口を言った
これに対して弟子の子貢が
たしなめて言った——
あなたが何を
おっしゃったところで
ムダなことです
ほかの賢者は
すぐれている
といっても
丘のようなもので
越えることも
できます

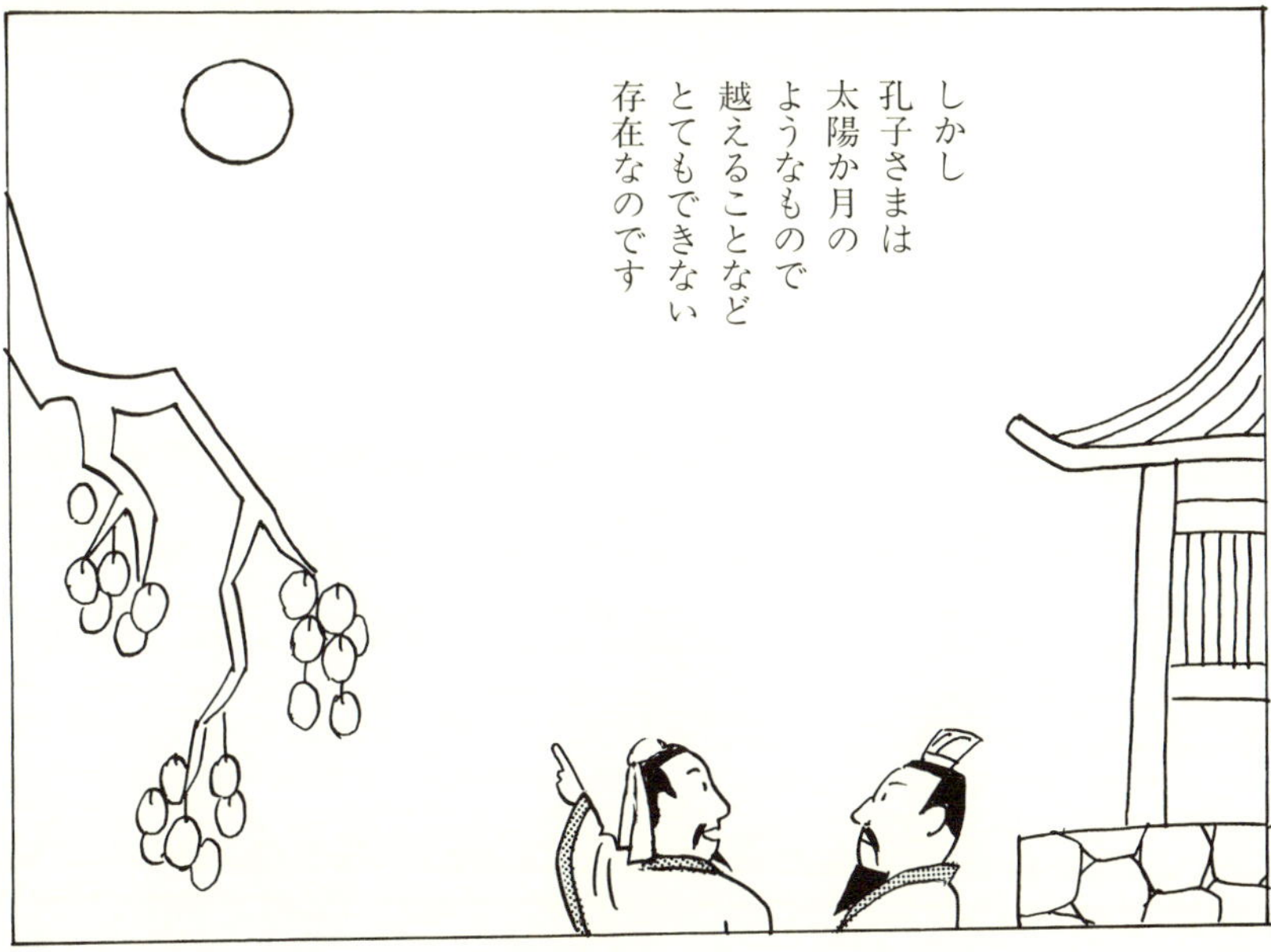
しかし
孔子さまは
太陽か月の
ようなもので
越えることなど
とてもできない
存在なのです

孔子の偉大さ
子貢の弟子との説もある
陳子禽《ちんしきん》が子貢に言った――
あなたは謙遜《けんそん》して
いらっしゃいます
孔子さまがあなたより
上のはずがありません

子貢は
たしなめて言った――
君子は
自分が口にした
ひとことで
人から評価を
うけるものだ
うかつな発言は
しないことだ
先生を越え
ようにも
それは
はしごをかけて
天に登るような
ものだ、とても
できるはずが
ない

子貢はさらに
つづけて言った——
孔子さまがもし
君主の地位にあったら
民生を確立すれば
それはすぐ確立され
何かの方向に
導こうとすれば
すぐに実行され
平和な政策をとれば
遠方の人も
慕い寄ってくる

人民は平和になり
生存中は栄誉をうけ
亡くなれば
広く悲しみを招く
きっと、そういう状態が
出現するだろう
先生の偉大さに
わたしごときが
どうして
追いつけようか

尭曰篇《ぎょうえつへん》

論語最後のこの篇は篇数を二十と、きりよくするために加えられたもののようである。

万民の罪はわたしが受ける
殷《いん》王朝の創始者である湯王《とうおう》が
夏《か》の桀王《けつおう》を征伐《せいばつ》するとき
つぎのように宣誓した——
もし、わたしに
罪があるときは
その罪を万民に
及ぼすことの
ないように
お願いしたい

もし、また
万民に罪があるときは
その罪は、わたし一人の身で
お受けしたい
かくて、湯王は出陣
桀王を亡ぼし
殷王朝を創始した

寛大・誠実・勤勉

……寛《かん》なれば則《すなわ》ち衆《しゅう》を得《え》、信《しん》なれば則《すなわ》ち民任《たみにん》ず。敏《びん》なれば則《すなわ》ち功《こう》有《あ》り。公《こう》なれば則《すなわ》ち説《よろこ》ぶ。

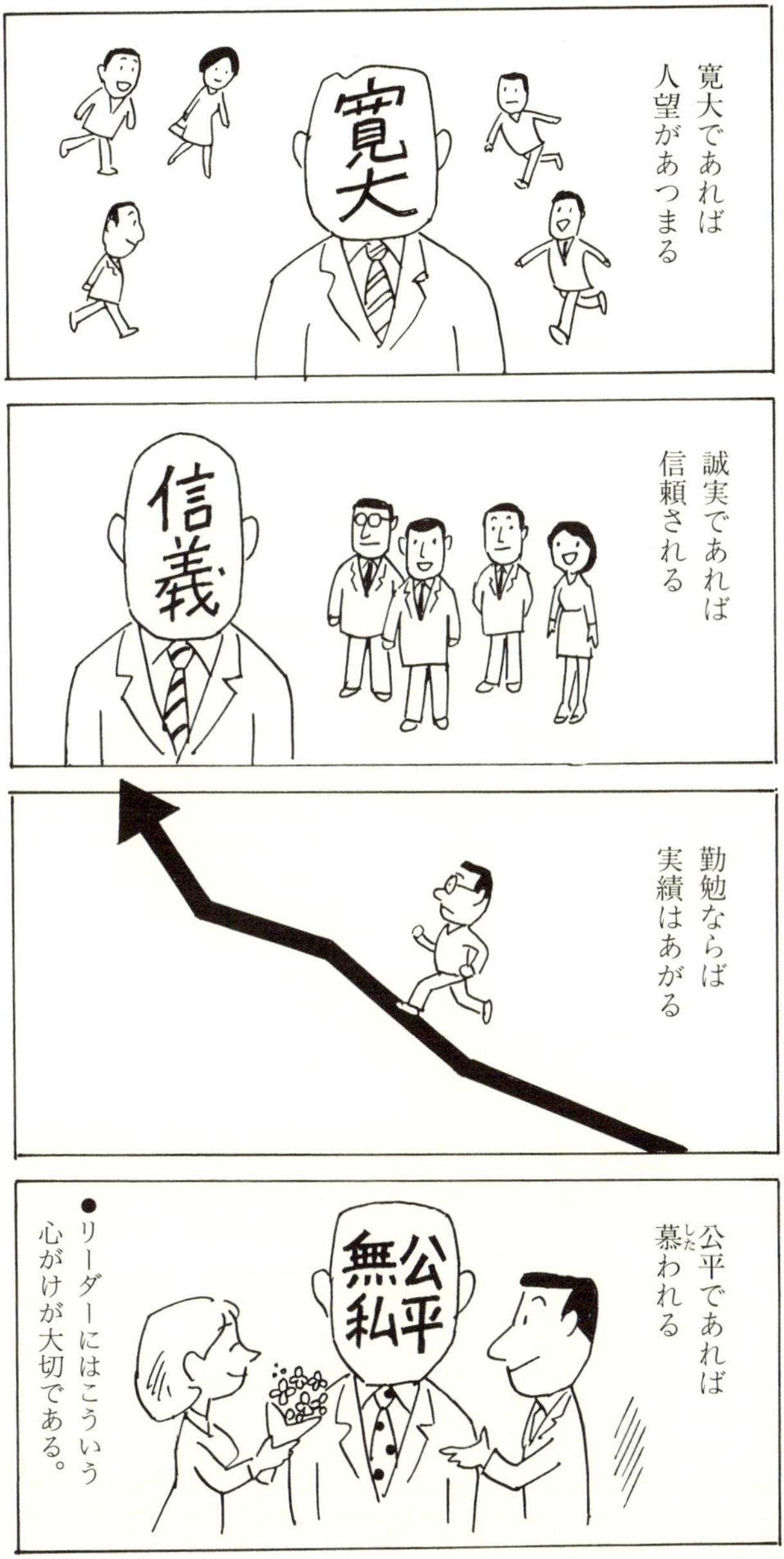
寛大であれば人望があつまる
寛大
誠実であれば信頼される
信義
勤勉ならば実績はあがる
公平であれば慕《した》われる
公平無私
●リーダーにはこういう心がけが大切である。

人間的な向上を心がける

政治家の四悪

子張が孔子に、政治家の
四悪についてたずねたのに
孔子は答えた——
社会教育を
おろそかに
しておきながら
罪を犯すと
すぐその民を
処罰する
やり方は
残忍というべきだ
指導もしないで
実績をあげろと
強制するのは無茶だ

はっきり命令
していないで
突如として
実行しろという
のは非道である
出すべきものも
ケチケチと
出し惜しむような
やり方は
小役人根性である
命令だ
ケチ
小役人

天命を知れ

子《し》曰《いわ》く、命《めい》を知《し》らざれば、以《もっ》て君子《くんし》為《た》ること無《な》きなり。礼《れい》を知《し》らざれば、以《もっ》て立《た》つこと無《な》きなり。言《げん》を知《し》らざれば、以《もっ》て人《ひと》を知《し》ること無《な》きなり。

天から与えられた人間の運命とは

天命
礼
君子たるもの天命を自覚していなければならない
礼儀を知らないようでは、世の中に自立することはできない

相手の言葉を理解できないようではその人物を理解することはできない
●人間として、孔子が示した三ヵ条の心得である。

孔子の生涯

——聖人君子も人の子であった

① 孔子は春秋時代後期の紀元前五五一年魯《ろ》の国（今の山東省曲阜県一帯）で生まれた。

姓は孔、名は丘《きゅう》、字《あざな》は仲《ちゅう》尼《じ》。「子」は、当時の思想家や教育者に対する尊称であった。

② 孔子三歳のとき、父が死去、母と貧困の少年時代をすごした。

③ 十五歳で学問を志し、十九歳で結婚、翌年男子を出生。

二十歳で倉庫の管理人となり、その後、家畜の管理人をやり一家を養った。

まじめでよく仕事をこなしたという。

④ 孔子は、至るところで人びとに教えを乞い、学習のチャンスをつかんだ。
鄭《てい》の国の君主が古代史に造詣が深いと知ると、鄭に行き、教えをうけた。

⑤ 当時の大思想家老子をたずね〝処世〟について教えをうけた。

⑥ 学問知識が深まるにつれ、弟子たちに教えるようになった。
弟子の身分は問わず、学費として乾肉《ほしにく》ひと束で、入門を許した。

⑦ 孔子は机上の学問だけでなく、社会での身の処し方や、事業の成功法などについても教えた。

⑧ 孔子は、弟子を教育しながらチャンスがあれば国政に参加した。魯で治安を管理する長官をつとめたが、君主は名君でなく、舞楽にうつつを抜かし、国政に目を向けようとしないため、孔子を失望させた。

⑨ 孔子は、弟子たちを連れて他国に望みを託し、各地を訪れ自分の政治思想を説いてまわった。

⑩ 衛・曹・宋・鄭・陳などの国を訪れ、自説の売り込みをはかったが、どの国も孔子の説を理解しようとしなかった。

それでも孔子は、弟子たちときびしい旅をつづけながら、学問にはげんだ。

⑪ 宋では、木の下で弟子たちに講義中の孔子を、その木を切り倒して殺そうとした将軍がいた。孔子はあやうく難をのがれ、言った。「私には天からさずかった使命がある、宋の将軍ごときに何ができようぞ！」

⑫　あてもない流浪の旅で衣服はボロボロになり、泊まる場所もない日があった。
　通りすがりの者が、「宿なしの野良犬」とあざけると、孔子は、「そうだ、まったくその通りだ」と答えた。

⑬　飢えと疲労で病に倒れる弟子もいた。しかし孔子は、学問と復習の日課を怠ることは、なかった。

⑭　ある日、子路は苦境に我慢できず、「君子でもこんなひどい目にあわなければならないのですか」と孔子にせまった。
　孔子は、「君子は、いかなる窮地にあっても自分の信念と行動は不変である。しかし、仁徳なき小物は悪事に走るだろう」と答えた。

⑮　十四年にわたり流浪の旅をつづけたが、ついに孔子はどこの国からも受け入れられなかった。故郷の魯へ戻ったときには、孔子六十八歳になっていた。

⑯ 各国での政治参加という意図はかなえられなかったが、学業の面ではすばらしい成功を収めた。
魯に帰った孔子は、学校を開き、広く人材の育成に取り組んだ。これは、中国史上はじめてのことであった。

⑰ 孔子は、「詩」「書」「礼」「易」「楽」「春秋」を基本教材とした。そして六芸と称する「礼」「楽」「射」「御」「書」「数」を必須学習科目とした。

⑱ 紀元前四七九年四月、孔子は病床につき、その七日後、七十三歳の生涯を閉じた。孔子の死後、彼の教育思想、政治思想は、その後の中国封建社会に大きな影響を与えた。

⑲ 死後、「聖人」とうたわれた孔子の学説は、日本、朝鮮半島、東南アジアなど海外にも広く伝わり、世界の文明にも大きな影響を与えたのである。

（上海远東出版社刊『中国名人彩図故事』より）

【参考図書】

守屋洋『論語の人間学』（プレジデント社）
久米旺生『中国の思想「論語」』（徳間書店）
吉川幸次郎『論語（上下）』（朝日新聞社）
松本一男『論語一日一話』（ＰＨＰ研究所）
下村湖人『論語物語』（講談社）
加地伸行『「論語」を読む』（講談社）
守屋洋『中国古典の人間学』（新潮社）
谷沢永一・渡部昇一『人生は論語に窮まる』（ＰＨＰ研究所）
久米旺生『中国古典百言百話「論語」』（ＰＨＰ研究所）
吉田賢抗『新釈漢文大系　論語』（明治書院）
町田静隆『人間らしく生きる〔論語〕』（明治書院）
他に、孔子画刊、中国古典啓蒙画庫、東周烈国史、中国名人彩図故事（いずれも中国版）

著者略歴　**森《もり》哲《てつ》郎《ろう》**

一九二八年、愛知県に生まれる。漫画家。名古屋タイムズ、中日新聞専属執筆を経て、一九六〇年、東京に。コミック漫画十数誌に連載をはじめる。一九六二年、手塚治虫らと長編漫画研究会を結成。一九七五年、『劇画　秩父事件』『劇画　日本国憲法』を出版し、反響を呼ぶ。一九八〇年、『中国描きある記』を出版し、それ以降は中国をテーマに描き続けている。一九九二年、「日中友好漫画展」を中国北京市・革命博物館で開催。著書の『論語漫画　上下巻』（明治書院）は北京市の出版社からも出版されている。

マンガ『論《ろん》語《ご》』完《かん》全《ぜん》入《にゅう》門《もん》

二〇〇四年　六　月十八日　第　一　刷発行
二〇二〇年十一月二十日　第十一刷発行

著者　森《もり》　哲《てつ》郎《ろう》

ブックデザイン　鈴木成一デザイン室

発行者　渡瀬昌彦

発行所　株式会社講談社
東京都文京区音羽二丁目一二—二一
郵便番号　一一二—八〇〇一
電話　編集〇三—五三九五—三五六〇
販売〇三—五三九五—四四一五
業務〇三—五三九五—三六一五

印刷所　株式会社新藤慶昌堂

製本所　若林製本工場株式会社

落丁本・乱丁本は購入書店名を明記のうえ、小社業務あてにお送りください。送料小社負担にてお取り替えします。なお、この本の内容についてのお問い合わせはからだとこころ編集にお願いいたします。

ISBN4-06-274166-0　定価はカバーに表示してあります。